DENÚNCIAS

A marca FSC é a garantia de que a madeira utilizada na fabricação do papel deste livro provém de florestas que foram gerenciadas de maneira ambientalmente correta, socialmente justa e economicamente viável, além de outras fontes de origem controlada.

IAN RANKIN

DENÚNCIAS

TRADUÇÃO
Álvaro Hattnher

COMPANHIA DAS LETRAS

Copyright © 2009 by Ian Rankin

Proibida a venda em Portugal.

Grafia atualizada segundo o Acordo Ortográfico da Língua Portuguesa de
1990, que entrou em vigor no Brasil em 2009.

Título original:
The complaints

Capa:
Elisa v. Randow

Foto de capa:
Ana Ottoni

Preparação:
Leny Cordeiro

Revisão:
Luciane Helena Gomide
Marise Leal

Dados Internacionais de Catalogação na Publicação (CIP)
(Câmara Brasileira do Livro, SP, Brasil)

Rankin, Ian
Denúncias / Ian Rankin ; tradução Álvaro Hattnher. — São
Paulo : Companhia das Letras, 2011.

Título original: The complaints.
ISBN 978-85-359-1924-0

1. Ficção policial e de mistério (Literatura inglesa) I.
Título.

11-06933   CDD-823.0872

Índice para catálogo sistemático:
1. Ficção policial e de mistério : Literatura inglesa 823.0872

2011

Todos os direitos desta edição reservados à
EDITORA SCHWARCZ LTDA.
Rua Bandeira Paulista, 702, cj. 32
04532-002 — São Paulo — SP
Telefone: (11) 3707-3500
Fax: (11) 3707-3501
www.companhiadasletras.com.br
www.blogdacompanhia.com.br

SEXTA-FEIRA,
6 DE FEVEREIRO DE 2009

1

Houve um início de aplauso quando Malcolm Fox entrou na sala.

"Não precisa exagerar", disse ele, colocando a pasta surrada sobre a mesa mais próxima da porta. Havia dois outros colegas no escritório. Eles já estavam voltando ao trabalho quando Fox começou a tirar o sobretudo. Quase cinco centímetros de neve tinham caído durante a noite em Edimburgo. Uma quantidade semelhante paralisara Londres havia uma semana, mas Fox conseguira chegar ao trabalho e, ao que parecia, todos os outros também. Era como se o mundo lá fora estivesse temporariamente purificado. Surgiram marcas no jardim de Fox — ele sabia que havia uma família de raposas em algum lugar perto de seu imóvel: a parte de trás das casas dava para um campo de golfe municipal. O apelido dele no QG da polícia era "Foxy",* mas ele não se via dessa forma. "O homem parece um urso" — foi assim que um de seus antigos chefes o descreveu. Lento, mas firme, e apenas de vez em quando inspirava temor.

Tony Kaye, com uma pasta enorme enfiada embaixo do braço, passou pela mesa e conseguiu apertar o ombro de Fox sem deixar cair nada.

"Mas foi legal mesmo assim", disse ele.

"Obrigado, Tony", disse Fox.

O Quartel-General da Polícia de Lothian and Borders ficava na avenida Fettes. De algumas janelas, era possível

_____

(*) "Fox", em inglês, significa "raposa". (N. T.)

ver o Fettes College. Alguns dos policiais na Divisão de Denúncias tinham frequentado escolas particulares, mas nenhum estivera em Fettes. O próprio Fox teve a maior parte de sua formação em instituições públicas — Boroughmuir e depois Heriot Watt. Torcia pelo Hearts FC, embora raramente conseguisse assistir a um jogo, nem mesmo quando aconteciam na cidade. Não se interessava por rúgbi, mesmo quando a cidade abrigava o campeonato Six Nations. Fevereiro era o mês do Six Nations, o que significava que haveria hordas de galeses na cidade naquele fim de semana, vestidos de dragões e carregando enormes alhos-porós infláveis. Fox pensou que iria assistir à partida pela televisão, quem sabe se animaria até mesmo a ir ao pub. Fazia cinco anos já que estava longe da bebida, embora nos últimos dois tivesse feito algumas visitas ocasionais. Mas apenas quando estava com um bom estado de espírito; apenas quando sua força de vontade estava forte.

Pendurou o sobretudo e percebeu que podia tirar o paletó também. Alguns de seus colegas no quartel-general achavam que os suspensórios eram exibicionismo, mas ele havia emagrecido e não gostava de cintos. Os suspensórios não eram espalhafatosos — azul-escuros sobre uma camisa azul-clara. A gravata de hoje era de um tom de vermelho bem escuro. Colocou o paletó no encosto da cadeira, endireitou-o nos ombros e sentou-se, abrindo a pasta e tirando a papelada sobre Glen Heaton. Heaton era a razão dos breves aplausos do pessoal da Divisão de Denúncias. Heaton era um resultado. Fox e sua equipe tinham levado quase um ano para montar o processo. Esse processo agora fora aceito pelo escritório da promotoria, e Heaton, que fora advertido e interrogado, iria a julgamento.

Glen Heaton — quinze anos na força, onze deles no Departamento de Investigação Criminal. E, durante a maior parte desses onze anos, ele distorceu as regras em vantagem própria. Mas Heaton ultrapassou demais os limites, vazando informações não só para os colegas, mas para os próprios criminosos. E isso despertou mais uma vez a atenção da Divisão de Denúncias.

Denúncias e Conduta, esse era o nome completo da divisão. Eles eram os policiais que investigavam outros policiais. Eram "a Brigada dos Sapatos Macios", os "Saltos de Borracha". Dentro da Divisão de Denúncias e Conduta havia outro grupo menor — a Unidade de Normas Profissionais. Enquanto a D e C cuidava do feijão com arroz — queixas sobre carros-patrulha estacionados em vagas para deficientes ou vizinhos policiais que escutavam música alto demais — a UNP era às vezes chamada de "o Lado Sombrio". Eles investigavam racismo e corrupção. Investigavam propinas e gente que fazia vista grossa. Eram discretos, sérios e determinados, e tinham tanto poder quanto era necessário. Fox e sua equipe eram da UNP. O escritório deles ficava em um andar diferente da D e C, e era muito menor. Heaton foi vigiado durante meses, o telefone de sua casa foi grampeado, os registros de ligação do celular foram investigados, seu computador, verificado duas vezes — tudo sem que ele soubesse. Foi seguido e fotografado até que Fox soubesse mais sobre ele do que a própria esposa de Heaton, o que incluía a dançarina com quem ele andava saindo e o filho que teve em um relacionamento anterior.

Muitos policiais faziam a mesma pergunta ao pessoal da Divisão de Denúncias: como vocês conseguem? Como podem humilhar seus próprios colegas? Eram policiais com os quais eles já haviam trabalhado, ou com quem poderiam trabalhar no futuro. Eram, como se dizia com frequência, "os mocinhos", "a turma do bem". Mas o problema era exatamente este — o que significava ser "do bem"? Fox se fez essa pergunta diversas vezes, encarando o espelho atrás do bar e bebendo um refrigerante sem nenhuma pressa.

Somos nós e eles, Foxy... às vezes é preciso usar uns atalhos, caso contrário não se consegue fazer nada... você mesmo nunca fez isso? Você é mais realista do que o rei, é? Totalmente íntegro?

Não, totalmente íntegro, não. Às vezes era como se estivesse sendo arrastado — arrastado para a UNP sem de fato querer fazer isso. Arrastado para relacionamentos... e para fora deles não muito tempo depois. Ele abriu as cortinas de seu quarto naquela manhã e ficou olhando a neve, pensando em ligar para o escritório, dizer que a rua estava bloqueada. Mas então o carro de um vizinho passou lentamente e a mentira derreteu. Ele viera trabalhar porque aquilo era o que fazia. Ele vinha para o trabalho e investigava policiais. Heaton estava suspenso agora, ainda que continuasse recebendo salário integral. A papelada fora passada para o promotor.

"Então é isso?" O outro colega de Fox estava em pé na frente da mesa, as mãos enfiadas nos bolsos da calça como de costume, movendo o corpo devagar, apoiado nos calcanhares. Joe Naysmith, seis meses no serviço, ainda entusiasmado. Tinha vinte e oito anos, o que era pouco para estar na Divisão de Denúncias. Tony Kaye achava que Naysmith via naquele emprego uma rota rápida para chegar à administração. O jovem sacudiu a cabeça, tentando fazer alguma coisa com a franja do cabelo, motivo de constantes gozações dos colegas.

"Até aqui, tudo bem", disse Malcolm Fox. Ele tirou um lenço do bolso da calça e assoou o nariz.

"Então, esta noite a bebida é por sua conta?"

Atrás de sua mesa, Tony Kaye estava ouvindo. Ele se recostou na cadeira, estabelecendo contato visual com Fox.

"Só não pode ser nada mais forte do que um milk-shake para quem está desmamando. Senão logo, logo vai querer usar calças compridas."

Naysmith virou-se e tirou a mão do bolso por tempo suficiente para mostrar o dedo médio para Kaye. Kaye fez beicinho e voltou à sua leitura.

"Vocês não estão em um parquinho, porra!", rosnou uma nova voz que vinha da porta. Lá estava o inspetor-chefe Bob McEwan. Ele entrou como se estivesse passeando e esfregou de leve os nós dos dedos na testa de Naysmith.

"Cortar o cabelo, jovem Joseph — o que foi que eu lhe disse?"

"Sim, senhor", murmurou Naysmith, voltando para sua mesa. McEwan estava olhando seu relógio de pulso.

"Fiquei duas horas naquela maldita reunião."

"Tenho certeza de que vocês fizeram bastante coisa, Bob."

McEwan olhou para Fox. "O chefe acha que tem alguma coisa cheirando muito mal em Aberdeen."

"Deu algum detalhe?"

"Ainda não. Não posso dizer que estou ansioso para ver isso na minha caixa de entrada."

"Você tem amigos em Grampian?"

"Eu não tenho amigos em lugar nenhum, Foxy, e é desse jeito que eu gosto." O inspetor-chefe fez uma pausa, aparentemente se lembrando de algo. "Heaton?", perguntou, e viu Fox fazer que sim com a cabeça. "Muito bom."

Pelo jeito como falou, Fox sabia que o chefe tinha escrúpulos. Em um passado longínquo, ele havia trabalhado com Glen Heaton. A posição de McEwan era a de que o homem fizera um ótimo trabalho, conquistando todas as vantagens a que tinha direito. Um bom policial, na maior parte do tempo...

"Muito bom", disse McEwan de novo, ainda mais distante dessa vez. Ele saiu do devaneio com um movimento dos ombros. "E o que mais temos hoje?"

"Uma coisinha ou outra." Fox estava assoando o nariz novamente.

"Ainda não se livrou dessa gripe?"

"Parece que ela gosta de mim."

McEwan olhou mais uma vez para o relógio. "Já passou da hora do almoço. Por que não terminar mais cedo?"

"Como disse?"

"Tarde de sexta-feira, Foxy. Pode ser que apareça alguma coisa nova na segunda, então é melhor recarregar as baterias." McEwan pôde perceber no que Fox estava pensando. "Mas não Aberdeen", declarou.

"O quê, então?"

"Pode ser que apareça no fim de semana." McEwan deu de ombros. "A gente conversa na segunda-feira." Ele fez menção de ir embora, mas hesitou. "O que Heaton disse?"

11

"Só me deu um daqueles olhares dele."

"Eu já vi gente correr assustada quando ele faz isso."

"Eu não, Bob."

"Não, você não." O rosto de McEwan se crispou em um sorriso enquanto se dirigia para o canto extremo da sala, onde ficava sua mesa.

Tony Kaye voltara a se recostar na cadeira. O homem tinha ouvidos mais aguçados do que qualquer escuta eletrônica. "Se você vai para casa, me deixa uma nota de dez libras."

"Para quê?"

"Para aquelas bebidas que você nos deve — alguns copos de cerveja para mim e um milk-shake para o moleque."

Joe Naysmith verificou se o chefe não estava olhando e mostrou o dedo médio para Kaye de novo.

Malcolm Fox não foi para casa, não imediatamente. Seu pai estava em uma casa de repouso no lado leste da cidade, não muito longe de Portobello. Tempos atrás Portobello fora um ótimo lugar. Era o lugar para se ir no verão. Para brincar na praia, ou caminhar no passeio público. Havia sorvetes de casquinha, máquinas caça-níqueis e peixe com batatas fritas. Castelos de areia perto da água, onde a areia era grudenta e maleável. As pessoas empinavam pipas ou arremessavam pedaços de pau para o cachorro. A água era tão fria que a gente não podia respirar por alguns instantes, mas depois não queria mais sair de lá. Os pais sentados com suas cadeiras de praia listradas, às vezes com um guarda-vento preso na areia. A mamãe teria preparado um piquenique: o gosto forte da pasta de carne espalhada sobre pão branco; algumas garrafas de Barr's Cola mornas. Sorrisos e óculos escuros, e papai com suas calças enroladas até o joelho.

Já fazia alguns anos que Malcolm não levava seu pai até o passeio na praia. Às vezes pensava em fazer isso, sem levar a ideia adiante. As pernas do velhinho não eram muito firmes — era isso o que ele dizia para si mesmo. Não gostava de pensar que era porque as pessoas poderiam ficar olhando para eles dois: um idoso, com sorvete derretido escorrendo pelas costas da mão que segurava o cone, sendo levado na direção de um banco pelo filho. Eles se sentariam e Malcolm Fox limparia o sorvete dos chinelos do pai com o lenço, o mesmo lenço que usaria para limpar o queixo grisalho.

Não, não era isso, de jeito nenhum. É que hoje estava frio demais.

Fox pagava mais pela casa de repouso do que por sua hipoteca. Ele pedira à irmã para dividir a despesa, e ela respondeu que faria isso assim que pudesse. A casa era particular. Fox tinha visitado algumas opções públicas, mas os lugares eram escuros e não cheiravam bem. Lauder Lodge era melhor. Uma parte do dinheiro que Fox guardara fora usada para isso, o que resultou em papel de parede de qualidade e purificadores de ar com aroma de pinho. Também sentia cheiro de talco, e a falta de odores desagradáveis da cozinha era uma prova da boa ventilação do lugar. Ele encontrou vaga para estacionar ao lado do prédio e se apresentou na porta da frente. Era uma casa vitoriana sem ligação com outras e deveria valer algo em torno de sete dígitos até a crise recente. Havia uma sala de espera perto das escadas, mas uma das funcionárias lhe disse que ele poderia ir até o quarto do pai.

"Já sabe o caminho, senhor Fox", disse ela, e ele assentiu e foi na direção do maior dos dois corredores. Havia um anexo, construído em ligação com a estrutura original há cerca de dez anos. As paredes tinham pequenas rachaduras e em alguns lugares o envidraçamento duplo apresentava condensação, mas os quartos eram claros e arejados — as mesmas palavras com as quais ele fora assediado quando visitou o lugar pela primeira vez. Claro, arejado e sem escadas, e alguns com banheiros privativos para uns poucos sortudos. O nome de seu pai estava datilografado em um cartão preso à porta.

13

Sr. M. Fox. M de Mitchell, que era o nome de solteira da avó de Malcolm. Mitch: todo mundo chamava o pai de Malcolm de Mitch. Era um nome forte. Fox respirou fundo, bateu na porta e entrou. Seu pai estava sentado ao lado da janela, as mãos no colo. Parecia um pouco mais magro, um pouco menos animado. Eles ainda faziam a barba dele, e o cabelo parecia ter sido lavado havia pouco tempo. Era fino e prateado, e as costeletas tinham sido mantidas longas, como sempre foram.

"Oi, papai", disse Fox, apoiando-se contra a cama. "Como vão as coisas?"

"Não posso me queixar."

Fox sorriu disso, como era de se esperar. Você machucou seriamente as costas na fábrica onde trabalhava. Ficou incapacitado de trabalhar durante anos. Então o câncer apareceu, e você o tratou com sucesso, ainda que com muito sofrimento físico. Sua mulher morreu logo depois de você ter se curado por completo. E então a velhice chegou.

E você não pode reclamar — porque você era o chefe da família, o homem da casa.

O casamento de seu filho acabou em menos de um ano; ele já tinha problemas com bebida, que na ocasião pioraram por um tempo. Sua filha foi embora de casa e mantém pouco contato, até voltar para casa com um companheiro desagradável a tiracolo.

Mas você não pode se queixar.

Pelo menos o seu quarto não fedia a urina, e seu filho vinha visitá-lo sempre que podia. Ele tinha se saído bem, no fim das contas. Você nunca perguntou se ele gostava do que fazia para viver. Você nunca lhe agradeceu pelos valores pagos em seu nome.

"Esqueci de trazer o chocolate."

"As garotas vão buscar, se eu pedir."

"Turkish Delight? Não é tão fácil de encontrar hoje em dia."

Mitch Fox assentiu com a cabeça, mas não disse nada.

"A Jude apareceu por aqui?"

"Acho que não." As sobrancelhas se uniram. "Quando foi que eu a vi?"

"Depois do Natal? Não se preocupe, eu pergunto para os funcionários."

"Acho que ela *esteve* aqui... foi na semana passada ou na anterior?"

Fox percebeu que havia tirado o celular do bolso. Fingiu que estava olhando mensagens, mas na verdade estava verificando a hora. Menos de três minutos desde que ele trancara o carro.

"Eu finalmente encerrei aquele caso sobre o qual eu lhe contei." Ele fechou o celular de novo. "Tive uma reunião com o promotor esta manhã — parece que vão a julgamento. Ainda tem muita coisa que pode dar errado, mas..."

"Hoje é domingo?"

"Sexta-feira, papai."

"Eu ouço sinos toda hora."

"Há uma igreja na outra esquina — talvez seja um casamento." Fox não achava isso, realmente: ele passara na frente do lugar e parecera completamente vazio. *Por que eu faço isso?*, ele se perguntou. *Por que minto para ele?*

Resposta: era a opção mais fácil.

"Como vai a senhora Sanderson?", ele perguntou, voltando a tirar o lenço do bolso.

"Ela está com tosse. Não quer que eu pegue dela." Mitch Fox fez uma pausa. "Tem certeza de que você devia estar aqui com esses seus germes?" Então ele pareceu pensar em alguma coisa. "É sexta-feira e ainda está claro... você não deveria estar trabalhando?"

"Ganhei folga por bom comportamento." Fox ergueu o corpo e andou pelo quarto. "Está precisando de alguma coisa?" Ele viu uma pilha de livros de bolso antigos sobre a mesinha de cabeceira: Wilbur Smith, Clive Cussler, Jeffrey Archer — livros dos quais os homens supostamente gostavam. Devem ter sido escolhidos pelos funcionários, seu pai nunca fora de ler muito. A tv estava presa a um suporte em um dos cantos do quarto, quase na altura do teto —

15

difícil de assistir a menos que a pessoa estivesse na cama. Ele já viera visitar o pai certa vez e a TV estava sintonizada em um canal de corridas de cavalos, muito embora o pai nunca tivesse demonstrado interesse por elas — mais uma vez, coisa dos funcionários. A porta para o banheiro estava entreaberta. Fox abriu-a e olhou lá dentro. Não havia banheira, mas um boxe com chuveiro e assento dobrável. Ele sentiu o cheiro de xampu Vosene, a mesma marca que a mãe usara nele e na irmã quando crianças.

"Legal aqui, não é?" Fez a pergunta em voz alta, mas não de forma que o pai pudesse ouvir. Ele fizera a mesma pergunta desde que tiraram o pai da casa em Morningside. No início, era uma pergunta retórica; agora não tinha tanta certeza. A casa da família teve que ser esvaziada. Uma parte da mobília estava na garagem de Fox. Seu sótão estava cheio de caixas de fotografias e outras lembranças, a maioria de pouco ou nenhum significado para ele. Durante um tempo, ele as trazia consigo na visita, mas o pai ficava aborrecido quando não conseguia reconhecê-las. Nomes que ele achava que deveria saber tinham sido varridos de sua memória. Objetos tinham perdido sua importância. Lágrimas enchiam os olhos do velhinho.

"Quer fazer alguma coisa?", perguntou Fox, sentando-se na beirada da cama de novo.

"Na verdade, não."

"Quer assistir TV? Talvez uma xícara de chá?"

"Eu estou bem." Mitch Fox de repente fixou o olhar no filho. "Você também está bem, não está?"

"Nunca estive melhor."

"Está indo bem no trabalho?"

"Honrado e respeitado por todos que me conhecem."

"Tem namorada?"

"No momento não."

"Há quanto tempo você se divorciou da...?" As sobrancelhas se uniram novamente. "O nome dela está na ponta da minha..."

"Elaine — e ela é uma história do passado, papai."

Mitch Fox concordou com um movimento da cabeça

e ficou pensativo por um instante. "Você tem que ter cuidado, sabe?"

"Sei."

"Máquinas... não se pode confiar nelas."

"Eu não trabalho com máquinas, papai."

"Mesmo assim..."

Malcolm Fox fingiu estar verificando o celular novamente. "Eu sei me cuidar", garantiu ele ao pai. "Não se preocupe comigo."

"Diga a Jude para vir me ver", disse Mitch Fox. "Ela precisa ter mais cuidado com aquela escada dela..."

Malcolm Fox levantou os olhos do telefone. "Vou dizer a ela."

"Que história é essa que o papai mandou me falar sobre escada?"

Fox estava do lado de fora, ao lado de seu carro. Era um Volvo S60 prateado com quase cinco mil quilômetros rodados. Sua irmã atendera o telefone depois de ter tocado uma dúzia de vezes, quando ele já estava prestes a encerrar a ligação.

"Você foi ver o Mitch?", ela supôs.

"Ele perguntou por você."

"Eu fui lá na semana passada."

"Depois que caiu da escada?"

"Eu estou bem. Só com alguns galos e uns machucados."

"Será que esses machucados são no rosto, Jude?"

"Você fala como um policial, Malcolm. Eu estava descendo a escada carregando algumas coisas e caí."

Fox ficou em silêncio por um instante, observando o tráfego. "E como vão as coisas?"

"Que pena que não conseguimos conversar no Natal. Eu te agradeci pelas flores?"

"Você me mandou uma mensagem de texto no Hogmanay, me desejou um Geliz Ano Bovo."

"Eu não consigo fazer nada com aquele telefone — os botões são pequenos demais."

"Talvez tenha havido ingestão de álcool."

"Talvez isso também. Você ainda está na abstinência?"

"Cinco anos a seco."

"Não precisa ser tão presunçoso. Como estava o Mitch?"

Fox percebeu que já havia tomado ar fresco o suficiente: abriu a porta do carro e entrou. "Não estou certa de que ele está comendo bem."

"Nem todo mundo pode ter o seu apetite."

"Você acha que eu deveria arrumar um médico para dar uma olhada nele?"

"Será que ele iria te agradecer por isso?"

Fox pegou uma caixinha de balas de hortelã que estava sobre o banco do passageiro; colocou uma delas na boca. "A gente devia se encontrar qualquer noite dessas."

"Claro."

"Quero dizer, só você e eu." Ele ficou escutando o silêncio da irmã, esperando que ela mencionasse o companheiro. Se fizesse isso, talvez eles pudessem ter uma conversa de verdade, aquela que vinham adiando:

E Vince?

Não, só nós dois.

Por quê?

Porque eu sei que ele bate em você, Jude, e isso me faz querer bater nele também.

Você está errado, Malcolm.

Estou? Quer me mostrar esses machucados e a escada onde a queda supostamente aconteceu?

Mas tudo o que ela disse foi: "O.k., então, vamos sim". Logo eles estavam se despedindo, e Fox fechava o celular, atirando sobre o outro banco. Mais uma oportunidade desperdiçada. Ele deu a partida e foi para casa.

A casa era um bangalô em Oxgangs. Quando ele e Elaine compraram o imóvel, os vendedores chamavam a região de Fairmilehead e o advogado chamava de Colinton — os dois bairros vistos, mesmo na época, como mais atraentes do que Oxgangs —, mas Fox gostava de Oxgangs. Havia lojas, pubs e uma biblioteca. O anel viário da cidade ficava a poucos minutos. Os ônibus passavam com regularidade e havia dois grandes supermercados a curta distância de carro. Fox não podia culpar o pai por esquecer o nome de Elaine. O namoro tinha durado seis meses e o casamento mais dez, tudo isso há seis anos. Eles se conheceram na escola, mas tinham perdido contato. Voltaram a se encontrar no enterro de um velho amigo. Combinaram sair para um drinque depois do jantar e caíram na cama bêbados e cheios de desejo. "Desejo pela vida", ela dissera. Elaine tinha acabado de sair de um relacionamento de muito tempo — a palavra "muleta" só ocorreu a Fox depois do casamento. Ela convidou o antigo namorado para a cerimônia, e ele apareceu, bem-vestido e sorridente.

Um mês depois da lua de mel (em Corfu; os dois se queimaram demais com o sol), eles perceberam o erro. Foi ela quem quis ir embora. Ele havia perguntado se ela queria ficar com o bangalô, mas ela lhe disse que pertencia a ele, então ele ficou, redecorando-o mais a seu gosto e completando a conversão do sótão. "Bege solteirão" fora a descrição de um de seus amigos, seguida pelo aviso: "Cuidado para sua vida não ficar da mesma cor". Ao se aproximar da entrada de carro, Fox se perguntou o que havia de tão errado com bege. Era só uma cor, como qualquer outra. Além disso, ele repintara a porta da frente de amarelo. Tinha colocado alguns espelhos, um no corredor de baixo, um no final da escada no andar de cima. Quadros com moldura alegravam os ambientes tanto da sala de visitas quanto da sala de jantar. A torradeira na cozinha era prateada e brilhante. O edredom sobre a cama era verde vivo e o banheiro era marrom-avermelhado.

"Nem chega perto de bege", ele murmurou para si mesmo.

Já dentro de casa, lembrou-se de que sua pasta ficara trancada no porta-malas. Logo na entrada da Divisão de Denúncias, a pessoa recebia um alerta: não deixe *nada* à vista. Saiu para ir buscá-la, colocando-a sobre o balcão da cozinha enquanto enchia uma chaleira. O plano para o res-

19

to da tarde: chá com torradas e não fazer absolutamente nada. Havia lasanha na geladeira para mais tarde. Ele havia comprado meia dúzia de DVDs na liquidação de encerramento da Zavvi: poderia assistir a um ou dois se não houvesse nada interessante na TV. Houve um tempo em que a Zavvi pertencera à Virgin. As lojas deles faliram. O mesmo tinha acontecido com a Woolworth em Lothian Road — Fox a frequentara com regularidade, quase religiosamente, quando garoto, comprando brinquedos e doces, e depois compactos e LPS na adolescência. Já adulto, passara uma centena de vezes ou mais pela loja, mas nunca teve um motivo para parar e entrar. Havia um jornal do dia em sua pasta: mais ruína e tristeza para a economia. Talvez isso ajudasse a explicar por que uma pessoa em dez na população estava tomando antidepressivos. Os casos de distúrbio de déficit de atenção estavam aumentando e uma em cada cinco crianças da escola primária estava acima do peso e em vias de desenvolver diabetes. O Parlamento escocês tinha aprovado o orçamento na segunda tentativa, mas os comentaristas diziam que havia empregos demais no setor público. Ao que parece, apenas lugares como Cuba eram piores. Por coincidência, um dos DVDs que ele comprara era *Buena Vista Social Club*. Talvez ele o assistisse à noite: um pouco de Cuba em Oxgangs. Alguma coisa leve e tranquila.

Outra história que apareceu no jornal era sobre uma mulher lituana. Ela fora morta em Brechin, seu corpo desmembrado e jogado no mar, que devolveu todos os pedaços na praia de Arbroath. Algumas crianças tinham descoberto a cabeça, e agora um casal de trabalhadores migrantes estava sendo julgado pelo assassinato. Era o tipo de caso do qual muitos policiais gostavam. Fox não trabalhara em mais do que cinco casos de assassinato durante sua vida anterior no DIC, mas se lembrava de cada cena de crime e autópsia. Ele estivera presente quando os familiares receberam a notícia, ou foram acompanhados ao necrotério para identificar seus entes queridos. A Divisão de Denúncias era um mundo completamente à parte de tudo isso, motivo pelo qual outros policiais diziam que a vida de Fox e seus colegas era tranquila.

"Então por que não sinto que seja tranquila?", ele perguntou em voz alta, no exato momento em que as torradas pularam da torradeira. Ele levou tudo — incluindo o jornal — até o sofá da sala de estar. Não haveria muita coisa na televisão àquela hora do dia, mas sempre havia as notícias da BBC. Seu olhar caiu sobre a prateleira em cima da lareira. Havia fotos emolduradas ali. Uma delas mostrava sua mãe e seu pai, provavelmente em férias no meio da década de 1960. A outra era do próprio Fox, pré-adolescente, com um dos braços no ombro da irmã, os dois sentados em um sofá. Ele tinha a impressão de que era na casa de uma tia, mas não sabia qual delas. Fox sorria para a câmera, mas Jude só estava interessada no irmão. Uma imagem de repente lhe ocorreu — ela caindo na escada em casa. O que ela estava carregando? Talvez canecas vazias, ou uma cesta de roupa para lavar. Mas então ela estava no pé da escada, ilesa, e Vince na frente dela, um dos punhos fechado. Já havia acontecido antes, Jude afirmando que ela o acertara primeiro, ou que também batera nele. *Não vai mais acontecer...*

O apetite de Fox tinha desaparecido, e o chá recendia a excesso de leite. Seu celular soou um alerta: mensagem de texto que havia chegado. Era de Tony Kaye. Ele estava no pub com Joe Naysmith.

"Xô, tentação!", disse Fox para si mesmo.

Cinco minutos depois, ele estava procurando as chaves do carro.

SEGUNDA-FEIRA,

9 DE FEVEREIRO DE 2009

2

Na manhã de segunda-feira, Malcolm Fox passou quase tanto tempo procurando uma vaga para estacionar no QG quanto para chegar lá de carro. Tony Kaye e Joe Naysmith já estavam no escritório. Por ser o "caçula", Naysmith tinha feito café e providenciado uma caixa de leite para acompanhar. Quando chegasse a sexta-feira, ele iria pedir aos outros que dessem suas contribuições. Às vezes eles davam e às vezes não, e Naysmith continuaria a fingir que anotava tudo o que lhe era devido.

"Uma libra", disse ele agora, em pé na frente da mesa de Fox, as mãos enfiadas nos bolsos.

"O dobro ou nada no final da semana", respondeu Fox, pendurando o casaco. Lá fora o dia estava lindo e claro, a superfície das ruas sem gelo. Alguns jardins pelos quais Fox tinha passado exibiam pequenos montes brancos em cima dos quais bonecos de neve tinham derretido. Ele tirou o paletó, exibindo os mesmos suspensórios azul-escuros. A gravata de hoje era de um tom mais vivo de vermelho do que a que usou na sexta-feira, a camisa branca com riscos amarelos como fios de cabelo. Não havia muita coisa dentro de sua pasta, mas ele a abriu assim mesmo. Naysmith estava diante da cafeteira.

"Três colheres de açúcar", Kaye insistiu, recebendo o esperado gesto como resposta.

"Nenhum sinal de Bob?", perguntou Fox.

Naysmith balançou o cabelo desalinhado — seu fim de semana não tinha incluído uma visita ao barbeiro — e apontou na direção da mesa de Fox. "Mas acho que tem um recado aí."

Fox procurou em cima da mesa, mas não conseguiu achar. Um pedaço de papel estava caído no chão, já exibindo a marca da sola de seu sapato. Ele o recolheu e olhou os dois lados, reconhecendo a caligrafia de McEwan em um deles.

Inglis — PEI — 10:30.

PEI significava Proteção Infantil — o nome completo era Proteção à Exploração Infantil. A maioria dos policiais chamava de "pai". A sala 2.24, que ficava à direita no final do corredor, era a "Casa do Pai". Fox já estivera lá algumas vezes, um nó no estômago só de pensar nos casos que passavam por ali.

"Vocês conhecem alguém chamado Inglis?", perguntou ele em voz alta. Naysmith e Kaye não puderam ajudar. Fox olhou o relógio: ainda faltava uma hora para as dez e meia. Naysmith mexia ruidosamente o café na caneca. Kaye estava recostado na cadeira, esticando os braços e bocejando. Fox dobrou o pedaço de papel e colocou-o no bolso, levantou-se e voltou a vestir o paletó.

"Não vou demorar", disse ele.

"A gente se vira sem você", garantiu Kaye.

O corredor estava alguns graus mais frio que o escritório da Divisão de Denúncias. Fox não se apressou, mas ainda assim levou poucos minutos para chegar à 2.24. Era a última porta de todas, e apresentava a peculiaridade de ter sua própria tranca de alta segurança e interfone. Não havia nomes listados: a "Casa do Pai" atuava isoladamente — de certa forma, do mesmo modo que a Divisão de Denúncias. Uma placa na porta com um aviso: "Pode haver sons e imagens perturbadoras nesta sala. Ao trabalhar diante dos monitores, um mínimo de duas pessoas deve estar presente". Fox respirou fundo, apertou o botão e esperou. Uma voz masculina soou no aparelho.

"Pois não?"

"Inspetor Fox. Estou aqui para falar com Inglis."

Houve um momento de silêncio, então a voz voltou: "Você é apressado".

"Sou, é?"

"Não era às dez e meia?"

"Disseram nove e meia aqui."

Mais silêncio, e então: "Espere um pouco".

Ele esperou, analisando as pontas dos sapatos. Eles tinham sido comprados na rua George havia um mês e ainda raspavam nos calcanhares. Mas eram sapatos muito bons: a vendedora dissera que eles durariam "até o Juízo Final... ou quando a linha do bonde ficar pronta... o que acontecer primeiro". Garota inteligente, tinha senso de humor. Fox perguntou por que ela não estava na faculdade.

"De que adianta?", respondeu ela. "Não dá para arranjar um bom emprego, a menos que a pessoa emigre."

Isso fez Fox lembrar seus anos de adolescente. Muitos de seus contemporâneos tinham sonhado ganhar dinheiro no exterior. Alguns haviam conseguido, mas não muitos.

A porta à sua frente abriu por dentro. Uma mulher apareceu. Vestia uma blusa verde-clara e calças pretas. Era uns dez centímetros mais baixa que ele, e talvez fosse dez anos mais jovem. Usava um relógio de ouro no pulso esquerdo. Não tinha anéis nos dedos. Ela estendeu a mão para ele.

"Eu sou Inglis", apresentou-se.

"Fox", respondeu ele, e depois, com um sorriso, "Malcolm Fox".

"Você é da UNP." Era uma afirmação, mas Fox assentiu mesmo assim. Atrás dela, a sala estava mais apertada do que ele se lembrava. Cinco mesas apenas com intervalo suficiente para passar quase espremido. As paredes estavam cheias de arquivos e estantes com prateleiras de metal. Nelas havia computadores com seus discos rígidos. Alguns dos discos rígidos estavam abertos, mostrando os mecanismos. Outros estavam ensacados e etiquetados como evidências. O único espaço livre na parede estava coberto por fotos de rostos. Os homens não eram parecidos. Alguns eram jovens, alguns velhos; alguns usavam barba e bigode, outros tinham olhares insensíveis e astutos, outros pareciam olhar para a câmera sem arrependimentos de qualquer espécie. Havia apenas mais uma pessoa na sala, provavelmente o homem que tinha falado pelo interfone. Ele estava sentado atrás de sua mesa, avaliando o visitante. Fox o cumprimentou com um aceno da cabeça e ele respondeu da mesma maneira.

"Esse é Gilchrist", disse Inglis. "Entre e se acomode."

"E isso é possível?"

Inglis olhou a seu redor. "A gente faz o que pode."

"São só vocês dois?"

"No momento", reconheceu Inglis. "Alto nível de desgaste e todas essas coisas."

"Sem contar que a gente acaba passando a maior parte dos casos para Londres", acrescentou Gilchrist. "Eles têm uma equipe com cem pessoas lá."

"Cem pessoas parece muita gente", comentou Fox.

"É porque você não viu a carga de trabalho que eles têm", disse Inglis.

"E eu te chamo de Inglis? Quero dizer, tem alguma patente, ou primeiro nome...?"

"Annie", ela disse, depois de hesitar um pouco. Não havia ninguém na mesa ao lado dela, então ela indicou que Fox sentasse ali.

"Dá uma voltinha, Anthea", disse Gilchrist. Pela maneira como que ele disse aquilo, Fox percebeu que a piada era velha.

"Bruce Forsyth?", adivinhou ele. "Do programa *The Generation Game*?"

Inglis fez que sim. "Pelo que sei, me deram o mesmo nome da assistente de palco gostosona dele."

"Mas você prefere Annie?"

"Sem dúvida eu prefiro Annie, a menos que você queira manter a formalidade. Nesse caso é sargento-detetive Inglis."

"Annie está bem para mim." Fox, sentado, retirou um fio solto de umas das pernas da calça. Ele estava tentando evitar a pasta que estava na mesa à sua frente. Na etiqueta nela estava escrito "Uniforme Escolar". Ele pigarreou. "Meu chefe me disse que você queria falar comigo."

Inglis assentiu. Ela se acomodara na frente do computador. Um laptop adicional se equilibrava precariamente sobre o gabinete do disco rígido. "O quanto você sabe sobre o PEI?", ela perguntou.

"Eu sei que vocês passam o tempo capturando pervertidos."

"Boa definição", disse Gilchrist, digitando em seu teclado.

"Fiquei sabendo que era mais fácil antigamente", acrescentou Inglis. "Mas agora tudo virou digital. Ninguém mais manda revelar suas fotos. Ninguém mais tem que comprar revistas ou mesmo se dar ao trabalho de imprimir qualquer coisa, a não ser na privacidade do próprio lar. A pessoa pode preparar um moleque que mora do outro lado do mundo, apenas para se encontrar com ele quando tiver certeza de que a criança está pronta."

"Bem pronta", repetiu Gilchrist.

Fox correu o dedo indicador por dentro do colarinho. Estava um calor dos diabos ali. Não podia tirar o paletó — aquilo era uma reunião de trabalho: tinha que manter a primeira impressão e todas essas coisas. Ele reparou que o paletó de Annie Inglis estava no encosto da cadeira. Era rosa claro e parecia elegante. O cabelo dela era curto, em um corte semelhante ao que se chamava de "pajem". Era castanho brilhante, e ele se perguntou se ela o tingia. Usava um pouco de maquiagem, mas não muita. E sem esmalte nas unhas. Reparou também que, à diferença das outras salas daquele andar, as janelas eram opacas.

"Fica quente aqui", disse ela. "Todos esses discos rígidos que a gente mantém funcionando. Tire o paletó se quiser."

Ele sorriu de leve: todo o tempo em que estivera tentando interpretá-la, ela fizera o mesmo em relação a ele. Tirou o paletó, colocando-o atravessado sobre as pernas. Quando Inglis e Gilchrist trocaram um olhar, Fox sabia que tinha a ver com os suspensórios.

"Outro problema com os nossos 'clientes'", continuou ela, "é que estão ficando cada vez mais espertos. Eles conhecem os hardwares e softwares melhor do que nós. Estamos sempre tentando nos atualizar. Eis um exemplo."

Ela tocou o mouse a seu lado com o punho. A tela do computador, que estava preta, agora mostrava uma imagem distorcida.

"A gente chama isso de 'turbilhão'", explicou ela. "Os criminosos trocam imagens entre si, mas apenas depois de tê-las encriptado. Então precisamos criar um software que nos permita desencriptá-las." Ela clicou o mouse e a foto começou a ficar cada vez mais nítida, mostrando a imagem de um homem com o braço ao redor de um garoto asiático. "Está vendo?", perguntou Inglis.

"Sim", respondeu Fox.

"Eles também têm muitos outros truques. Chegaram a um ponto em que podem ocultar imagens atrás de outras imagens. Se você não souber que esse é o caso, pode não se dar ao trabalho de investigá-las. Nós já vimos discos rígidos dentro de outros discos rígidos..."

"Nós já vimos *de tudo*", enfatizou Gilchrist. Inglis olhou para o colega do outro lado da sala.

"Só que ainda *não* vimos de tudo", ela lembrou. "Toda semana tem uma coisa nova, alguma coisa ainda mais revoltante. Tudo acessível vinte e quatro horas por dia, todos os dias. Você senta diante do computador em casa, navegando, talvez comprando alguma coisa ou lendo as fofocas da semana, e está a quatro cliques de distância do inferno."

"Ou do paraíso", interrompeu Gilchrist, os olhos fixos em sua própria tela. "É tudo uma questão de gosto. Temos coisas que deixariam os pelos de seu saco em pé."

Fox sabia que a "casa do pai" se considerava um grupo à parte, diferente dos outros policiais no quartel-general da avenida Fettes: um pessoal insensível, com facilidade de se adaptar a situações ruins ou desagradáveis, endurecidos pelo trabalho. Era uma unidade de "machos" também.

Ele se perguntou o quanto teria sido difícil para Annie se adaptar.

"Você tem a minha atenção", foi tudo o que ele disse. Inglis estava batendo de leve na tela com a ponta de uma esferográfica.

"Este sujeito aqui", disse ela, indicando o homem com o garoto asiático. "Nós sabemos quem é. Sabemos muita coisa sobre ele."

"Ele é policial?"

Ela olhou para Fox. "Por que a pergunta?"

"Por qual outro motivo eu estaria aqui?"

Ela balançou a cabeça lentamente. "Bom, você está certo. Mas nosso homem é um australiano, baseado em Melbourne."

"E então?"

"E, como eu disse, nós sabemos muito sobre ele." Ela abriu uma pasta e tirou de lá algumas folhas de papel. "Ele tem um website para pessoas com gosto semelhante. Com uma taxa de admissão a ser paga antes do embarque."

"Eles têm que compartilhar", disse Gilchrist. "Vinte e cinco fotos no mínimo."

"Fotos?"

"Deles com os garotos. Compartilhar e compartilhar itens semelhantes..."

"Mas existe uma taxa simbólica também, paga por meio de cartão de crédito", acrescentou Inglis. Ela passou para Fox as duas folhas de cima, uma lista de nomes e números. "Reconhece alguém?"

Fox percorreu a lista com os olhos duas vezes. Havia quase uma centena de nomes. Balançou a cabeça devagar.

"J. Breck?", perguntou Inglis. "O J é de Jamie."

"Jamie Breck..." O nome não significava nada. Então Fox lembrou. "Ele é de Lothian and Borders", disse.

"O rastreamento do cartão de crédito chega a Edimburgo. Na verdade, até o banco de Jamie Breck."

"Você já verificou?" Fox devolveu a lista. Inglis assentia com a cabeça.

"Nós já verificamos."

"O.k., então. E onde eu entro?"

"Neste momento o cartão de crédito dele é tudo o que temos. Ele ainda não colocou as fotos no site — talvez nem faça isso."

"O site ainda está ativo?"

"Estamos esperando que eles não fiquem sabendo sobre nós, não até que estejamos bem prontos."

"Eles têm pessoas em mais de uma dúzia de países", interrompeu Gilchrist. "Professores, líderes estudantis, gente do clero..."

"E nenhum sabe que vocês estão de olho neles?"

"Nós e uma dúzia de outras unidades em todo o planeta."

"Certa vez", acrescentou Inglis, "o escritório de Londres prendeu o cabeça de um desses grupos e assumiu o controle do site dele. Os usuários levaram dez dias para começar a desconfiar de alguma coisa..."

"E quando isso aconteceu", Gilchrist interrompeu novamente, "havia um monte de evidências contra eles."

Fox fez que sim e voltou sua atenção para Inglis. "O que você quer que a UNP faça?"

"Normalmente nós deixaríamos Londres fazer o serviço, mas este é daqui, então...", ela fez uma pausa, fixando o olhar em Fox. "Queremos que você nos dê um perfil. Queremos saber mais sobre Jamie Breck."

Fox olhou de relance para a imagem na tela. "E não poderia ser um engano?" Quando voltou a atenção novamente para Annie Inglis, ela estava dando de ombros.

"O inspetor-chefe McEwan nos disse que você acabou de pegar Glen Heaton. Breck trabalha no mesmo lugar."

"E daí?"

"Então você pode conversar com ele?"

"Sobre Heaton?"

"Você faz *parecer* que é sobre Heaton. Depois nos diz o que acha."

Fox balançou a cabeça. "Eu não sou uma pessoa benquista naqueles lados. Duvido que Breck me daria muita atenção. Mas se ele estiver sujo..."

"Sim?"

"Podemos investigar."

"Vigilância?"

"Se for preciso." Ele atraíra a atenção dela agora, e mesmo Gilchrist tinha parado o que estava fazendo. "Podemos investigar o que ele faz no computador. Podemos vasculhar a vida pessoal dele." Fox fez uma pausa, esfregando a testa. "O cartão de crédito é tudo o que vocês têm?"

"Por enquanto."

"O que o impede de dizer que outra pessoa usou o cartão?"

"É por isso que precisamos de mais." Inglis tinha virado a cadeira de forma que seus joelhos ficaram a um milímetro dos joelhos de Fox. Ela se inclinou para a frente, os cotovelos apoiados nas coxas, as mãos fechadas. "Mas ele não pode desconfiar de nada. Se suspeitar de alguma coisa, vai avisar todos os outros. Vamos perdê-los."

"E as crianças", acrescentou Fox em voz baixa.

"O quê?"

"Tudo isso é pelas crianças, certo? Proteção infantil?"

"Claro", disse Gilchrist.

"Claro", repetiu Annie Inglis.

Fox estava a poucos passos da sala da Divisão de Denúncias quando parou. Voltou a vestir o paletó e estava passando os dedos pela lapela, só para ter algo para fazer. Estava pensando na sargento-detetive Anthea Inglis (que preferia ser tratada por Annie) e seu colega Gilchrist — ele nem sabia qual era a patente do sujeito ou seu primeiro nome. Pensava também em todas as operações da "casa do pai". A UNP podia ser chamada de "Lado Sombrio", mas Fox tinha a sensação de que Inglis e seu colega viam diariamente mais escuridão do que ele jamais imaginaria ver. Mesmo assim, eles eram bem arrogantes. Na UNP, ele sabia

33

que todos o odiavam, mas a PEI era diferente. Os colegas policiais não gostavam da ideia do que colegas como Inglis e Gilchrist tinham visto, e não conversavam com eles por temer a realidade que poderiam lhes mostrar. Sim, era isto: a PEI era *temida*. Realmente temida, de uma maneira que a Divisão de Denúncias não era. Atrás da porta trancada da sala 2.24 havia um suprimento completo de pesadelos e horrores.

"Malcolm?" A voz veio por trás dele. Fox virou-se para ver Annie Inglis em pé, os braços cruzados, as pernas levemente afastadas. Ela foi na direção dele, os olhos fixos nos dele. "Tome", disse ela, segurando algo à frente do corpo. Era seu cartão de visitas. "Tem o número do meu celular e o meu e-mail, só para o caso de você precisar."

"Obrigado", disse ele, fingindo estudar as linhas impressas. "Na verdade, eu estava..."

"Parado aí?", ela adivinhou. "Pensando em tudo?"

Ele tirou a carteira, puxando de lá um de seus cartões. Ela o aceitou com uma pequena inclinação da cabeça, virou-se e voltou pelo corredor. Um jeito elegante de andar, concluiu ele. Uma mulher segura de sua capacidade, confiante, consciente de que estava sendo observada. E com um belo traseiro também.

O escritório da UNP estava muito mais barulhento do que costumava ser. Bob McEwan se encontrava em sua mesa, ocupado com um telefonema. Ele viu Fox se dirigir para ele e fez contato visual, acenando com a cabeça para mostrar que ele podia se aproximar. A mesa de McEwan estava sempre bem-arrumada, mas Fox sabia que era pelo fato de tudo ser jogado regularmente em alguma de sua meia dúzia de gavetas. Certo dia Tony Kaye fora procurar um comprimido para dor de cabeça e chamou Fox e Naysmith para dar uma olhada.

"É como um sítio arqueológico", comentou Joe Naysmith. "Uma camada sobre a outra..."

McEwan desligou o telefone e começou a fazer uma anotação para si mesmo, sua caligrafia quase ilegível. "Como foi?", perguntou em voz baixa.

Fox apoiou os nós dos dedos na mesa e inclinou-se na direção de seu chefe. "Tudo bem", disse ele. "Foi tudo certo. Está bem para você que eu cuide do assunto?"

"Depende do que você está pensando."

"Investigação de fundo para começar, Vigilância mais tarde, na medida do necessário."

"Invadir o computador dele?"

Fox deu de ombros. "Primeiro as coisas mais importantes."

"Eles pediram para você conversar com ele?"

"Não acho que isso seja uma boa ideia. Ele talvez seja colega de Heaton."

"Foi isso o que eu pensei", disse McEwan, "então dei um telefonema na base do sigilo."

Os olhos de Fox se estreitaram. "Para quem?"

"Alguém que sabe das coisas." Percebendo que Fox estava tentando decifrar a anotação que acabara de fazer, McEwan a virou para baixo. "Breck e Heaton são mais rivais do que colegas. Isso pode dar a você uma desculpa."

"Mas o nosso trabalho com Heaton já foi encerrado."

"Por enquanto, mas nunca se sabe."

"E você vai me apoiar? Assinar a papelada?"

"Tudo de que você precisar. O scf já está ciente."

scf era o Subchefe de Polícia, Adam Traynor, cuja autorização era necessária para qualquer atividade secreta de pequena dimensão. O telefone de McEwan tocou e ele colocou a mão sobre o aparelho, pronto a atendê-lo, o olhar ainda travado em Fox. "Deixo isso por sua conta, Foxy." Então, quando Fox se levantou, preparando-se para ir embora: "A propósito, você gostou de seu fim de semana prolongado?".

"Consegui passar duas noites em Mônaco", respondeu Fox.

Ao passar pela mesa de Tony Kaye, ele se perguntou o quanto o radar humano tinha ouvido da conversa. Kaye parecia ocupado em seu teclado, digitando algumas anotações. "Alguma coisa interessante?", perguntou Fox.

"Eu poderia lhe fazer a mesma pergunta", respondeu Kaye, olhando na direção da mesa do chefe.

"Talvez haja espaço para você embarcar", Fox decidiu naquele instante, coçando a parte de baixo do queixo.

"É só me avisar, Foxy."

Fox assentiu com a cabeça distraidamente e voltou para a relativa segurança de sua mesa. Naysmith estava preparando mais café.

"Três colheres de açúcar!", Kaye gritou para ele.

Naysmith torceu a boca e então percebeu que estava sendo observado. Ele acenou com uma caneca vazia na direção de Fox, mas Fox recusou com um movimento da cabeça.

3

O departamento de RH nunca ficava feliz em ver alguém da Divisão de Denúncias. O RH — Recursos Humanos — costumava ser chamado de Departamento Pessoal, um termo que Fox preferia. Por sua vez, o RH preferia que policiais como ele não aparecessem por lá como se fossem donos do lugar. O RH era irritadiço, e com bom motivo. Eles precisavam dar acesso completo, o que era negado a praticamente todos. McEwan tinha telefonado antes para dizer que Fox estava a caminho. Ele então havia digitado e assinado uma carta atestando a necessidade de Fox ver os arquivos. Nenhum nome era mencionado, e era isso o que irritava uma parte do pessoal do RH — a suposição era de que não se podia confiar neles para o fornecimento de informações. Se soubessem em quem a Divisão de Denúncias estava de olho, eles poderiam passar a informação adiante, prejudicando de saída qualquer investigação. Isso já ocorrera no passado — fazia mais de uma década —, e a partir daí as regras haviam mudado de forma que a Divisão de Denúncias tinha total privacidade quando fazia suas pesquisas. Para esse fim, a chefe do RH tinha que sair de sua sala particular para que Fox pudesse usá-la. Ela teria que ligar seu computador no sistema e deixá-lo disponível para ele. Tinha que passar para ele as chaves dos diversos arquivos do escritório central. Então ficaria parada, braços cruzados, muito irritada, desviando o olhar enquanto ele trabalhava.

Fox passou por isso muitas vezes, e tentara desde o

início ser cordial, quase se desculpando. Mas a sra. Stephens continuava irritada, então ele desistira. Ela ainda tinha algum prazer em atrasá-lo, lendo a notificação do inspetor-chefe com enorme atenção e cuidado, às vezes até mesmo telefonando para McEwan para fazer uma nova verificação. Então ela pediria a carteira de identificação de Fox e anotaria os detalhes em um formulário, que ele tinha que assinar. Ela então comparava a assinatura dele com a de sua identificação, suspirava ruidosamente, e lhe entregava as chaves, o computador, sua mesa e sua sala.

"Obrigado", ele diria, geralmente a primeira e a última palavra do encontro entre eles.

O RH ficava no andar térreo do Quartel-General da Polícia. Lothian and Borders não era a maior força policial da Escócia, e Fox costumava se perguntar como preenchiam seu tempo. Eram uma equipe de civis — a maioria mulheres. Elas olhavam para ele por cima do monitor do computador. Talvez alguma piscasse para ele ou lhe jogasse um beijo. Ele conhecia algumas delas da cantina. Mas nunca havia nenhum tipo de conversa, nenhuma oferta de chá ou café — a sra. Stephens cuidava disso.

Fox certificou-se de que ninguém estava olhando e tirou a pasta de Jamie Breck de um dos arquivos. Segurou-a junto ao peito para que o nome não pudesse ser visto, trancou a gaveta e voltou para a sala da sra. Stephens. Fechou a porta atrás de si e sentou-se. A cadeira ainda estava morna, o que o incomodou apenas um pouco. Dentro da pasta fina estavam os detalhes da carreira policial de Breck, junto com realizações acadêmicas anteriores. Tinha vinte e sete e ingressara na força seis anos antes, passando os dois primeiros em treinamento e de uniforme, antes de ser transferido para o DIC. Suas avaliações eram favoráveis, beirando o brilhantismo. Não havia menção a nenhum dos casos nos quais ele havia trabalhado, mas também nenhuma indicação de problemas ou de questões disciplinares. "Um policial exemplar", era uma das observações, repetida um pouco adiante. Uma coisa que Fox de fato descobriu era que Breck morava na mesma parte da cidade que ele. O endereço ficava na nova propriedade perto do supermercado Morrisons. Fox passara lá de carro quando o lugar foi construído, tentando decidir se precisava de uma casa maior.

"Mundo pequeno", murmurou para si mesmo agora.

Os dados do computador acrescentaram pouca coisa. Houve uma ou outra falta por doença, mas nada relacionado a estresse. Nunca houve necessidade de aconselhamento ou qualquer recomendação específica. Os chefes de Breck em Torphichen Place — a base dele nos últimos três anos — adoravam o sujeito. Lendo nas entrelinhas, Fox podia ver que Breck estava em rápida ascensão. Ele já era jovem para ser sargento-detetive, e tudo levava a crer que chegaria a inspetor antes dos trinta. O próprio Fox chegara lá com trinta e oito. Breck cursara o colégio particular George Watson. Jogou rúgbi na segunda divisão. Bacharelado em ciência pela Universidade de Edimburgo. Pais ainda vivos, ambos clínicos gerais. Um irmão mais velho, Colin, que havia emigrado para os Estados Unidos, onde trabalhava como engenheiro. Fox tirou o lenço do bolso, encontrou uma parte seca e assou o nariz nela. O barulho foi suficiente para fazer com que a sra. Stephens olhasse para ele através da janela estreita da porta. O rosto dela enrijeceu ainda mais com nojo. Ele iria deixar seus germes por todo o escritório, poluindo seu feudo particular. Embora não precisasse de fato fazer isso, ele assou o nariz novamente, de maneira quase tão ruidosa.

Então ele fechou o arquivo online. A sra. Stephens sabia o que ele faria em seguida — fecharia todo o sistema dela. Aquilo era mais uma precaução — ele queria que sua busca fosse apagada ao máximo. Mas, antes de fazer isso, ele digitou outro nome — Anthea Inglis. Era algo sem dúvida contra as normas, mas ele o fez assim mesmo. Só levou alguns minutos para descobrir que ela não era casada e nunca fora.

E que fora criada em uma fazenda em Fife.

39

Frequentou as escolas locais antes de se mudar para Edimburgo.

Teve diversos empregos antes de entrar para a polícia.

E que seu nome inteiro era Florence Anthea Inglis.

Se um dos nomes dela tinha saído do programa *The Generation Game*, ele se perguntou se a origem do outro teria sido das personagens do programa infantil *The Magic Roundabout*. Fox teve que segurar o riso enquanto fechava todas as janelas do sistema. Ele saiu da sala deixando a porta entreaberta e recolocou a pasta no arquivo de aço, certificando-se de que não pudesse ser diferenciada de qualquer uma das outras. Quando se deu por satisfeito, fechou e trancou a gaveta e foi devolver a chave para a sra. Stephens. Ela estava apoiando o peso do corpo contra a borda da mesa de uma colega, os braços ainda cruzados, então ele pôs a chave ao lado dela.

"Até a próxima", disse ele, virando-se para ir embora. Enquanto passava, uma das mulheres olhou de relance para ele, e ele conseguiu piscar para ela.

Quando retornou ao escritório da Divisão de Denúncias, Naysmith lhe disse que havia um recado.

"E está em cima ou embaixo da minha mesa?", perguntou Fox. Mas estava lá, ao lado de seu telefone. Apenas um nome e um número. Ele olhou atentamente o papel e em seguida se voltou para Naysmith. "Alison Pettifer?"

Naysmith apenas deu de ombros, então Fox pegou o telefone e apertou as teclas correspondentes ao número no papel. Quando atenderam, identificou-se como inspetor Fox.

"Ah, certo", disse a mulher do outro lado. Ela pareceu hesitante.

"O senhor é irmão de Jude?"

Fox ficou em silêncio por um instante. "O que aconteceu?"

"Eu sou vizinha dela", gaguejou a mulher. "Ela chegou a mencionar que o senhor trabalhava na polícia. Foi assim que consegui o seu número..."

"O que aconteceu?", repetiu Fox, ciente de que agora Naysmith e Kaye estavam ouvindo.

"Bom, é que a Jude sofreu um acidente..."

Ela tentou fechar a porta na cara dele, mas ele empurrou com força e a resistência dela desapareceu. Lá dentro, ela marchou de volta para a sala de visitas. Era um sobrado simples em Saughtonhall. Ele não sabia de que lado Alison Pettifer morava — nenhuma cortina nas janelas se mexeu. Todas as casas na rua tinham uma antena parabólica, e a TV de Jude estava ligada em algum programa que misturava conversas e culinária. Ela desligou o aparelho assim que ele entrou na sala.

"Ora, ora", foi tudo o que ele disse. Os olhos dela estavam vermelhos de choro. Havia um machucado no lado esquerdo do rosto, e o braço esquerdo estava engessado, sustentado por uma tipoia. "Foram as escadas de novo?"

"Eu tinha bebido."

"Claro que sim." Ele estava olhando ao redor. A sala cheirava a álcool e cigarros. Havia uma garrafa de vodca vazia ao lado do sofá. Dois cinzeiros, ambos cheios. Alguns maços de cigarro amassados pelo chão. Um balcão separava a sala de visitas da pequena cozinha. Pratos empilhados ao lado de caixas inutilizadas de comida pronta. Mais garrafas vazias — cerveja, cidra, vinho branco barato. O carpete precisava de uma limpeza. Havia uma camada de pó sobre a mesa do café. Uma das pernas tinha quebrado e fora substituída por uma pilha de quatro tijolos grandes. Fazia sentido: Vince trabalhava na área de construção.

"Posso sentar?", perguntou Fox.

Ela tentou dar de ombros. Não era fácil. Fox percebeu que sua melhor aposta era o braço do sofá. Ele ainda tinha as mãos dentro dos bolsos do sobretudo. Não parecia haver nenhum tipo de aquecimento na sala. Sua irmã usava uma camiseta de manga curta e calças de brim folgadas. Estava descalça.

"Você está uma beleza", disse ele.

"Obrigada."

"Estou falando sério."

"Você não é exatamente um modelo de revista."

"E eu não sei disso?" Ele retirou o lenço do bolso para poder assoar o nariz.

"Você ainda não se livrou desse resfriado", ela comentou.

"E *você* ainda não se livrou daquele desgraçado", replicou ele. "Onde ele está?"

"Trabalhando."

"Pensei que ninguém estivesse construindo."

"Tem havido algumas dispensas temporárias. Ele está se virando."

Fox assentiu lentamente com a cabeça. Jude ainda estava em pé, mudando de leve a posição do corpo com os quadris. Ele reconheceu o movimento. Ela fazia isso quando criança, sempre que era pega fazendo algo errado. Tinha que ficar de frente para o pai deles para levar uma bronca.

Ela balançou a cabeça. A imobiliária a despedira pouco antes do Natal. "Quem te contou?", ela acabou perguntando. "Foi alguém aí do lado?"

"Eu fico sabendo das coisas", foi tudo o que ele disse.

"Não teve nada a ver com Vince", declarou ela.

"Nós não estamos em uma maldita delegacia, Jude. Só nós dois estamos aqui."

"Não foi ele", insistiu ela.

"Quem foi então?"

"Sábado eu estava na cozinha..."

Ele fez uma encenação para olhar sobre o balcão. "Não acho que tem muito espaço para cair."

"Prendi o braço no canto da máquina de lavar quando caí..."

"Essa é a história que você contou no pronto-socorro?"

"Foi lá que te contaram?"

"E que importância tem?" Ele estava olhando fixamente para a lareira. Havia prateleiras dos dois lados, cheias de vídeos e DVDs — quase todos os episódios de *Sex and the City* e *Friends*, além de *Mamma Mia* e outros filmes. Ele suspirou e passou as mãos pelos dois lados do rosto. "Você sabe o que eu vou dizer."

"Não foi culpa do Vince."

"Você o provocou?"

"Nós dois nos provocamos, Malc."

Disso ele sabia: poderia ter dito a ela que a vizinha costuma ouvir brigas violentas, cheias de palavrões. Mas então Jude descobriria quem tinha telefonado para ele.

"Se nós o acusássemos — apenas uma vez —, talvez parasse com isso. Imporíamos a condição de que ele procurasse aconselhamento."

"Ah, Vince iria adorar isso." Ela conseguiu sorrir, e aquilo tirou muitos anos de seu rosto.

"Você é minha irmã, Jude..."

Ela olhou para ele, piscando, mas não estava prestes a chorar. "Eu sei." Então, apontando para o gesso no braço: "Você acha que mesmo assim eu deveria ir visitar o papai?".

"Talvez não."

"Você vai contar para ele?"

Ele fez que não, e então olhou à sua volta de novo. "Quer que eu dê uma arrumada aqui? Quem sabe lavar uns pratos?"

"Eu me viro."

"Ele pediu desculpas?"

Ela assentiu, olhando nos olhos dele. Fox não sabia se acreditava nela — e, mesmo assim, de que adiantaria? Ele ficou em pé. Olhando-a do alto, inclinou-se para beijá-la de leve no rosto.

"Por que outra pessoa tem que fazer isso?", ele sussurrou no ouvido dela.

"Fazer o quê?"

"Ligar para mim."

Do lado de fora, estava nevando de novo. Ele ficou sentado no carro, pensando se o dia de trabalho de Vince Faulkner iria ser reduzido. Faulkner era de Enfield, ao norte de Londres. Torcia para o Arsenal, e não tinha nada de bom para dizer sobre o futebol acima da fronteira. Esse tipo de comentário fora a primeira coisa que ele fizera quando os dois homens se conheceram. Não se mostrara muito disposto a mudar para a Escócia — "mas ela continua buzinando na minha cachola". Ele tinha esperança de que ela se entediasse e quisesse voltar para o sul. *Ela.* Malcolm raramente o ouvia dizer o nome da irmã. Ela. A patroa. A cara-metade. A gata. Ele tamborilou com as pontas dos dedos sobre o volante, perguntando-se o que seria melhor fazer. Faulkner poderia estar trabalhando em qualquer uma das três ou quatro dúzias de projetos por toda a cidade. A recessão parecia ter freado a construção dos novos apartamentos em Granton, e ele imaginou que a obra em Quartermile estivesse parada também. Caltongate ainda não tinha começado, e o empreiteiro estava com problemas, segundo o jornal local.

"Uma agulha num palheiro", disse para si mesmo. Seu telefone vibrou, informando que ele tinha uma mensagem. Era de Tony Kaye.

Estamos no Minter's.

Já passava das quatro. McEwan obviamente tinha encerrado o expediente, e os outros não perderam tempo. Fox fechou o telefone e girou a chave na ignição. O Minter's era um bar na Cidade Nova com preços da Cidade Velha, escondido em um local que só os entendidos conheciam. Nunca era fácil encontrar um lugar para estacionar, mas ele sabia o que Kaye teria feito — colocado uma enorme placa escrito POLÍCIA por trás do para-brisa. Às vezes funcionava, às vezes não: dependia do humor do guarda de trânsito. Fox tentou pensar em um caminho de volta para o centro da cidade que evitasse as obras do bonde em Haymarket, e então desistiu. Qualquer um que conseguisse isso deveria receber um prêmio Nobel. Antes de sair com o carro, ele olhou para a direita, mas não havia sinal de Jude na janela da sala, e ninguém visível nas janelas das casas em ambos os lados. Se Vince Faulkner aparecesse na rua naquele momento, o que ele faria? Ele não conseguia se lembrar do nome da personagem no filme *O poderoso chefão* que perseguiu o cunhado e bateu nele com a tampa de um latão de lixo.

Sonny? Era Sonny, não era? Era isso o que gostava de pensar que faria. Tampa do latão de lixo entrando em contato com o rosto, e *nunca mais encoste a mão na minha irmã!*

Era isso o que gostava de pensar que faria.

O Minter's estava com pouco movimento. Mas era assim havia muitos anos, o proprietário culpando primeiro a proibição de cigarro e agora resmungando sobre a crise. Talvez estivesse certo: muitas pessoas importantes da área bancária moravam na Cidade Nova, e era aconselhável que não aparecessem demais.

"Além de banqueiros", comentou Tony Kaye, colocando o copo de Fox com refrigerante e gelo sobre uma mesinha lateral, "quem mais consegue ter uma casa aqui?"

Naysmith estava bebendo *lager*, e Kaye, uma Guinness. O proprietário, as mangas da camisa enroladas, prestava muita atenção em um programa de perguntas na TV. Dois outros fregueses tinham saído para fumar. Havia uma mulher sentada em outro canto com uma amiga. Kaye tinha levado um *brandy* com soda para ela, e depois explicou para Fox e Naysmith que era uma colega sua.

"A patroa conhece ela?", Joe Naysmith tinha perguntado.

Kaye lhe mostrou o dedo médio e em seguida apontou na direção da mulher. "O nome dela é Margaret Sime, e, se algum dia você estiver aqui e eu não, é bom que eu fique sabendo que você levou uma bebida para ela..."

"Conseguiu estacionar?" Agora Naysmith se dirigia a Fox.

"Na metade da maldita ladeira", reclamou Fox. E em seguida, para Kaye: "Eu vi que você não teve problema algum". O Nissan X-Trail de Kaye estava parado na frente da entrada do pub, em um espaço para deficientes e com o aviso POLÍCIA preso entre o painel e o para-brisa. Kaye deu de ombros e sorriu de modo malicioso, acomodando-se e tomando o que restava dentro de sua caneca. Limpando um traço de espuma do lábio superior, ele fixou o olhar em Fox.

"Então o Vince andou sendo um mau menino de novo", disse ele. Fox olhou com curiosidade para ele, mas foi Naysmith quem explicou.

"Assim que você saiu, Tony ligou para a pessoa com quem você falou."

"Ela me contou sobre o 'acidente' de Jude", confirmou Kaye.

"Não se mete nisso, o.k.?", advertiu Fox, mas Kaye estava balançando a cabeça. Mais uma vez foi Naysmith quem falou.

"Tony deu uma busca em Vince Faulkner."

"Deu uma busca?"

"No BDP", respondeu Naysmith, fazendo barulho ao beber.

"O Banco de Dados da Polícia é apenas para o sul da fronteira", afirmou Fox.

Tony Kaye deu de ombros novamente. "Eu conheço um policial na Inglaterra. Tudo o que fiz foi lhe dar o nome e lugar de nascimento de Faulkner — Enfield, certo? Eu me lembro que foi isso que você me contou.

"Você conhece um policial na Inglaterra? Pensei que você odiasse os ingleses."

"Não individualmente", Kaye corrigiu. "Escuta, você quer saber ou não?"

"Duvido que eu consiga te impedir de me contar", disse Fox.

Mas Kaye fechou a cara e cruzou os braços. Naysmith quase não conseguiu se segurar, mas Kaye olhou sério para ele. Os dois fumantes estavam voltando para o bar. O proprietário bateu as palmas das mãos sobre o balcão do bar e gritou para a TV, "Um colegial saberia isso!".

"Não tenha tanta certeza disso, Charlie", disse um dos fumantes. "Não hoje em dia."

"Ele tem antecedentes", Naysmith deixou escapar, mantendo a voz baixa. Kaye revirou os olhos e descruzou os braços, pegando o copo e tomando todo o resto de bebida que havia nele.

"Sua vez, moleque", disse ele.

Naysmith fez cara de indignação, mas foi até o bar com o copo vazio.

"Antecedentes?", repetiu Fox. Tony Kaye inclinou-se na direção dele, mantendo a voz baixa.

"Alguns pequenos roubos há nove ou dez anos. Algumas brigas de rua. Nada muito sério, mas Jude talvez não soubesse disso. Como ela está?"

"Está com um braço engessado."

"Você trocou uma ideia com o Faulkner?"

Fox balançou a cabeça. "Eu não o encontrei."

"Alguma coisa precisa ser feita, Malcolm. Ela vai prestar queixa?"

"Não."

"A gente podia fazer isso por ela."

"Ela não vai deixar o cara, Tony."

"Então a gente precisa trocar uma ideia com ele."

Naysmith estava de volta à mesa, o proprietário cuidando do pedido. "*Exatamente* o que deveríamos fazer", ele confirmou.

"Você está se esquecendo de uma coisa", disse Fox. "Nós somos da Divisão de Denúncias. Se ficarem sabendo que a gente anda por aí aterrorizando os membros da grande ralé..." Ele balançou a cabeça de maneira mais firme. "Não vamos fazer nada."

"Então adeus alegrias da vida", concluiu Tony Kaye, abrindo os braços. Naysmith se levantou de novo e voltou com a bebida de Kaye. Fox estudou os dois colegas.

Seus dois amigos.

"Obrigado mesmo assim", disse ele. E então, abaixando a voz ainda mais: "Enquanto isso, talvez tenha sobrado *alguma* alegria para nós". Ele olhou à sua volta para se certificar de que mais ninguém estava interessado. "McEwan me pôs para investigar um policial chamado Breck..."

"Jamie Breck?", adivinhou Kaye.

"Você conhece?"

"Conheço umas pessoas que o conhecem."

"Quem é ele?", perguntou Naysmith, acomodando-se atrás da mesa. O conteúdo de seu copo baixara menos de dois centímetros.

"DIC, baseado em Torpichen", informou Kaye. E para Fox: "Ele é sujo?".

"Talvez."

"É por isso que você foi até a Casa do Pai hoje de manhã?"

"Você não perde nada, Tony."

"E ao RH esta tarde?"

"Exato." Fox recostou em sua cadeira. Ele não sabia muito bem o que estava fazendo, não exatamente. Não havia problema em ter Kaye e Naysmith cientes do que estava acontecendo, mas será que ele tinha alguma coisa para eles fazerem? Tudo o que sabia é que precisava demonstrar seu reconhecimento, e aquela era uma maneira tão boa quanto qualquer outra. Além disso, agora eles poderiam conversar sobre trabalho, e não sobre Jude. E essa era outra coisa: o que ele faria com a informação sobre Vince Faulkner? Guardar? Ele não conseguia se imaginar fazendo Jude encarar a informação. Ela o acusaria de ser intrometido, de estar interferindo.

É a minha vida, Malcolm, é problema meu, é provavelmente o que ela diria. De todas as coisas que tinham que fazer, de todos os casos com os quais tinham que lidar, aqueles que os policiais mais odiavam eram os problemas domésticos. Eles odiavam esse tipo de problema porque raramente havia um final feliz, e muito pouco que pudessem fazer para ajudar ou para melhorar a situação. E era assim que Jude via a maioria dos colegas de Fox. O caso dela era sem dúvida doméstico. Os fumantes estavam em pé na frente do bar. Um deles bebia uísque. Fox podia sentir o cheiro, e até mesmo sentiu uma leve pontada na garganta. A boca encheu de água.

"Então conta", pediu Tony Kaye. Joe Naysmith tinha se inclinado para a frente, os cotovelos apoiados nos joelhos.

O rosto da irmã estava em sua mente, e o odor do malte em suas narinas. Ele contou a Kaye e a Naysmith o que sabia sobre Jamie Breck.

TERÇA-FEIRA,

10 DE FEVEREIRO DE 2009

4

Na manhã seguinte Fox ligou para Jude, mas ninguém atendeu. Havia tentado falar com ela na noite anterior também. Ela devia ter identificador de chamadas. Era quase certo que o estava ignorando. Depois do café da manhã, ele foi de carro para o trabalho. Kaye e Naysmith quiseram saber qual seria o "plano de ação" deles. A ideia de Fox era de que Anne Inglis deveria orientá-los, mas não havia ninguém na sala 2.24. Ele enviou uma mensagem para o celular dela pedindo que entrasse em contato.

"Vamos esperar", ele disse aos colegas. "Não temos pressa." Eles estavam voltando para a mesa quando o telefone de Fox tocou. Ele atendeu e ouviu uma voz que não conhecia perguntar se ele era Malcolm Fox.

"Quem é?", Fox perguntou.

"Meu nome é sargento-detetive Breck." Fox endireitou as costas, mas não disse nada. "Estou falando com Malcolm Fox?"

"Sim."

"Senhor Fox, estou ligando em nome de sua irmã."

"Ela está aí? O que aconteceu?"

"Sua irmã está bem, senhor Fox. Mas lamento dizer que estamos a caminho do necrotério. Perguntei a ela se queria que avisasse alguém, e ela..."

A voz era profissional, sem ser fria.

"O que aconteceu?"

"O companheiro de sua irmã, senhor Fox — o senhor sabe onde fica o Necrotério Municipal...?"

* * *

Ele sabia, sem dúvida: ficava em Cowgate. Um discreto prédio de tijolos pelo qual as pessoas passavam sem saber o que acontecia lá dentro. O tráfego estava terrivelmente lento. Ao que parece havia obras na rua e desvios em toda parte. Não eram apenas os bondes — havia tubulações de gás sendo substituídas e recapeamento na área do Grassmarket. Fox teve a impressão de passar por mais cones de controle de tráfego do que por pedestres. Kaye perguntara se ele queria companhia, mas ele fez que não com a cabeça. Vince Faulkner estava morto, e isso era o máximo que Jamie Breck iria lhe contar. Breck — conseguindo parecer preocupado e atencioso. Breck — esperando no necrotério com Jude...

Fox estacionou o Volvo em uma das áreas de carga e descarga e entrou. Ele conhecia o lugar onde eles estariam esperando. A sala de identificação ficava no andar de cima. Exibiu o distintivo para os funcionários por quem passou, embora eles não mostrassem o menor interesse. Eles usavam galochas de borracha verde e aventais que chegavam abaixo dos joelhos. Tinham acabado de lavar as mãos ou estavam a caminho de fazê-lo. Jude ouviu os passos dele nas escadas e correu na direção de Fox quando o viu. Ela estava chorando aos berros, o corpo trêmulo, os olhos injetados por trás das lágrimas. Ele a abraçou, tomando cuidado com o braço engessado. Depois de um instante ele abriu os olhos e olhou por cima do ombro de Jude, na direção de onde o sargento-detetive Breck estava parado.

Você não sabe que o nome dele é Breck, Fox lembrou a si mesmo. *No telefone, ele disse apenas sargento-detetive Breck*. Breck estava andando na direção dele agora. Fox conseguiu afastar Jude um pouco, da maneira mais delicada que conseguiu. Estendeu a mão para o outro detetive. Breck estava sorrindo, quase encabulado.

"Sinto muito", disse ele. "Eu deveria ter percebido que era um número de Fettes." Ele fez um gesto em direção a Jude. "Sua irmã me contou que o senhor é inspetor-detetive."

"Só inspetor", corrigiu Fox. "Na UNP nós não usamos o 'detetive'."

Breck assentiu com um movimento da cabeça. "UNP quer dizer a Divisão de Denúncias?"

Fox fez que sim com a cabeça e em seguida voltou a atenção para Jude. "Eu sinto muito", disse ele, apertando-lhe a mão. "Você está bem?" Ela estremeceu em resposta, e ele perguntou a Breck se a identificação já fora realizada.

"Em dois minutos", disse Breck, fingindo olhar o relógio. Fox sabia o que se dava atrás da porta: eles estavam tornando o cadáver o mais apresentável possível. Apenas o rosto estaria visível, a menos que identificá-lo exigisse a revelação de uma tatuagem ou de qualquer outra marca característica.

"Onde ele foi encontrado?", perguntou Fox.

"Uma construção perto do canal."

"No lugar onde estão demolindo a cervejaria?"

"Ele não estava trabalhando lá", declarou Jude, a voz trêmula. "Eu não sei o que estava fazendo lá."

"Quando o encontraram?", Fox perguntou a Breck, apertando de leve a mão da irmã.

"Hoje bem cedo. Duas pessoas que faziam caminhada. Uma delas teve câimbra, então pararam. Estavam apoiadas na cerca, fazendo alongamento ou algo assim. Foi quando o viram."

"E você tem certeza de que..."

"Estava com alguns cartões de crédito no bolso. Eu dei à senhorita Fox uma descrição do falecido e de suas roupas..."

Jamie Breck tinha cabelo loiro quase encaracolado e um rosto sardento. Os olhos eram azuis desbotados. Era pouca coisa mais baixo do que Fox, e provavelmente tinha dois terços da cintura dele. Usava um terno marrom-escuro com os três botões fechados. Fox estava tentando afastar de sua mente tudo o que sabia sobre ele: frequentou a George Watson... os pais eram médicos... mora perto do supermercado... ainda não apresentou o mínimo de vinte e cinco fotografias... Ele se pegou passando a mão no cabelo de Jude.

"Bateram nele", ela estava dizendo, a voz entrecortada. "Bateram nele e o largaram para morrer." Fox olhou para Breck, buscando confirmação.

"Os ferimentos são condizentes", foi tudo o que o outro disse. Então a porta atrás deles se abriu. O corpo estava sobre uma maca com rodas, coberto, a não ser pelo rosto. Até mesmo o cabelo e as orelhas tinham sido cobertos. O rosto estava inchado, mas reconhecível, mesmo à distância. Fox conseguiu vê-lo antes da irmã.

"Jude", ele a avisou, "eu posso fazer isso se você não quiser."

"Eu preciso fazer isso", ela respondeu. "Eu preciso..."

"Acho que você vai querer ir para casa com ela", Breck estava dizendo a Fox. Os dois homens seguravam copos plásticos com chá. Eles estavam na sala de espera. Havia uma pilha de livros infantis em uma das cadeiras, e alguém pusera na parede um pôster com um girassol. Jude estava sentada a alguns metros deles, a cabeça curvada, segurando um copo também — água foi tudo o que ela pediu. Eles estavam esperando os formulários, os formulários que ela teria que assinar. O corpo maltratado de Vince Faulkner já estava a caminho da sala de autópsia, onde alguns dos legistas da prefeitura iriam trabalhar nele, seus assistentes pesando e medindo, ensacando e etiquetando.

"A que horas ele foi encontrado?", Fox perguntou em voz baixa.

"Pouco depois das seis."

"Ainda está escuro às seis."

"As luzes das ruas ainda estavam acesas."

"Ele foi atacado ou só jogado ali?"

"Escute, inspetor Fox, isso tudo pode esperar... o senhor vai querer ficar com Jude agora."

Fox olhou para a irmã. "Ela tem uma vizinha", ele se

pegou dizendo. "Alison Pettifer. Talvez ela pudesse levar Jude para casa e ficar com ela."

Breck endireitou os ombros. "Com o devido respeito, eu sei que o senhor é meu superior, mas..."

"Eu só quero ver o local. Algum mal nisso, sargento-detetive Breck?"

Breck pareceu refletir sobre aquilo por um momento, então relaxou os ombros. "Pode me chamar de Jamie", disse ele.

O mínimo de vinte e cinco fotografias, Fox pensou.

Levou mais uma hora antes que a papelada estivesse pronta, e Alison Pettifer fosse trazida. Fox trocou um aperto de mão com ela e voltou a lhe agradecer por ter telefonado no dia anterior.

"E agora isto", foi tudo o que ela disse. Era alta e magra, cinquenta e poucos anos. Ela prontamente assumiu seus deveres, ajudando Jude a se levantar e dizendo-lhe que tudo ia ficar bem. "Você vai para casa comigo..."

Os olhos de Jude ainda pareciam estar inflamados quando Fox a beijou nos dois lados do rosto.

"Eu vou para lá assim que puder", disse ele. Um policial uniformizado estava esperando pelas mulheres, o carro-patrulha estacionado lá fora. Ele parecia quase entediado, e Fox teve vontade de sacudi-lo. Em vez disso, olhou o celular: duas mensagens de Tony Kaye, que eram, na verdade, a mesma mensagem enviada duas vezes: Vc precisa de mim?

Fox começou a responder, dizendo "não", mas estendeu para "ainda não". Enquanto mandava a mensagem, Jamie Breck reapareceu.

"Não precisam de você na autópsia?", perguntou Fox.

"Eles só vão conseguir começar daqui a uma hora." Breck olhou para o relógio de pulso. "O que significa que eu posso levar o senhor até lá, se quiser."

"Eu estou de carro."

"Então podemos ir nele..."

Quatro minutos depois de terem saído, Breck comentou que se tivessem ido a pé chegariam mais rápido.

Era uma linha reta — Cowgate até West Port e até Fountainbridge —, mas o tráfego estava parado novamente: um contrafluxo controlado por dois trabalhadores em jaquetas fluorescentes e placas que diziam PARE e SIGA.

"Deve enlouquecer os sujeitos", disse Breck, "de repente ter todo esse poder..."

Fox apenas assentiu com a cabeça.

"Importa-se se eu lhe fizer uma pergunta?"

Fox se importava muito, mas deu de ombros.

"Como foi que sua irmã quebrou o braço?"

"Ela caiu na cozinha."

Breck fingiu pensar na resposta. "O senhor Faulkner trabalhava na construção civil?"

"Sim."

"Não parecia estar vestido para trabalhar — calças de algodão, camisa polo e jaqueta de couro. A jaqueta foi um presente de Natal da senhorita Fox."

"Foi?"

"Eles iam se casar?"

"Isso você teria que perguntar a ela."

"Vocês dois não são próximos?"

Fox sentiu aumentar a pressão com que segurava o volante. "Estamos chegando", disse ele.

"E o senhor Faulkner?"

"O que tem ele?"

"O senhor gostava dele?"

"Não especialmente."

"Por que não?"

"Nenhum motivo específico."

"Ou por motivos demais para listar?" Breck fez que sim com a cabeça. "O companheiro do meu irmão... Eu também não me dou muito bem com ele."

"Companheiro?"

"Meu irmão é gay."

"Eu não sabia."

Breck olhou para Fox. "E por que saberia?"

É isso mesmo, e não há motivo para saber que o mesmo irmão é engenheiro e trabalha nos Estados Unidos...

Fox pigarreou. "Então, o que você acha sobre o que aconteceu?"

Breck levou algum tempo para responder. "Tem um buraco na cerca, ao lado do lugar onde o corpo foi encontrado. Tem uma pequena rua lateral ali também, onde um carro ou uma van poderiam parar."

"O corpo foi largado lá?"

Breck deu de ombros e começou a movimentar os músculos do pescoço. "Perguntei à senhorita Fox quando ela viu o senhor Faulkner pela última vez."

"E então?"

"Ela disse que foi na tarde de sábado." Fox conseguia ouvir os estalos do pescoço e ombros do homem a seu lado. "O gesso parece bem recente..."

"Aconteceu no sábado", Fox confirmou, mantendo o nível da voz, concentrando-se no caminho à sua frente: mais dois faróis e uma rotatória e eles teriam chegado.

"Então ela foi pro pronto-socorro e o senhor Faulkner sai para dar uma volta pela cidade." Breck parou de mover o pescoço e inclinou-se um pouco para a frente, virando a cabeça para poder olhar nos olhos de Fox. "Caiu na cozinha?"

"Foi isso que ela me contou."

"E você repetiu o que ouviu para me ajudar... mas seu rosto endureceu de leve quando você falou."

"Você por acaso é o detetive Columbo da TV?"

"Só observador, inspetor Fox. Entre à esquerda na próxima."

"Eu sei."

"Olha lá, o rosto endureceu de novo", disse Jamie Breck, alto o suficiente para que Fox ouvisse.

O cordão de isolamento policial ainda estava no local, mas o policial uniformizado que estava de guarda levantou a fita para que eles pudessem passar. Havia alguns repórteres do jornal local, mas ambos tinham idade suficiente para saber que não conseguiriam uma declaração. Alguns olhavam da calçada, mas não que houvesse muita coisa para ver. A Unidade de Cena do Crime já havia vasculhado a área. Fotos mostravam o corpo *in situ* — Breck pegou algumas de um dos agentes que estavam lá e as entregou para Fox. Vince Faulkner fora encontrado de rosto para baixo, os braços estendidos à frente. Seu crânio tinha sido esmagado com alguma coisa pesada. O cabelo estava grudado com sangue. Havia ferimentos nas palmas das mãos e nos dedos — indicativos de alguém que tentara se defender.

"Só vamos saber sobre ferimentos internos depois da autópsia", comentou Breck. Fox assentiu com a cabeça e olhou à sua volta. Era um lugar desolado. Enormes montes de terra e entulho saídos da demolição da velha cervejaria. Restavam alguns armazéns, vazios e com as janelas quebradas. Do outro lado da rua, havia um canteiro de obras para o que se tornaria um "conjunto habitacional misto", segundo a placa na frente — lojas, escritórios e apartamentos. Policiais vestidos com macacões trabalhavam em fila, tentando localizar a arma do crime. Havia dezenas de milhares de possibilidades, de tijolos a pedras e entulho de concreto.

"Pode ser que tenham jogado no canal", Fox pensou em voz alta.

"Nós já chamamos os mergulhadores", Breck lhe garantiu.

"Não tem muito sangue no chão." Fox estava examinando as fotos de novo.

"Não."

"É por isso que você acha que ele foi jogado aqui?"

"Talvez."

"E nesse caso não foi apenas um assalto que não deu certo."

"Sem comentários." Breck olhou para o céu e respirou fundo.

"Eu sei", disse Fox, antecipando-se ao discurso do outro. "Eu não posso me envolver. Não devo transformar isso em algo pessoal. Não posso ficar no caminho da investigação."

"Mais ou menos isso." Breck tinha tirado as fotos dele para poder dar uma olhada. "Alguma coisa que queira me contar sobre o companheiro de sua irmã?"

"Não."

"Ele quebrou o braço dela, não é?"

"Isso você vai ter que perguntar a ela."

Breck olhou firme para ele, então balançou a cabeça lentamente e chutou uma pequena pedra, fazendo-a rolar para longe. "Quanto tempo acha que estas obras vão durar?"

"Quem sabe?"

"Alguém me disse que o banco HBOS ia mudar seu escritório central para cá."

"Isso talvez demore a acontecer."

"Espero que não tenha ações deles."

Fox bufou e então estendeu a mão na direção de Breck. "Obrigado por me deixar vir até aqui. Obrigado mesmo."

"Fique tranquilo, inspetor, estamos fazendo todo o possível — e não só porque o senhor é um companheiro de viagem." Breck piscou ao soltar a mão de Fox.

O mínimo de vinte e cinco fotografias... Você gosta de olhar para garotinhos, sargento-detetive Breck, e o meu trabalho é pôr você na linha...

"Obrigado mais uma vez", disse Malcolm Fox. "Quer que o leve de volta ao necrotério?"

"Vou ficar por aqui mais um pouco." Breck fez uma pausa, como se imerso em pensamentos profundos. "A UNP", ele disse por fim, "acabou de prender um dos meus colegas."

"Precisaria mais do que a Divisão de Denúncias para prender Glen Heaton."

"O senhor fez parte da equipe?"

"Por que pergunta?"

"Nenhum motivo especial."

"Você não é exatamente amigo dele, é?"

Breck o encarou. "O que o levou a perguntar isso?"

"Eu sou da Divisão de Denúncias, sargento-detetive Breck — eu vejo tudo e ouço tudo."

"Não vou me esquecer disso, inspetor", disse Jamie Breck.

Fox ligou para o escritório de dentro do carro e disse a Tony Kaye que eles precisariam suspender o fogo sobre Jamie Breck. Kaye obviamente perguntou o motivo.

"Ele está encarregado do caso de Faulkner."

Kay estava fazendo um som de assobio quando Fox desligou. Quando o telefone tocou, ele atendeu sem pensar.

"Escuta, Tony, eu falo com você mais tarde."

Houve um silêncio por algum tempo e então uma voz feminina: "É Annie Inglis. Não é uma boa hora para conversar?".

"Com toda sinceridade, Annie, não, não é."

"Posso ajudar em alguma coisa?"

"Não, mas obrigado mesmo assim."

"Eu recebi sua mensagem..."

A buzina de um carro atrás de Fox começou a tocar quando ele entrou em uma rua de trânsito exclusivo para táxis e ônibus.

"Houve uma complicação. O companheiro de minha irmã apareceu morto."

"Sinto muito..."

"Não precisa — ele era um idiota. Mas eu acabei de conhecer o policial encarregado da investigação. É um sargento-detetive chamado Jamie Breck."

"Ah."

"Então o trabalho que você queria que eu fizesse provavelmente terá que ir para outra pessoa. Na verdade, dois dos meus colegas já estão informados sobre o assunto."

"Certo." Ela fez uma pausa. "E onde você está agora?"

"Indo para o apartamento da minha irmã."

"Como ela está?"

"Isso é o que eu vou descobrir."

"Depois me conta, está bem?"

Fox olhou de relance para o espelho retrovisor. Um carro-patrulha estava atrás dele, as luzes azuis acesas. "Tenho que desligar", disse ele, encerrando a chamada.

Ele precisou de uns cinco minutos para discutir sua situação com os policiais. Tentou mostrar-lhes sua identificação sem deixá-los ver que ele era da Divisão de Denúncias e Conduta, mas eles pareciam saber mesmo assim. Será que ele estava ciente de que fizera uma manobra proibida? E será que se lembrava da lei sobre dirigir e falar no telefone celular ao mesmo tempo? Ele conseguiu dar a impressão de que estava arrependido e conseguiu não explicar aonde estava indo nem por quê — não havia motivo para os sujeitos saberem aquilo. No final, eles lhe deram uma multa.

"Ninguém está acima da lei", advertiu o mais velho deles. Fox agradeceu o homem e voltou para o carro. Eles fizeram o que sempre fazem — seguiram-no por mais algumas centenas de metros antes de sinalizar para a direita e ir para algum outro lugar. Era o que acontecia quando se trabalhava na Divisão de Denúncias — os colegas não prestavam favores. Na verdade, era muito pelo contrário. O que fez Fox voltar a pensar em Jamie Breck...

Ele encontrou um lugar para estacionar na rua da casa de Jude. Alison Pettifer abriu a porta. Ela havia fechado as cortinas da sala de visitas e da cozinha — por respeito, Fox deduziu.

"Onde está Jude?", ele perguntou.

"Lá em cima. Eu fiz um chá com bastante açúcar para ela."

Fox assentiu com a cabeça, olhando ao seu redor na sala de visitas. Pareceu-lhe que Pettifer tinha iniciado o processo de arrumação. Ele agradeceu e fez um sinal indicando que ia ver a irmã. Ela apertou de leve o braço dele. Não disse nada, mas seus olhos contaram uma história. *Tenha calma com ela.* Ele deu uma palmadinha na mão e foi para o corredor. Os degraus eram íngremes e estreitos — difícil cair deles sem ficar entalado no meio do caminho. Três portas apareciam no andar de cima — banheiro e dois quartos. Um dos quartos fora transformado no antro de Faulkner. Caixas de tranqueiras, uma vitrola velha e pilhas de CDs de rock, mais uma mesinha com um computador barato. A porta estava entreaberta, então Fox deu uma olhada lá dentro. As persianas estavam fechadas. Havia algumas revistas masculinas jogadas no chão — *Nuts* e *Zoo*. As capas mostravam loiras quase idênticas com os braços cobrindo os seios. Fox bateu na porta ao lado e girou a maçaneta. Jude estava deitada na cama coberta com um edredom. Mas não estava dormindo. O chá estava intocado na mesinha de cabeceira, ao lado de um copo vazio. O quarto cheirava levemente a vodca.

"Como você está, mana?" Ele sentou na cama. Tudo que conseguia ver era a cabeça dela e os pés nus. Ele tirou o cabelo dela da testa. Jude fungou e começou a se sentar. Sob o edredom, ela estava completamente vestida.

"Alguém o matou", disse ela.

É a melhor coisa que poderia ter acontecido. Mas o que ele disse em voz alta foi: "É horrível".

"Eles acham..."

"O quê?"

"Que talvez eu tenha alguma coisa a ver com o que aconteceu."

Fox negou com a cabeça. "Mas eles vão querer falar com você. É o procedimento padrão, então não precisa se preocupar." Ela fez que sim e ele acariciou o cabelo dela de novo. "Quando você o viu pela última vez, Jude?"

"No sábado."

"O mesmo dia em que ele..." Fox apontou para o braço engessado.

"Eu voltei do hospital e ele não estava aqui."

"Ele entrou em contato com você?"

Ela respirou fundo e soltou o ar, e então balançou a cabeça. "Para falar a verdade, isso não era tão incomum. Tinha noite em que, com sorte, eu o via por uns cinco minutos. Ele saía com os amigos e voltava para casa no dia seguinte com a história de que tinha dormido em algum sofá ou cama extra na casa de algum deles."

"Você tentou telefonar para ele durante o fim de semana?"

"Mandei algumas mensagens."

"Sem resposta?"

Ela fez que não com a cabeça. "Eu esperava que ele voltasse para casa no domingo, mas então..." Ela olhou para o braço quebrado. "Talvez ele estivesse se sentindo mais envergonhado que de costume."

"E na noite passada?"

Outro suspiro. "Na noite passada... talvez eu estivesse começando a ficar preocupada."

"Ou anestesiada." Fox apontou para o copo vazio. Ela deu de ombros da melhor maneira que pôde. "Quando passei por aqui ontem", ele continuou, "por que não me disse nada?"

"Eu não queria que você soubesse."

"Eu tentei ligar para você ontem à noite... você não atendeu."

"Você mesmo disse — anestesiada."

"E de novo esta manhã?"

Ela olhou para ele. "Eles mandaram você vir aqui para me interrogar?"

"Eu só estou fazendo as perguntas que *eles* vão fazer."

"Você nunca gostou dele", ela comentou.

"Isso eu não posso negar."

"Vai ver você até está feliz porque ele morreu." A voz dela estava ganhando um tom de acusação. Fox levantou-lhe o queixo com um dedo, para que ela o encarasse.

"Isso não é verdade", mentiu ele. "Mas ele nunca foi o homem que você merecia."

"Ele era o que eu tinha, Malcolm. E era mais do que suficiente para mim."

5

Ele encontrou Annie Inglis para tomarem café juntos na cantina em Fettes. Fora os empregados, o lugar estava deserto. Inglis insistiu em pegar o café enquanto ele se sentava em uma mesa perto da janela.

"Eu não sou inválido", ele disse para ela com um sorriso, quando ela empurrou a caneca na direção dele.

"Açúcar?" Ela colocou uma dúzia de pequenos envelopes sobre a mesa. Ele fez que não com a cabeça e a observou puxando uma cadeira. Ela escolhera chocolate quente. Ela se mexeu um pouco, pôs a ponta do dedo de leve sobre a superfície do líquido e em seguida colocou-a na boca. Então ela olhou em seus olhos.

"Pois é", ela disse.

"Pois é."

"Alguma ideia sobre como aconteceu?"

"Canteiro de obras perto do canal. Alguém fez um estrago nele."

"Como está sua irmã?"

"O nome dela é Jude, de Judith. Não sei ao certo como ela está."

"Você foi vê-la?"

"Ela estava enfiada na cama com uma garrafa de vodca."

"Não é para menos."

"Jude tem problemas com álcool." Ele olhou para seu café. Era para ser um *capuccino*, mas não tinha espuma. Inglis torceu de leve a boca e permitiu que o silêncio se estendesse.

"Então", disse ela por fim, "você acabou conhecendo o sargento-detetive Breck?"

"Eu estava me perguntando quando é que você ia falar nisso", ele murmurou.

Ela ignorou o que ele disse. "Que tal te pareceu?"

"Eu diria que ele é bom no que faz. A conversa realmente não chegou ao assunto sobre a predileção dele por bolinar garotos."

Ela ficou irritada, mas apenas por um momento. "Malcolm", ela disse em voz baixa, "eu só estou perguntando."

"Desculpe."

"E o motivo de estar perguntando é porque eu e Gilchrist estivemos conversando..."

"A propósito, ele é seu chefe?"

"Gilchrist?" Ela arregalou um pouco os olhos. "Ele é o meu investigador."

"Ele é mais velho que você."

"Então de cara você já pensou que ele deveria ser meu superior?"

Fox foi salvo de ter de responder quando o telefone dela tocou. Ela o pegou da mesa e olhou a tela.

"Preciso atender", disse. "É o meu filho." Ela pôs o telefone no ouvido. "Ei, Duncan." Ela escutou durante quase um minuto, os olhos fixos no mundo atrás da janela. "O.k., mas eu quero você em casa antes das sete. Entendido? Então tchau." Ela recolocou o telefone sobre a mesa, os dedos apoiados no aparelho.

"Eu não achei que você fosse casada", disse Fox.

"Não sou." Ela pensou por um momento. "Mas o que fez você..."

Ele engoliu antes de responder. Havia coisas sobre ela que ele supostamente não deveria saber. "Não usa aliança", ele acabou dizendo. Em seguida, um pouco rápido demais: "Quantos anos tem o Duncan?".

"Quinze."

"Você era jovem quando ele nasceu."

"Meu último ano na escola. Meus pais ficaram furiosos, mas cuidaram dele."

Fox assentiu lentamente com a cabeça. Não havia nenhuma menção a um filho no arquivo pessoal de Inglis. Algum descuido? Ele tomou um gole do café.

"Ele está indo para a casa de um amigo", Annie Inglis explicou.

"Não deve ser fácil — mãe solteira, garoto adolescente..."

"Não é ruim", ela declarou, seu tom de voz indicando que o assunto terminava ali.

Fox segurou a caneca perto da boca e assoprou. "Você estava me contando", disse ele, "que andou conversando com Gilchrist..."

"Isso mesmo. Estávamos pensando que isso pode funcionar para nós."

"Você quer dizer eu e Breck?"

Ela confirmou com a cabeça. "Você não está envolvido na investigação, então não existe de fato um conflito de interesses."

"O que você está dizendo é: enquanto Breck investiga o assassinato, *eu* me ocupo em *vigiá-lo*?"

"Vocês dois já se conheceram... e você tem a desculpa perfeita para ficar em contato com ele."

"E não há conflito de interesses?"

"Nós só estamos pedindo que você nos consiga informações, Malcolm, informações gerais que possamos passar para Londres. Nada do que fizer vai aparecer em um tribunal."

"Como podemos ter certeza disso?"

Ela pensou por um momento e deu de ombros. "Gilchrist está verificando com o seu chefe e com o subchefe."

"Isso não deveria ser o *seu* trabalho?"

Ela deu de ombros e olhou nos olhos dele. "Eu quis ver você."

"Estou emocionado."

"Você vai conseguir fazer isso, Malcolm? É isso o que eu preciso saber."

Fox se lembrou da área desolada que vira. *Estamos fazendo todo o possível...*

"Eu consigo", respondeu Malcolm Fox.

De volta ao andar de cima, o escritório da Divisão de Denúncias estava vazio. Ele se sentou atrás de sua mesa durante uns cinco minutos, mordendo a tampa de uma esferográfica, pensando em Vince Faulkner, em Jude e em Breck. A porta, que já estava entreaberta, foi aberta completamente por Bob McEwan. Ele usava sobretudo e carregava uma pasta.

"Você está bem, Foxy?", ele perguntou, parando na frente da mesa, os pés afastados quase um metro um do outro.

"Estou bem."

"Fiquei sabendo do... falecimento, por assim dizer... do seu cunhado."

"Ele não era da família", Fox corrigiu seu chefe. "Era só um cara com quem a minha irmã vivia."

"Mesmo assim..."

"Vou dar uma olhada nela assim que puder." Aquelas palavras, assim que as disse, o fizeram lembrar do pai. Mitch precisava ficar sabendo.

"E quanto à "casa do pai"?", perguntou McEwan. "Você acha que consegue ajudá-los?"

"Você acha que não tem problema?"

"Traynor acha que não." Adam Traynor — subchefe de polícia. "Acabei de falar com ele."

"Então está bem", disse Fox, pondo de novo a caneta sobre a mesa.

Quando acabou o expediente, ele rumou para Lauder Lodge. Um dos funcionários lhe disse que seu pai estava no quarto da sra. Sanderson. Fox parou na frente da porta dela e não conseguiu ouvir nada. Ele bateu e esperou até que a voz da mulher o convidasse a entrar. Mitch estava sentado de frente para a sra. Sanderson. As duas cadeiras estavam posicionadas uma de cada lado da lareira do quarto. Era uma lareira apenas decorativa. Um vaso com flores secas estava sobre a grelha sem uso da lareira. Ele já estivera no quarto da sra. Sanderson, quando seu pai o apresentara a sua "nova e querida amiga". Agora o velhinho o apresentou a ela de novo.

"Este é o meu filho, Audrey."

A sra. Sanderson deu uma risada aguda. "Eu sei, Mitch, eu já conhecia o Malcolm."

Mitch Fox franziu a testa, tentando se lembrar. Fox inclinou-se sobre a sra. Sanderson e lhe deu um beijo no rosto. Ela cheirava levemente a talco e o rosto parecia um pergaminho; as mãos e os braços também. Ao que parece, sempre fora magra, mas agora a pele de seu rosto revelava o contorno exato do crânio. Ainda assim, ela era uma mulher bonita.

"Está se sentindo melhor?", perguntou Fox.

"Muito melhor, querido." Ela deu um tapinha na mão dele antes de soltá-la.

"Duas visitas em poucos dias", dizia o pai de Fox. "Será que devo ficar lisonjeado? E quando aquela sua irmã vai aparecer?"

Não havia onde Fox pudesse sentar, a não ser a cama, e então ele ficou em pé. Teve a impressão de que estava muito acima das duas figuras sentadas. A sra. Sanderson estava arrumando a manta que cobria suas pernas.

"A Jude recebeu uma notícia muito ruim, papai", disse Fox.

"É mesmo?"

"Sobre o Vince. Ele foi morto."

A sra. Sanderson levantou os olhos para ele, a boca aberta em um O.

"Morto?", repetiu Mitch Fox.

"Vocês querem que eu...?" A sra. Sanderson estava tentando ficar em pé.

"Pode ficar sentada aí mesmo", mandou Mitch. "Este é o seu quarto, Audrey."

"Parece que ele andou se metendo em alguma encrenca", Fox tentou explicar, "e acabou levando uma surra."

"É menos do que merecia."

"O que é isso, Mitch?", protestou a sra. Sanderson. E em seguida para Fox: "Como está a Jude, Malcolm?".

"Está se virando como pode."

"Ela vai precisar de toda a ajuda que vocês puderem lhe dar." Ela se voltou para Mitch. "Você devia ir visitá-la."

"E de que adiantaria isso?"

"Mostraria que você se importa com ela. O Malcolm pode levar você..." Ela olhou para Fox em busca de confirmação. Ele conseguiu expressar algo que era um aceno positivo com a cabeça e um movimento com os ombros. A voz dela ficou um pouco mais suave. "O Malcolm pode levar você", ela repetiu, inclinando-se para a frente e estendendo um dos braços. Após um instante, Mitch Fox reagiu. As mãos deles se encontraram e se apertaram.

"Talvez agora não seja um bom momento", avisou Fox, lembrando-se do braço engessado. "Ela não está querendo muitas visitas... Tem dormido bastante."

"Amanhã então", decidiu a sra. Sanderson.

"Amanhã", Fox acabou cedendo.

A caminho de casa, ele pensou em visitar Jude, mas resolveu que em vez disso telefonaria para ela mais à noite. Ela dera a Alison Pettifer informações sobre algumas de suas amigas mais íntimas, e a vizinha prometera a Fox que iria ligar para elas e conseguir que se revezassem para tomar conta de Jude.

"Ela não vai ficar sozinha", tinham sido as últimas palavras de Pettifer para ele.

Ele também se perguntou o que Annie Inglis estaria fazendo. Ela dissera ao filho para estar em casa antes das sete. Agora eram sete horas. Fox tinha memorizado o endereço que vira no computador do RH. De carro chegaria lá em dez ou quinze minutos, mas para quê? Ele estava curioso a respeito do menino. Tentou imaginar como tinha sido para uma colegial enfrentar o pai fazendeiro com a notícia. *Mamãe e papai ficaram furiosos... mas cuidaram dele.* Sim, porque é isso o que as famílias faziam — elas ajudavam; elas compreendiam.

Mas Duncan não aparece na sua ficha, Annie...

No semáforo seguinte ele olhou para a vitrine de uma loja de bebidas. Pequenas lâmpadas halógenas evidenciavam cada uma das garrafas. Queria saber se as amigas de Jude bebiam. Será que elas iriam aparecer por lá com sacolas de lojas e um monte de lembranças, histórias trágicas para serem contadas e recontadas?

"Para você, Foxy, chá", disse para si mesmo assim que a fila de carros começou a andar lentamente.

A correspondência que o esperava no chão do corredor de entrada não tinha nada de novo: contas, propagandas e um extrato bancário. Pelo menos o Royal Bank of Scotland ainda estava operando. Não havia nada dentro do envelope além do extrato, nenhuma carta com um pedido desesperado de desculpas por se achar importante demais e desapontar os clientes. O pagamento de Lauder Lodge já fora descontado. O resto parecia ser gasolina e supermercado. Ele deu uma olhada na geladeira, procurando inspiração para um jantar rápido. Sem consegui-la, tentou os armários e de lá tirou uma lata de chili com carne e um pequeno vidro de pimenta. Havia um pouco de arroz em um pote sobre o balcão. O rádio estava sintonizado em uma estação de FM que tocava música clássica, mas ele mudou para algo que descobrira nos últimos tempos. A estação se chamava apenas Birdsong, e era exatamente isso que veiculava, cantos de pássaros. Fox voltou para a geladeira e tirou uma garrafa de suco de maçã, sentou-se à mesa com a bebida e passou a mão pelo rosto e pela testa, massageando as têmporas e a parte superior do nariz. Ficou pensando sobre quem pagaria a casa de repouso para *ele* quando chegasse a hora. Seria bom ter alguém como a sra. Sanderson esperando por ele lá.

Quando a comida ficou pronta, ele a levou para a sala de estar e ligou a TV. O canto de pássaros ainda era audível na cozinha; às vezes ele deixava ligado a noite toda. Ele zapeou pelos canais gratuitos até encontrar o canal Dave. Só estavam passando reapresentações, mas ainda dava para assistir. Programas de jornalismo automobilístico como *Fifth Gear*, seguidos pelo antigo *Top Gear*, seguido por outro *Top Gear*.

"Será que eu aguento?"

Ele deixara o celular recarregando sobre o balcão da cozinha. Quando o aparelho começou a tocar, ele pensou em não atender. Uma colherada do jantar, um resmungo e ele colocou a bandeja sobre o tapete. O telefone tinha ficado mudo quando ele o alcançou, mas o visor mostrava duas letras maiúsculas: TK. Tony Kaye. Fox desligou o telefone do carregador, digitou o número do colega e foi para o sofá.

"Onde você está?", perguntou Kaye.

"Eu não vou a nenhum pub esta noite", avisou Fox. Ele pôde ouvir o barulho no fundo. Era o Minter's ou algum lugar semelhante.

"Ah, vai, sim", Kaye informou. "Estamos com um problema. Em quanto tempo consegue chegar aqui?"

"Que tipo de problema?"

"Seu amigo Breck."

"Fala para ele ligar aqui para casa."

"Não era você que ele queria — era eu."

Fox tinha recolocado o garfo no chili, mas agora o deixou lá. "Como assim?"

"Você vai ter que acertar isso, Foxy. Breck vai estar aqui na hora cheia."

Fox afastou o celular do ouvido o suficiente para olhar o relógio. Faltavam dezessete minutos. "Consigo chegar em vinte minutos", disse ele, levantando do sofá e desligando a televisão. "O que ele quer com você?"

"Ele está louco para saber por que um colega meu pesquisou sobre Vince Faulkner no sistema de informações."

Fox xingou em voz baixa. "Vinte minutos", ele repetiu, agarrando o paletó e as chaves. "Não diga nada até eu chegar aí. É no Minter's, certo?"

"Certo."

Fox xingou novamente e desligou, batendo a porta da frente ao sair.

Os mesmos dois clientes estavam no bar, discutindo com o proprietário sobre uma das perguntas de um outro show de perguntas na televisão. Jamie Breck reconheceu Fox e o cumprimentou com um aceno de cabeça. Ele estava sentado à mesa que Tony Kaye sempre usava. O próprio Kaye estava sentado na frente dele, uma expressão sisuda no rosto.

"O que você vai tomar?", perguntou Breck. Fox fez que não com a cabeça, sentando-se. Ele reparou que Tony Kaye estava tomando suco de tomate, e Breck tinha diante de si um copo grande com suco de laranja e limão. "Como está sua irmã?"

Fox apenas acenou com a cabeça e girou os ombros. "Vamos acertar as coisas, hein?"

Breck olhou para ele. "Espero que você entenda", começou ele, "que eu estou tentando lhes fazer um favor."

"Um favor?" Tony Kaye não pareceu convencido.

"Um alerta. Nós não somos idiotas, sargento-detetive Kaye. A primeira coisa que fizemos foi uma investigação de fundo. O BDP têm um registro das buscas recentes, e foi isso que nos levou ao seu colega no DIC de Hull."

"Belo colega", murmurou Kaye, cruzando os braços.

"Ele demorou bastante para nos dar seu nome, se isso serve de consolo. Foi preciso que o chefe dele pressionasse."

"Como foi a autópsia?", interrompeu Fox.

Breck voltou a atenção para ele. "Traumatismos, ferimentos internos... Temos quase certeza de que ele estava morto quando o jogaram lá."

"Morto há quanto tempo?"

"Um dia, um dia e meio." Breck fez uma pausa, girando o copo sobre o descanso. "A busca no BDP foi feita ontem. Foi no mesmo dia em que você descobriu sobre o braço quebrado de Jude?"

"Sim", reconheceu Fox.

"Você foi procurar Faulkner?"

"Não."

Breck ergueu uma sobrancelha, embora seu olhar permanecesse focado no copo à sua frente. "O sujeito que tinha acabado de quebrar o braço da sua irmã — você não quis falar com ele?"

"Eu quis falar com ele, mas não fui procurá-lo."

"E quanto a você, sargento Kaye?"

Kaye abriu a boca para responder, mas Fox ergueu a mão para impedi-lo. "Isso não tem nada a ver com o sargento-detetive Kaye", declarou ele. "Eu pedi que ele investigasse Faulkner."

"Por quê?"

"Para arranjar argumentos — se havia alguma coisa ali, eu esperava que talvez Jude pudesse enxergar."

"Isto é, pudesse largar dele?" Fox fez que sim com a cabeça. "Você chegou a contar para ela?"

"Não tive chance — Faulkner já estava morto, não estava?"

Breck não se deu ao trabalho de responder. Fox olhou nos olhos de Tony Kaye, acenando muito de leve com a cabeça para indicar que era assim que ele queria as coisas. Fox não deixaria ninguém além dele próprio ser colocado no fogo.

"Lembra quando lhe perguntei se havia alguma coisa que você quisesse me contar sobre a vítima?" Breck estava encarando Malcolm Fox. "Como é que você não falou sobre os antecedentes dele?"

"Eu realmente não sei", respondeu Fox dando de ombros.

"O que mais descobriu?"

"Nada."

"Mas você sabia que ele era um mau menino?"

"Parece que entrou na linha desde que veio para o norte."

"Bom, certas coisas levam tempo, não é? Ele iria querer se certificar do novo terreno. Há quanto tempo estava aqui?"

"Um ano, um ano e meio", respondeu Fox. O aroma estava em suas narinas novamente: dois uísques tinham sido servidos no bar.

"Como sua irmã o conheceu?"

"Você vai ter que perguntar a ela."

"Vamos fazer isso com certeza." Breck olhou para o relógio. "Eu disse que estava dando um aviso para vocês, mas o tempo está quase acabando."

"O que você quer dizer com isso?"

Breck fitou os olhos em Malcolm Fox. "Eu não sou o seu problema aqui, lembre-se disso." Os três se viraram quando a porta do pub foi aberta com força suficiente para abalar as dobradiças. O homem que entrou era tão largo quanto alto. Apesar da temperatura baixa lá fora, usava apenas uma jaqueta esportiva sobre uma camisa aberta no pescoço. Fox o reconheceu e por um bom motivo. Ele era o inspetor-chefe William Giles — "Bad Billy" Giles. A julgar pelo rosto vincado, o cabelo preto ondulado era tingido, o que não significa que alguém fosse comentar isso com o dono. Os olhos eram azuis, brilhantes, frios.

"Uma caneca de *eighty*",* ordenou Giles, aproximando-se da mesa. Breck ficou em pé, mas hesitou bastante antes de começar a fazer as apresentações.

"Eu sei quem eles são", rosnou Giles para ele. "Eles passaram três horas me interrogando — três horas da minha vida que eu não vou recuperar."

"Glen Heaton não merecia o esforço que você fez por ele", comentou Fox.

"Você pode chutar um homem caído o quanto quiser", disse Giles com raiva. "O problema é quando ele continua se erguendo, e Glen Heaton está longe de ser tirado do jogo por gente como vocês." A cadeira — que era a cadeira de Breck — rangeu quando Giles se acomodou sobre ela. Os olhos dele se moviam rapidamente entre Tony Kaye e Malcolm Fox. "Mas agora vocês são meus", ele declarou com uma satisfação sombria.

(*) Tipo de cerveja escocesa, encorpada, doce e espumante. (N. T.)

Billy Giles não era apenas o chefe do DIC em Torphichen, não era apenas o chefe de Jamie Breck — e também de Glen Heaton. Era também o amigo mais antigo de Heaton. Fox estava pensando naquela entrevista de três horas. Também pensava em todos os obstáculos que Giles tinha apresentado para a investigação da UNP.

"Agora vocês são meus", repetiu Giles, satisfeito. Do bar, Breck fez contato visual com Malcolm Fox. *Eu não sou o seu problema aqui...* Fox entendeu e manifestou isso com o mesmo movimento de leve com a cabeça que fizera para Tony Kaye. Então ele voltou a atenção para Giles.

"Ainda não", disse ele, dando a mesma ênfase a cada uma das palavras. Ele se levantou, indicando que Tony Kaye deveria fazer o mesmo. "Se quiser falar conosco, sabe onde nos encontrar."

"Agora é uma hora tão boa quanto qualquer outra."

Mas Fox estava balançando a cabeça enquanto fechava o paletó. "Você sabe onde nos encontrar", repetiu. "Só não se esqueça de marcar hora — nós estamos sempre ocupados na Divisão de Denúncias."

"Vocês são uns vermes, os dois."

Mesmo em pé, Fox não era muito mais alto do que Giles sentado. Mas ele se inclinou um pouco na direção do homem. "Nós não somos vermes", declarou ele. "Você mesmo disse — nós estamos de pé, fomos nós quem derrubamos seu colega Heaton. E na última vez que olhei, ele ainda estava na lona."

Então ele endireitou o corpo, virou-se e saiu. Poucos segundos depois Tony Kaye se juntou a ele. Kaye estava ajeitando o cachecol quando saiu do pub.

"O que diabos a gente vai fazer?", ele perguntou.

"Não precisamos fazer nada — as coisas vão acontecer do jeito que têm que acontecer."

"Devemos pelo menos contar para o McEwan."

Fox assentiu com a cabeça. "Giles vai querer nos interrogar em Torphichen. Ficamos com a minha história. Pode ser que seja repreendido, mas duvido que aconteça muita coisa."

Kaye pensou nisso e então balançou a cabeça lentamente. "Giles não vai deixar isso barato. No que diz respeito a ele, chegou a hora do troco."

"Ele só vai conseguir umas moedinhas, Tony."

Kaye pensou mais um momento. "Aquele desgraçado em Hull!"

"Devíamos ter percebido — todo mundo deixa rastros, mesmo em um computador."

Kaye respirou fundo pelo nariz. "E agora?"

Fox deu de ombros. "Você precisa de carona? Não estou vendo seu Nissan..."

"Eu estacionei em lugar permitido para variar. Está a algumas ruas daqui."

"Você não queria que o pessoal de Torphichen pegasse no seu pé por isso também?"

Kaye balançou a cabeça. "Como é que você sempre consegue ficar tão calmo, Foxy?"

"Não faz sentido ser de outro jeito — é como eu digo, o que tiver de ser, será."

Kaye estava olhando para a porta do Minter's. "A gente devia ir embora antes que ele saia."

"Ele tem aquela caneca para tomar, e talvez peça outra depois. Por falar nisso — o que achou de Jamie Breck?"

Kaye só precisou de um segundo para apresentar seu veredicto. "Bom sujeito, parece."

Malcolm Fox concordou com um aceno. *Parece...*

QUARTA-FEIRA,
11 DE FEVEREIRO DE 2009

6

Na manhã de quarta-feira, Fox estava escovando os dentes quando o telefone de casa começou a tocar. O aparelho sem fio do andar de cima precisava ser recarregado, e ele sabia que quem estava chamando já teria desligado antes que conseguisse chegar à sala de visitas, então não saiu do lugar. Ele acordara cedo, com as palavras e Tony Kaye na cabeça — *bom sujeito, parece*. Kaye quis dizer que Breck era do tipo que ajudaria um colega. Não quis dizer que ele não pudesse ser outras coisas também... Fox enxugava a boca quando seu celular tocou. O aparelho estava sobre a cômoda no quarto, e ele foi até lá, jogando a toalha sobre a cama recém-arrumada.

"Fox", disse ele, pressionando o fone sobre o ouvido.

"Senhor Fox, é Alison Pettifer."

O estômago de Fox apertou. "Jude está bem?"

"Eles a levaram."

"Quem?", mas já sabia a resposta.

"Uns policiais, disseram que eram da Divisão C."

Torphichen. Fox olhou o relógio — sete e meia. "É apenas rotina", ele começou a explicar.

"Foi isso que eles disseram — 'perguntas de rotina'. Mesmo assim, pensei que o senhor gostaria de saber."

"Gentileza sua."

"O senhor acha que eu devo ficar aqui?" Fox não sabia muito bem o que ela queria dizer: será que estava sugerindo que ela também deveria ir a Torphichen? "Para ficar de olho neles, quer dizer."

Fox tirou o telefone do ouvido e leu o visor. Ela estava ligando do telefone da casa de Jude. "Eles ainda estão aí?", ele perguntou.

"Alguns deles, sim."

"Com um mandado de busca?"

"Eles fizeram Jude assinar alguma coisa", a vizinha confirmou.

"Onde a senhora está agora, senhora Pettifer?"

"Perto da escada." Ele a ouviu pedindo desculpas quando alguém passou por ela. Passos pesados subindo os degraus. "Parece que eles não gostam que eu fique por aqui."

"O que aconteceu às outras amigas de Jude, aquelas que iam cuidar dela?"

"Joyce ficou durante a noite, mas teve que ir embora para trabalhar às seis e meia. A polícia começou a chegar pouco depois, então eu me vesti e..."

"Obrigado por tudo, senhora Pettifer. Pode ir para casa agora."

"Alguns repórteres vieram aqui ontem, mas não perdi tempo com eles."

"Obrigado mais uma vez."

"Bom... vou para casa então, se o senhor acha que é o melhor."

Fox encerrou a chamada, pegou uma camisa limpa no armário e concluiu que a gravata de ontem estava boa. Ele estava na metade da escada quando o telefone da casa começou a tocar de novo. Ele pegou o fone que estava sobre o sofá.

"Fox", disse ele.

"É o McEwan."

"Bom dia, senhor."

"Você parece incomodado."

"Não, senhor, só estou me aprontando para sair."

"Então eu falo com você daqui a meia hora?"

"Na verdade, eu preciso parar em um lugar primeiro."

"Acho que isso não é aconselhável, Malcolm."

"Como assim?"

"O pessoal de Torphichen me contou o que está acontecendo. Recebi o telefonema há meia hora. Não vai ser fácil acalmar os ânimos depois da sua façanha com o BDP."

"Eu ia lhe contar, senhor..." Fox fez uma pausa. "A verdade é que eles levaram minha irmã para interrogatório. Ela precisa de alguém com ela."

"Não você, Malcolm. *Você* precisa estar *aqui*."

"Eles sabem que ela é minha irmã, Bob. Eles não gostam do que eu fiz com o colega deles, Heaton."

"Conheço algumas pessoas em Torphichen. Vou cuidar para que tudo saia bem."

"Sim, senhor."

"Meia hora, então. Você, eu e Tony Kaye vamos bater um papo..." O telefone ficou mudo na mão de Fox.

De fato, a viagem demorou mais do que ele esperava. Sua desculpa: as obras do bonde. Na verdade, ele fizera um desvio até a rua de Jude em Saughtonhall. A porta da frente da casa estava aberta. Uma van da equipe de investigação de cena do crime estava parada junto ao meio-fio. Alguém fora mandado à loja da esquina — todos estavam bebendo em copos de isopor e mastigando pastéis e batatas fritas. Ele viu alguns policiais à paisana — rostos que reconhecia vagamente das visitas a Torphichen. Não havia o menor sinal de Billy Giles nem de Jamie Breck. Uma vizinha do lado oposto da rua olhava de sua janela, os braços cruzados. Fox não desligou o motor, sabendo que não adiantaria nada entrar. Por fim deu sinal e voltou para o tráfego da rua. Todos os motoristas foram educados e não se importaram de frear para que ele entrasse.

Aquilo os faria ficar mais tempo com cara de bobo.

"Minhas digitais vão estar em toda parte", Fox disse a McEwan. Eles não estavam no escritório: McEwan tinha encontrado uma sala de reuniões vazia. Uma mesa oval e oito ou nove cadeiras. Havia um quadro branco sobre um tripé. Palavras escritas nele:

VISIBILIDADE

VIABILIDADE

VERSATILIDADE

Tony Kaye encontrara a única cadeira da sala com rodinhas. Ele fazia a cadeira se afastar da mesa e depois voltava para a frente.

"Isso está me irritando", McEwan avisou.

"O que vamos fazer a respeito de Bad Billy?", perguntou Kaye, ainda se movendo.

"Para você é inspetor-chefe Giles, sargento Kaye — e nós vamos deixá-lo fazer seu trabalho." Ele virou a cabeça na direção de Fox. "Não é mesmo, Malcolm?"

Fox concordou com a cabeça. "É a única coisa que *podemos* fazer. Eles vão se sentir melhor depois que nos derem um chute."

McEwan suspirou. "Quantas vezes eu já falei para vocês? A UNP tem que ser perfeita."

"É como eu disse, senhor, fazer uma busca por Vince Faulkner no banco de dados foi ideia minha."

McEwan olhou furioso para Fox. "Isso é uma tremenda bobagem e você sabe disso. O Tony é o tipo do sujeito que tomaria a decisão de quebrar algum protocolo — não é mesmo, sargento?"

"Sim, senhor", reconheceu Kaye.

"Ontem à noite o que contamos para Giles foi diferente", advertiu Fox.

"Então é melhor manter isso", retrucou McEwan. "Se ele pegar vocês em uma mentira, vai sair procurando outras..." Ele fez uma pausa. "*Existem* outras?"

"Não, senhor", responderam os dois homens em uníssono.

McEwan ficou pensativo por um momento. "Billy Giles gosta de parecer violento. Mas é só aparência, há muito menos a temer." Ele ergueu o dedo indicador. "Isso não significa que vocês possam subestimá-lo."

Malcolm Fox tirou o lenço e assoou o nariz. "Eles estão tratando a casa de Jude como cena de crime?"

"*Possível* cena de crime."

"Não vão encontrar nada."

"Pensei que você tivesse acabado de dizer que iam encontrar as suas digitais."

"Eu fui até lá na segunda-feira, e depois de novo ontem."

"É melhor garantir que eles saibam disso."

Fox assentiu lentamente com a cabeça, enquanto a atenção de McEwan voltava para Kaye.

"Tony, eu juro por Deus, se você não parar de ficar se mexendo nessa cadeira..."

Kaye ficou em pé tão rapidamente que a cadeira deslizou para trás até o quadro branco. Ele andou em passos largos até a janela e olhou para o estacionamento lá embaixo. "Alguma coisa não está certa", murmurou ele, balançando a cabeça. "O Fox começa a investigar Jamie Breck — e logo em seguida a Divisão C está em cima da gente. E se Bad Billy ficou sabendo e concluiu que já tinha perdido maçãs podres o suficiente para uma temporada?"

"E fez o quê?", argumentou McEwan. "Matou um homem a sangue-frio? É isso mesmo o que você está sugerindo? Sério?"

"Não estou dizendo que ele..." Mas Kaye não conseguiu terminar o que tinha começado. Em vez disso, soltou um som longo, como um rosnado.

"Eu devo me apresentar para ser interrogado?", perguntou Fox calmamente para o chefe.

"Eles já solicitaram o prazer da sua companhia."

"Quando querem me ver?"

"Assim que esta reunião acabar", disse McEwan.

Fox o encarou. "E então?"

"E então vocês são idiotas, os dois. Ninguém acessa o BDP sem um bom motivo."

"Nós *tínhamos* um bom motivo", insistiu Kaye.

"Vocês tinham um motivo *pessoal*, Tony, e isso está longe de ser a mesma coisa."

"Ele tinha se envolvido em uma questão doméstica", Kaye continuou tentando. "Estávamos procurando evidências de antecedentes."

"Você pode continuar contando essa história para si mesmo", disse McEwan com um sorriso cansado.

"Senhor?", interrompeu Fox, precisando ouvir as palavras.

"Pode ir", disse McEwan.

"Minha irmã está bem?"

"Você quer vê-la?", perguntou Giles. Ele estava vestido com as mesmas roupas da noite anterior, mas com o acréscimo de uma gravata. O pescoço estufava a gola da camisa, e o botão de cima estava aberto, visível atrás do nó da gravata.

"Onde ela está?"

"Ela não está longe." Eles estavam em uma das salas de interrogatório em Torphichen. O lugar parecia cenário do filme *Assalto à 13ª DP* — caindo aos pedaços e rodeado por abandono e obras de rua. Não havia muita coisa de interesse para os turistas a oeste das ruas Princes e Lothian. O sistema de mão única fazia com que ônibus, táxis e caminhões contornassem o local, mas era um lugar ingrato para os pedestres. Dentro do prédio havia os costumeiros cheiros de mofo e desespero. A sala de interrogatório tinha cicatrizes de batalha — paredes riscadas, mesa lascada, uma pichação na parte de trás da porta. Eles mantiveram Fox esperando muito tempo na área de recepção, dando para os policiais uniformizados e para os que estavam à paisana a oportunidade de passar por ali e olhar furiosamente para ele. Quando afinal seguiu Giles pelo corredor em direção à sala de interrogatório, ouviu vaias e xingamentos vindos das outras salas.

"Mas ela está bem?", insistiu Fox.

Giles o encarou pela primeira vez desde que ele chegara. "Ainda não começamos a torturá-la, se é isso o que você está perguntando. Chá, biscoitos e uma policial para lhe fazer companhia na última vez em que verifiquei." Giles inclinou-se para a frente e apoiou os cotovelos na mesa. "É um negócio complicado", declarou ele. Fox apenas assentiu com a cabeça. "Quando *você* viu o senhor Faulkner pela última vez?"

"Antes do Natal — talvez em novembro."

"Você não tinha muito tempo para ele?"

"Não."

"Eu não o culpo por isso. Mas sabia que ele estava usando sua irmã como saco de pancadas, não é?" Fox olhou fixamente para ele, mas não respondeu. "Sabe, se isso acontecesse com algum parente meu, eu iria como um trator pra cima do desgraçado."

"Eu falei com ela sobre isso. Ela me disse que o braço foi um acidente."

"Duvido que você tenha acreditado nela." Giles recostou-se novamente, enfiando as mãos nos bolsos do paletó. "Então como é que você não foi pra cima dele?"

"Nunca tive a oportunidade."

"Ou então nunca teve coragem..." Giles deixou a acusação pairando no ar entre os dois. "Ela quebrou o braço no sábado, não é?"

"É o que ela diz."

"Quando é que você descobriu?"

Houve um barulho no corredor. Pelo som, deveria ser um rapaz que não estava exatamente cooperando, enquanto estava sendo removido de uma das celas, ou sendo levado para outra.

"Deve ser o Mollison", explicou Giles. "O idiota está sendo acusado por um monte de crimes. Assim que eu terminar aqui vou trocar uma ideia com ele."

"Ele tem alguma coisa a ver com..."

Giles balançou a cabeça em negativa. "Mollison arrombaria a porta da sua casa ou roubaria o seu carro, mas não é provável que batesse em alguém até a morte. Esse tipo de ataque exige muita raiva. O tipo de raiva gerada por ressentimento."

"Eu não via o Faulkner desde o Natal."

"Você sabia naquela época?"

"Sabia o quê?"

"Que ele batia na mulher?"

"Jude não era mulher dele."

"Mas você sabia?" Os olhinhos do rosto carnudo de Giles pareciam perfurar Fox. Embora tentasse resistir, Fox se contorceu em sua cadeira.

"Eu sabia que o relacionamento deles era tumultuado."

Giles bufou. "Você não veio aqui para escrever a porra de um romance barato de banca de jornal!"

"Jude sempre disse que respondia na mesma moeda."

"Você não fez as coisas direito, inspetor. Pra mim parece que você se acovardou, que não quis dizer nada. Você nunca chamou Faulkner de lado para ter uma conversinha com ele?"

"Depois do que aconteceu com o braço dela, eu teria feito isso, se a oportunidade tivesse aparecido."

"Então voltamos à minha pergunta original: quando você ficou sabendo?"

"Uma vizinha me telefonou na segunda-feira à tarde."

Giles assentiu lentamente com a cabeça. "Senhora Pettifer", disse ele. Sim, era razoável supor que ela tivesse sido interrogada pela equipe de investigação... "Suponho que então você saiu procurando por ele?"

"Não." Fox estava olhando para suas mãos, fechadas sobre o colo.

"Não?" Giles não pareceu convencido.

"Que diferença isso poderia fazer — ele já estava morto, não estava?"

"Ora essa, Fox — você sabe que a hora da morte é um assunto sempre controverso... algumas horas a mais ou a menos."

"Ele apareceu no trabalho na manhã de segunda-feira?"

Giles hesitou um momento antes de responder, avaliando o que queria e o não queria que Fox soubesse. Por fim, fez que não com a cabeça.

"Então o que ele estava fazendo?" Onde se meteu a partir da noite de sábado? Alguém deve tê-lo visto."

"A pessoa que o matou viu."

"Você não pode achar que foi Jude."

Giles recolheu os lábios, tirou as mãos dos bolsos e colocou-as atrás da cabeça. Como a camisa esticou, apareceram espaços entre os botões que revelaram uma camiseta branca por baixo. A sala estava quente para Fox. Ele sabia que provavelmente deixavam assim de propósito: não queriam que os suspeitos ficassem relaxados demais. Seu couro cabeludo começou a coçar, o suor acumulando-se. Mas se ele coçasse ou enxugasse, Giles pensaria que o interrogatório o estava afetando de alguma maneira.

"Eu vi Faulkner no necrotério", o detetive estava dizendo. "Bem musculoso. Bastante improvável que uma garotinha alcoólatra de uns cinquenta quilos e com um braço engessado conseguisse nocauteá-lo." Giles ficou observando, à espera de alguma reação. "Mas alguém poderia tê-la ajudado."

"Vocês não vão encontrar nada na casa." À distância, uma porta bateu. Um caminhão ou ônibus estava parado lá fora, o motor ligado, fazendo com que o vidro coberto de gelo da janela tremesse ruidosamente na esquadria.

"Tem muitas evidências de um estilo de vida caótico", Giles continuou. "Mesmo depois de alguém ter tentado dar uma arrumada."

"Foi a vizinha, por gentileza."

"Não estou sugerindo que alguém estivesse tentando acobertar algo." Giles deu um sorriso frio. "E a propósito — como anda o seu caso contra Glen Heaton?"

"Eu estava me perguntando quanto tempo ia demorar para você..."

"Ele está adorando, sabe? Pagamento integral, os pés pro alto em casa enquanto a gente passa frio e tem que ficar raspando o gelo do para-brisa de manhã." As mãos carnudas de Giles se apoiaram na mesa. Ele se inclinou sobre elas. "Para, no final das contas, ser exonerado."

"Eu pego leve com Heaton e você deixa a minha irmã em paz?"

Giles fez uma falsa expressão de indignação. "Eu disse isso? Acho que eu não disse isso." Ele fez uma pausa. "Mas não consigo evitar uma sensação de... de quê? Ironia? Justiça poética?"

"Caso você tenha esquecido, um homem foi morto."

"Eu não esqueci, inspetor. Pode ter absoluta certeza disso. Cada detalhe da vida de Faulkner será investigado pelos meus homens. Sua irmã vai ter que se acostumar com perguntas e mais perguntas. A imprensa também está mostrando interesse, então talvez ela queira parar de atender a porta e o telefone."

"Não desconte na minha irmã", disse Fox em voz baixa.

"Ou você vai fazer uma denúncia?" Giles sorriu. "Ora, *isso* seria a cereja do bolo, não seria?"

"Já terminamos?" Fox começou a se levantar.

"Por enquanto — a menos que haja algo que você queira me dizer."

Fox pensou em algumas coisas, mas tudo o que fez foi balançar a cabeça em negativa.

Já no corredor, ele abriu algumas portas, mas Jude não estava em nenhuma das outras salas de interrogatório. No final havia a porta que dava na movimentada sala de recepção, e depois dela o mundo exterior. Um rosto familiar estava descendo devagar os degraus quando Fox apareceu.

"Podemos dar uma volta?", perguntou Jamie Breck, interrompendo a ligação que fazia em seu celular.

"Meu carro está ali." Fox indicou com a cabeça o lugar.

"Mesmo assim..." Breck fez um gesto e começou a subir a rua em direção ao semáforo. "Como foi com o inspetor-chefe Giles?"

"Como você acha que foi?"

Breck assentiu com a cabeça devagar. "Pensei que você ia querer saber como as coisas estão andando."

"É assim que isso funciona — Giles me dá um esporro e então você entra com a conversa de 'policial bonzinho'?"

"Ele ia querer me matar se soubesse que estou conversando com você." Breck olhou por cima do ombro quando viraram a esquina da rua Morrison.

"Então por que está fazendo isso?"

"Eu não gosto dessa política — nós do nosso lado, vocês do seu." Breck estava andando apressado. Era o andar de um jovem, forte e determinado, como se o futuro exibisse um destino claro. Fox, tentando acompanhá-lo, podia sentir o suor ficando frio rente ao cabelo.

"Onde está minha irmã?", perguntou ele.

"A caminho de casa, acho."

"Extraoficialmente, qual é a *sua* opinião sobre Glen Heaton?"

Breck fez um muxoxo. "Pelo que pude ver, ele andou pegando os caminhos mais fáceis."

"Ele passou por cima de tudo o que viu."

"É o estilo dele — bastante eficiente, por sinal."

"Acho que o seu chefe acabou de tentar fazer um acordo comigo."

"Que tipo de acordo?"

"Heaton pela minha irmã..." Breck deu um ligeiro assobio. "Mas uma vez que minha irmã não fez nada..."

"Você recusou?"

"Não está surpreso com o fato de ele ter feito essa oferta?"

Breck deu de ombros. "Eu só queria saber por que você está perguntando isso para *mim*."

"Quando prendermos Heaton, vai haver uma vaga para inspetor."

"Acho que sim."

"Você não é ambicioso?"

"Claro que sou ambicioso — todo mundo não é? Você não é?"

"Não especialmente." Os dois homens andaram um pouco em silêncio.

"Então como *foi* com o Bad Billy?", Breck acabou perguntando.

"Ele está encarando essa investigação como uma forma de me atingir, e isso pode prejudicar o julgamento dele... pode levá-lo por muitas trilhas erradas."

Breck estava concordando com um movimento da cabeça. "Ele contou a você sobre o circuito fechado de TV?"

Fox olhou para ele. "O que tem isso?"

"Vou supor que ele não contou." Breck respirou fundo. "Tem um pub em Gorgie... Faulkner não era exatamente um freguês regular, mas aparecia de vez em quando. Eles têm circuito fechado de TV dentro e fora."

"E então?"

Breck parou de repente e se virou para encarar Malcolm Fox, estudando-o. "Não sei muito bem quanto disso tudo eu deveria lhe contar."

"Qual é o nome do pub?"

"Marooned. Você conhece?" Breck observou Fox fazendo que não com a cabeça. "Abriu faz menos de um ano."

"Vince Faulkner foi filmado?", Fox perguntou.

"No sábado à noite. Alguns torcedores de rúgbi estavam lá — uns galeses. Trocaram umas ofensas e foram resolver do lado de fora."

"Bateram nele?"

Breck negou com um movimento da cabeça. "Nas imagens que eu vi, ele empurrou um deles e levou um tapão na cabeça. Três contra um... Faulkner avaliou a situação e foi embora com alguns insultos finais."

"Eles não foram atrás dele?"

"Não quer dizer que não tenha encontrado com eles mais tarde."

"Não." Fox ficou pensativo.

"Sua irmã diz que ele não tem mais família no sul — é isso mesmo?"

Fox deu de ombros. "Ela deve saber melhor que eu." Ele fez uma pausa. "Sabe, isso não tem nada a ver com a minha irmã."

Breck assentiu lentamente com a cabeça. "Apesar disso... são as regras do jogo."

"A casa dela vai estar bagunçada?"

"Eu pedi aos peritos para pegarem leve."

"Eles não devem ter encontrado nada." Os dois homens tinham recomeçado a andar. Quando viraram à esquerda em Dewar Place, Fox percebeu que estavam andando em círculos. Mais uma virada à esquerda e estariam de volta à delegacia e ao carro de Fox.

"Você mora bem perto de mim", disse Breck.

Fox abriu a boca para responder, e em vez disso engoliu em seco. Estava prestes a dizer *eu sei*.

"É mesmo?", foi o que ele acabou respondendo.

"Fiquei sabendo", disse Breck encolhendo os ombros. "Moro atrás dos Morrison."

"Você é casado?"

"Tenho uma namorada."

"Faz tempo?"

"Poucos meses — ela ainda não mora comigo. E você?"

"Eu já fui casado", respondeu Fox.

"Vida em família é difícil para quem é policial", declarou Breck.

"É mesmo", concordou Fox. Ele estava pensando na namorada. Muitos agressores e criminosos tinham companheiras. Era um bom disfarce — "o tranquilo homem de família". Apenas uma minúscula parte de seu cotidiano era dedicada a seu lado secreto. Por outro lado, provavelmente havia muitos homens por aí que encontravam sites da internet que desejariam nunca ter encontrado, e então tinham se demorado neles... sem saber muito bem o motivo. Atraídos por alguma coisa.

Mas quantos acabavam entregando o número de seus cartões de crédito?

"É só isso o que vocês têm até agora?", perguntou Fox. "Marooned e alguns torcedores galeses de rúgbi?"

"Mais ou menos isso."

"Não foi visto nem no domingo nem na segunda?"

"A investigação ainda está no começo, inspetor."

Fox concordou com um movimento da cabeça e pensou em alguma coisa. "Onde ele trabalhava?"

"Você não sabe?"

"Sei que era na construção civil..."

"Ele estava com um contrato temporário em Salamander Point."

"Pensei que tivessem suspendido a construção."

"Não totalmente." Eles tinham quase chegado ao fim da Dewar Place. Breck tocou no ombro de Fox. "É melhor nos separarmos aqui."

Fox concordou. "Obrigado pela conversa."

Breck sorriu e estendeu a mão. Os dois homens se cumprimentaram.

7

Do carro, Fox ligou para Lauder Lodge. Peguntaram se ele queria falar com o pai, mas ele só pediu que dessem um recado. Ele não ia poder levar Mitch à casa de Jude hoje. Talvez amanhã.

O Marooned ficava no meio do caminho entre Torphichen Place e Saughtonhall. Era em uma rua secundária, não muito longe do estádio Heart of Midlothian. Fox não saiu do carro, apenas ficou lá sentado, observando, para ter uma ideia do lugar. O prédio de tijolos de um só andar remontava à década de 1970. Em outros tempos talvez tivesse sido um terreno baldio, talvez uma garagem ou um depósito de materiais de construção. Havia prédios de quatro andares ao lado e na frente. Uma lousa à esquerda da entrada principal prometia concursos de perguntas, caraoquê e comida quente. Havia uma promoção do tipo "tome duas, pague uma". Apenas uma câmera de segurança, presa bem no alto da parede e protegida por uma gaiola de metal. Fox sabia que poderia entrar lá mostrando seu distintivo, podia pedir para ver as imagens, mas de que adiantaria? E se Billy Giles ficasse sabendo que ele esteve por lá... Em vez disso, fez o retorno e prosseguiu no caminho para Saughtonhall.

A porta foi atendida por uma mulher que ele não conhecia. Ele se apresentou como irmão de Jude.

"Eu sou a Sandra", disse a mulher. "Sandra Hendry." Ela devia ter mais ou menos a idade de Jude, os olhos escuros e cansados, o rosto marcado. As roupas que usava —

jeans rasgados e remendados artificialmente; uma camiseta cortada para mostrar a barriga — seriam apropriadas para alguém com a metade da idade dela e vinte quilos a menos. O cabelo parecia algodão doce, começando a escurecer nas raízes. Os brincos eram grandes argolas douradas. Tinha piercings no nariz e na língua. "Jude está na cama", disse ela, levando-o para dentro. "Você quer subir?"

"Daqui a pouco." Eles estavam na sala de visitas agora. O lugar parecia razoavelmente arrumado. A mulher chamada Sandra tinha se acomodado em uma poltrona e cruzava e descruzava as pernas. A televisão estava ligada, o som bem baixo. Um homem bronzeado parecia estar tentando treinar um cachorro desobediente.

"Adoro esse programa", comentou Sandra. Fox reparou que em um de seus tornozelos havia a tatuagem de um escorpião.

"Como ela está?", perguntou Fox, passeando pela sala.

"Acabou de voltar da Gestapo..." Ela interrompeu o que ia dizer e olhou para ele, os olhos arregalados por se lembrar de qual era o trabalho do irmão de Jude.

"Já ouvi coisas piores", Fox lhe garantiu.

"Ela estava arrasada, achei que uma soneca poderia ajudar."

Fox concordou com um movimento da cabeça. Ao abrir a tampa da lata de lixo da cozinha, viu que o saco plástico fora retirado. O pessoal da criminalística ia estar ocupado examinando o conteúdo em seu quartel-general em Howdenhall.

"Obrigado por cuidar dela."

Sandra deu de ombros. "Meu turno só começa às quatro."

"Onde você trabalha?"

"No Asda, na avenida Chesser." Ela ofereceu chiclete, mas ele recusou. As garrafas e latas vazias tinham desaparecido. Os cinzeiros estavam limpos. Sobre o balcão havia apenas duas canecas sujas e uma caixa de pizza.

"Você chegou a conhecer o Vince?", perguntou Fox.

"Nós quatro costumávamos sair."

"Você e seu companheiro?"

"Ele trabalha com Vince." Ela fez uma pausa, parando de mascar. "Acho que tenho que começar a usar o verbo no passado."

"Ele está no ramo de construção civil, então?"

Ela confirmou com a cabeça. "Mestre de obras — acho que era chefe do Vince."

"Então foi seu companheiro que contratou o Vince?"

Ela deu de ombros. "Marido, companheiro não. Há dezesseis anos — o Ronnie diz que se uma pessoa matar alguém pode até pegar menos tempo."

"Ele provavelmente está certo. Então você e o Ronnie conheciam bem o Vince."

"Acho que sim."

"Já foram a um lugar chamado Marooned?"

"Aquela espelunca? Não, só se a gente fosse obrigado. Quando a grana dava, eles gostavam do Golf Tavern — o que significava que podiam jogar minigolfe em Bruntsfield Links."

"Você e a Jude não jogavam?"

"Só jantávamos e um pouquinho de roleta ou vinte e um — eu gosto mais."

"Qual cassino?"

"No Oliver."

"No Ocean Terminal?" Ele terminou a inspeção e estava em pé no meio da sala, olhando para ela, que tinha os olhos fixos na televisão.

"Esse mesmo."

"Não é muito longe de Salamander Point então?"

"É um pulinho até lá."

Fox concordou com a cabeça. "O que você achava dele, Sandra?"

À menção de seu nome, ela levantou os olhos para ele. "Você quer dizer o Vince?" Ela avaliou a pergunta. "Ele era legal — bem engraçado se você o pegasse de bom humor."

"Isso quer dizer que nem sempre era assim?"

"Eu sei que ele era marrento — mas a Jude também não é muito diferente, não."

"O que você acha de ele ter quebrado o braço dela?"

"Ela disse que caiu."

"Mas nós dois sabemos que não foi assim."

"O meu lema é: não se meta. Só serve para causar mais aborrecimento." O interesse dela por ele tinha diminuído. Na tela da televisão, o adestrador estava conseguindo progressos óbvios.

"Mas você é amiga dela... você deve..." Fox interrompeu-se, pensando: *você* é o irmão dela, e *você* não fez nada. "Vou subir", disse ele.

Sandra fez que sim com a cabeça, distraída. "Eu lhe ofereceria um chá, mas a gente está sem nada."

A porta para o quarto de bagunça de Vince estava escancarada, e Fox viu que o computador fora levado pelos investigadores. A porta do quarto de Jude estava entreaberta. Ele bateu e abriu. A irmã estava sentada na cama, cercada de pilhas de roupas. O armário embutido e a cômoda tinham sido parcialmente esvaziados. Eram roupas de Faulkner — calças e camisetas, meias e cuecas. Jude estava segurando uma camisa de manga curta na mão boa, passando os dedos nas costuras. Estava fungando, algumas lágrimas escorrendo.

"Eu ainda posso sentir o cheiro dele — nos lençóis, nos travesseiros... Uma parte dele ainda está aqui." Ela fez uma pausa e olhou para o irmão. "Sabe o que eles me disseram, Malcolm? Disseram que não podemos fazer o enterro. Que eles precisam reter o corpo. Pode levar semanas, disseram. Ninguém sabe quanto tempo."

Havia um canto sobrando na cama, então Fox sentou ali, mas permaneceu em silêncio.

"A Sandra disse que a gente tem que começar a cancelar as coisas e a avisar quem precisa ser avisado. Mas o que sobra dele depois disso?" Ela fungou novamente e passou o braço pelos olhos. "Eles ficam me fazendo essas perguntas. Eles acham que fui eu..."

"Não, não acham", Fox garantiu, apertando o ombro da irmã.

"Aquele homem... o nome dele era Giles... ele ficava me dizendo que o Vince era um agressor — foi essa a palavra que ele usou, 'agressor'. Ele disse que o Vince teve outras condenações no passado. Disse que foram por violência. Disse que ninguém me culparia por me vingar. Mas não foi isso o que aconteceu, Malcolm."

"Giles sabe disso, Jude — todos eles sabem."

"Então por que ele ficou dizendo isso?"

"Ele é um idiota, mana."

Ela conseguiu dar um risinho. Fox não ia soltar o ombro dela, mas ela virou para olhar para a mão dele. "Está doendo", ela explicou, e ele percebeu que era o ombro do braço quebrado.

"Puxa, desculpe."

Outro risinho. "Havia um detetive mais simpático... Acho que era Breck. Sim, porque a gente leu aquele livro quando éramos crianças, nas férias."

"*Raptado*", Fox lembrou o título. "O herói se chamava Alan Breck. Você pedia para eu ler para você."

"Antes de dormir." Ela fez que sim, lembrando. "Todas as noites durante duas semanas. E agora olha só para a gente..." Ela se virou para ele, as lágrimas escorrendo pelo rosto. "Eu o amava, Malcolm."

"Eu sei."

Ela começou a enxugar as lágrimas na camisa que estava segurando. "Eu não vou aguentar sem ele."

"Vai sim... pode ter certeza. Quer que eu traga alguma coisa?'

"Que tal uma máquina do tempo?"

"Isso vai demorar um pouco. Sandra disse que o chá e o café acabaram — posso ir até a loja comprar."

Ela fez que não com a cabeça. "Ela vai trazer um pouco da Asda — disse que os funcionários têm desconto."

"Ela estava me contando que vocês quatro costumavam ir ao cassino. Eu nunca soube que você gostasse de um joguinho."

Jude inspirou profundamente e expirou. "Era mais coisa deles. Eu gostava da comida e das bebidas... Eram sempre noites muito boas." Ela fez uma pausa. "Eles mandaram pessoas aqui, sabe, remexendo todas as nossas coisas. Tive que assinar por umas coisas que eles levaram. É por isso que..." Ela apontou as roupas a seu redor. "As gavetas já estavam abertas, então pensei que poderia muito bem..."

Fox assentiu. "Vou deixar você fazendo isso, se tiver certeza de que não há nada que eu..."

"O Mitch sabe?"

"Sabe. Ele queria vir visitar você."

"Eu vou até lá. Fica mais fácil, não é?"

"Eu posso te levar. Que tal mais tarde, lá pelas três, quatro horas?"

"Você não deveria estar trabalhando?"

Fox apenas deu de ombros.

"Então está bem", disse Jude. O irmão começou a se levantar. Ele estava na porta quando ela pensou em algo. "Na noite de segunda-feira, alguém veio até aqui."

Fox parou com a mão na maçaneta.

"Disse que estava procurando o Vince", continuou Jude. "Eu lhe disse que não sabia onde ele estava. Fechei a porta e foi isso."

"Você não o conhecia?"

Jude fez que não com a cabeça. "Sujeito alto, cabelo escuro. Fui até a janela e fiquei olhando ele ir embora, mas só vi as costas dele."

"Ele entrou em um carro?"

"Talvez..."

"Você contou isso a Giles?"

Ela negou de novo. "Parece idiotice, mas eu não estava a fim. Talvez você possa contar para ele."

"Claro. Só mais uma coisa, Jude..."

"O quê?"

"O Vince estava metido em alguma encrenca? Será que estava mais irritado que de costume?"

Ela pensou sobre aquilo, segurando a camisa dele sobre o nariz. "Ele era desse jeito", ela contou a Fox. "Sempre será. Mas Malcolm..."

"O que foi?"

"Você sabia sobre as condenações dele?" Ela o observou enquanto ele confirmava com um leve movimento da cabeça. "Você nunca me contou."

"Quando descobri, ele já estava morto."

"Mesmo assim você podia ter me contado. Melhor ouvir de você que daquele homem desagradável."

"É verdade", Fox concordou. "Desculpe, mana. Mas e você? Você não sabia mesmo?"

Foi a vez de Jude balançar a cabeça. "Não importa agora", ela disse, a atenção se voltando para a camisa do amante morto. "Nada mais importa agora..."

Em Fettes havia um recado dizendo que a sargento-detetive Inglis queria vê-lo.

"Ela mesma trouxe", Tony Kaye provocou Fox enquanto ele lia o recado. "Gostosinha..."

"Onde está o chefe?", perguntou Fox.

"Foi embora mais cedo. Disse que tem um discurso para escrever." Quando Fox olhou para ele, Kaye apenas encolheu os ombros. "É para um seminário em Glasgow."

"Métodos de policiamento de uma provável onda de agitação civil", recitou Joe Naysmith. "Parece que é tudo em função da crise financeira."

"Sei, e em seguida eles vão começar a linchar os banqueiros", comentou Kaye.

"O que isso tem a ver com a Divisão de Denúncias?", perguntou Fox.

"Se os nossos rapazes pegarem muito pesado com os manifestantes", explicou Kaye, "o problema pode chegar até nós." Ele tinha saído de trás de sua mesa e se encaminhava para Fox. "É bom ver que você saiu ileso — seguraram você bastante tempo por lá."

"Bad Billy Giles estava bancando o Torquemada."

"Era de se esperar. Como está sua irmã?"

"Até aqui, vai bem. Eu fui vê-la depois que saí de Torphichen."

"Descobriu alguma coisa?"

"Faulkner teve um entrevero com alguns torcedores de rúgbi na noite de sábado."

"É mesmo?"

"Parece que deixou por isso mesmo."

"Ainda assim... Essa foi a última vez que ele foi visto?" Kaye viu o colega confirmar com a cabeça. "E Jude foi interrogada?"

"Por Giles e por Jamie Breck."

"Tinha alguma coisa para dizer a eles?"

"Acho que não." Fox estava coçando a parte de cima do nariz. Desejou que o resfriado chegasse a seu ponto máximo ou que passasse logo. Do jeito que estava, era como alguém que o perseguisse à distância.

"Você vai ver a talentosa?"

"O quê?" Fox ergueu os olhos para Kaye.

"A gatinha da Casa do Pai." Kaye apontou para o recado. "Se quiser, eu posso ir representando você, posso levar algum recado."

"Pode deixar", disse Fox, levantando-se novamente. Kaye deu de ombros e foi embora.

"Ei, Starbuck", ele gritou para Joe Naysmith, "faz um café..."

Fox foi até o escritório da PEI e apertou a campainha. A própria Annie Inglis abriu a porta. Só uma fresta a princípio, confirmando se era ele. Ela deu um sorriso e o deixou entrar. Gilchrist o cumprimentou com a cabeça. As persianas estavam abaixadas para evitar o sol do meio da tarde.

"Não posso ficar muito tempo", Fox avisou a Inglis.

"Só queria saber como foram as coisas." Ela lhe indicou a mesma cadeira na qual ele sentara em sua primeira visita. Ele sentou de frente para ela. Ela usava saia e meias-calças pretas, e uma blusa branca aberta no colarinho com um colar de pérolas no pescoço. As pérolas pareciam antigas; talvez fossem alguma herança.

"As coisas vão bem", disse ele. Gilchrist, de costas para eles, erguia o estojo de um disco rígido, examinando atentamente para ver se havia alguma coisa de interesse.

"Nossos colegas em Melbourne estão se preparando para dar a largada antes do sinal."

"Como assim?"

"O policial de lá, aquele que eu mostrei a você..." Ela apontou para o monitor na sua mesa. "Estão preocupados com o fato de ele ter amigos na corporação, o que significa que ele vai descobrir que estamos de olho nele."

"Eles estão se preparando para interrogá-lo?"

Inglis confirmou com a cabeça. "É possível que a gente perca os clientes dele no Reino Unido."

"Aqueles que já deram o dinheiro", acrescentou Gilchrist sem levantar os olhos, "mas não o resto da taxa de admissão. Eles seriam liberados apenas com uma advertência."

"O Breck ainda não mandou fotografias?"

Inglis fez que não com a cabeça. "Também não postou nada no quadro de mensagens do grupo." Ela fez uma pausa. "Isso já aconteceu antes — a informação vaza, o que deixa muito tempo para a evidência desaparecer ou ser adulterada."

"Mas vocês *têm* a evidência." Foi a vez de Fox apontar para o monitor.

"Nós só arranhamos a superfície, Malcolm."

"A ponta do iceberg", concordou Gilchrist enquanto começava a desmontar o disco rígido. "O que seria realmente bom...", ele parecia estar falando sozinho, "... é ter acesso ao computador doméstico do suspeito."

Fox olhou para Inglis. Ela olhava firme para ele. "O problema", disse ela, "é que temos que solicitar um mandado de busca e apreensão. É possível que Breck tenha algum amigo em algum ponto do sistema que fique tentado a alertá-lo."

"Você, por outro lado", acrescentou Gilchrist, ainda aparentemente concentrado no que estava fazendo, "poderia realizar uma ligeira invasão de domicílio — e tudo dentro da legalidade. A Divisão de Denúncias tem poderes muito superiores a nós, meros mortais."

"Pensei que tudo o que vocês queriam fosse informações básicas."

"Ter algumas evidências seria muito bom", refletiu Inglis.

"A gente ganharia uma estrela dourada de Londres", continuou o colega dela.

"A questão é essa?", perguntou Fox. "Impressionar os figurões?"

"Você quer que eles pensem que somos todos amadores ao norte da fronteira?" Inglis esperou por uma resposta, que não veio. "Ele deve ter um estoque de imagens em casa — ou em seu disco rígido ou em um *pen drive*", ela continuou, a voz calma, porém decidida. "Mesmo se tiver transferido esses dados, haverá vestígios deles."

"Vestígios?", repetiu Fox.

Ela fez que sim com a cabeça lentamente. "É como na criminalística — todo mundo deixa um rastro de vestígios."

"Ou um vestígio de rastros", acrescentou Gilchrist, no que Fox supôs que fosse uma piada particular. Inglis com certeza sorriu para o colega. Fox recostou na cadeira, pensando na trilha que Tony Kaye havia deixado no BDP.

"Bela conversa, a de vocês dois. Isso tudo é para o meu bem, ou é algum tipo de teste de rotina?"

"O que for preciso", disse Inglis.

"Acontece", ele disse, virando-se para ela, "que a gente não sai por aí arrombando as casas das pessoas sem respaldo dos superiores."

"Mas a permissão pode ser retroativa", afirmou Inglis.

"Ela tem que ser justificada com o comissário de Vigilância", advertiu Fox.

"No fim das contas, sim", concordou Inglis. "Pelo que eu entendo, em casos de emergência é possível agir primeiro e solicitar a aprovação depois."

"Mas esse caso não é meu", disse Fox em voz baixa. "Não sou eu quem está investigando Jamie Breck. Para falar a verdade, ele pode argumentar que é *ele* quem está me investigando. E aí como é que fica?"

Houve silêncio na sala por um momento. "Não é nada bom", Inglis acabou por admitir. O brilho de esperança tinha desaparecido de seus olhos. Ela olhou para Gilchrist, que deu de ombros em resposta.

"Nós tínhamos que tentar", ela disse a Fox.

"A gente odeia perder", acrescentou Gilchrist, jogando uma pequena chave de fenda sobre a mesa.

"Talvez haja uma outra forma", sugeriu Fox. "Para invasão de domicílio, nós precisamos da aprovação do comissário de Vigilância... mas se Breck está usando seu computador de casa, poderíamos colocar a van do lado de fora e investigar o que ele anda fazendo pela análise do uso de teclado.

"Você não precisa de aprovação judicial para usar a van?", perguntou Inglis, animada novamente.

Fox fez que não com a cabeça. "O vcp pode dar o sinal verde, e mesmo isso pode ser retroativo."

"Ora, o vcp está do nosso lado", comentou Inglis. Ela esbarrara no mouse que estava a seu lado sobre a mesa. A tela do computador voltou à vida, mostrando a mesma fotografia de antes — o policial de Melbourne com o garoto asiático. "Você sabe qual é a defesa deles?", ela perguntou. "Eles chamam de crime sem vítimas. Eles compartilham fotos. Na maioria dos casos, isso é tudo o que eles dizem que fazem. Não são eles que estão, de fato, realizando o abuso sexual das crianças."

"Não significa que não seja abuso", declarou Gilchrist.

"Escutem", disse Fox com um suspiro. "Eu gosto do trabalho que vocês estão tentando fazer..."

"Com as mãos atadas", interrompeu Inglis.

"Vamos ver se eu posso ajudar", continuou Fox. "A van de vigilância é uma opção verdadeira, se ele for quem vocês dizem que é..."

"*Se?*"

O tom da voz de Gilchrist tinha aumentado. Ele estava encarando Fox, o olhar duro. Mas Inglis o acalmou com um gesto da mão. "Obrigado, Malcolm", ela disse a Fox. "Qualquer coisa que puder ser feita, nós agradeceremos." "Tudo bem então", disse Fox, levantando-se. "Deixem comigo."

A mão dela tocou-lhe o antebraço. Eles se entreolharam e ele assentiu com um movimento da cabeça. Ela disse duas palavras quando ele estava prestes a sair.

Qualquer coisa.

De volta à Divisão de Denúncias, ele fez um sinal com o indicador para Tony Kaye. Kaye aproximou-se da mesa de Fox, os braços cruzados.

"O que você acha", Fox perguntou-lhe, "de passar uma noite na van?"

Kaye deu um resmungo. "O que ela vai lhe dar em troca?"

Fox balançou a cabeça. "Mas o que você acha?", insistiu ele.

"Eu iria fichar chateado e cansado. Isso tudo é na esperança de pegar o Breck babando em cima de pornografia na internet?"

"Sim."

"Ele não é cliente nosso, Foxy."

"Ele pode ser, se estiver fazendo o que o pessoal da Casa do Pai diz que faz."

"Uma operação conjunta?"

"Acho que a detetive Inglis e mais uma pessoa precisariam estar dentro da van..."

"E essa pessoa é tão gostosinha quanto ela?"

"Nem um pouco." Fox olhou na direção da cafeteira. "Você iria precisar de Naysmith, é claro."

Kaye pareceu desanimar. "É triste, mas é verdade." Era Naysmith que sabia como tirar o melhor proveito da tecnologia. "Mas enquanto ele estiver dando duro", Fox acrescentou, "você vai ter bastante tempo para esbanjar seu charme com a detetive Inglis."

"Também é verdade", concordou Kaye, animando-se novamente. "Mas onde você estaria?"

"Eu não posso me envolver, Tony."

Kaye concordou com aquilo. "Hoje à noite?", ele perguntou.

"Quanto antes melhor. A van não está sendo usada para alguma coisa?"

Kaye fez que não com a cabeça. "A noite vai estar fria. É melhor eu me agasalhar bem."

"Tenho certeza de que a detetive Inglis iria gostar disso. Fale com o Naysmith e eu informo a Casa do Pai."

Fox observou Kaye se afastar, então pegou o telefone e teclou o número do PEI. Inglis atendeu, e ele cobriu a boca com a mão para que Kaye não pudesse ouvir.

"Podemos fazer a vigilância esta noite. Serão dois dos meus homens — Kaye e Naysmith."

"As noites são..."

Fox sabia o que ela estava prestes a dizer. "Difíceis? Eu sei, com o seu filho e tudo o mais. Mas acontece que o sargento Kaye ficaria muito mais à vontade com um policial."

"Gilchrist poderia ir", afirmou Inglis. E então, zombeteira: "Por que Kaye não fica à vontade trabalhando com *uma* policial?"

"Com as mulheres de maneira geral, Annie", explicou Fox em voz baixa.

"Ah", disse ela. Kaye e Naysmith estavam se aproximando de sua mesa e ele encerrou a ligação.

"Está resolvido, então", ele lhes disse.

Tony Kaye esfregou as mãos e sorriu.

8

A caminho de casa naquela noite, Fox parou em um restaurante chinês. Cogitou em pegar uma mesa, mas o lugar estava vazio — seriam apenas ele e os funcionários. Então pediu para viagem. Quinze minutos depois estava no carro, a embalagem de comida no banco do passageiro: frango com cebola e gengibre; macarrão; verduras. O proprietário lhe ofereceu uma porção de biscoitos de camarão por conta da casa, mas Fox recusou. Assim que chegou em casa, esvaziou toda a refeição em um prato, mas percebeu que era demais e devolveu metade do macarrão à embalagem. Usou a mesa de jantar para comer, um pano de prato enfiado no colarinho. Não havia recados na secretária eletrônica, e nenhuma correspondência o aguardava. Alguns cachorros se esgoelavam a uma ou duas ruas dali. Uma motocicleta passou na frente da casa, rápido demais. Fox ligou o rádio na estação de cantos de pássaros, serviu um copo de suco de maçã e rememorou a visita a Lauder Lodge.

Ele pegou Jude às quatro como combinado, os dois praticamente em silêncio durante todo o trajeto. Os funcionários da casa de repouso tentaram não parecer interessados demais em Jude. Não era só o gesso no braço — eles tinham lido os jornais e assistido ao noticiário local na televisão. Sabiam quem ela era e o que tinha acontecido.

"Esqueci de colocar o meu véu de luto", Jude murmurou para o irmão enquanto seguiam pelo corredor que ia dar no quarto do pai. Mitch estava à espera deles. Insistiu em se levantar para dar um abraço consolador em Jude. Quando todos se sentaram, dois funcionários apareceram para perguntar se queriam uma xícara de chá. Mitch se convenceu de que aquilo era aceitável. Mas depois que o chá foi trazido, outra funcionária pôs a cabeça dentro do quarto para perguntar se eles queriam biscoitos. Malcolm Fox concluiu que aquilo era demais e fechou a porta. Mas quase imediatamente se ouviu alguém batendo. Dessa vez queriam informar ao sr. Fox que hoje seria noite de *bridge*, com início logo depois do jantar.

"Sim, eu sei", disse ele. "Agora vão embora e nos deixem em paz."

Ele voltou a atenção novamente para a filha. "Como você está, Jude?"

"Estou bem."

"Não parece. Que horrível o que aconteceu com aquele seu namorado."

"Pai, o nome dele é Vince."

"Horrível", Mitch Fox repetiu, olhando para o braço dela.

"Desculpe, pai", disse Fox. "Eu deveria ter lhe contado..."

"O que aconteceu?"

"Eu caí na cozinha", Jude disse, sem pensar.

"Claro que sim", o pai dela murmurou.

A visita não fora um desastre completo. Mitch tinha conseguido ficar sem dizer coisas do tipo "Eu lhe falei", ou "Ele nunca foi a pessoa certa para você", e Jude tinha conseguido não dizer nada que ofendesse o pai.

"Você está quieto", repreendeu o pai de Malcolm em determinado momento. Fox apenas deu de ombros, fingindo estar entretido com a xícara de chá que segurava.

Mais tarde, ele levara Jude para casa, perguntando-lhe se ela queria companhia. Ela fizera que não com a cabeça, dizendo-lhe que Alison iria visitá-la. Então ela o beijou no rosto antes de sair do carro.

Com os cotovelos apoiados na mesa de jantar, refletindo sobre aquele momento, Fox não sabia muito bem por

109

que se surpreendera tanto com o gesto de Jude. Talvez fosse porque, como em muitas outras famílias, as manifestações de afeição entre eles eram muito raras. Um beijo ou um abraço no Natal. Ou nos velórios, é claro. Mas ele não tinha encontrado Jude no Natal passado, e o último enterro da família fora o de uma tia no verão anterior.

"Obrigada", Jude dissera, fechando a porta do carro. Ele ficou olhando enquanto ela entrava em casa. Ela não parou para acenar. E depois que a porta da frente se fechou e a luz da sala de visitas foi acesa, ela não veio à janela para fazer nenhum aceno de despedida.

Em Lauder Lodge, Mitch perguntara se deveria ligar para Audrey Sanderson — "Tenho certeza de que ela gostaria de ver você". Mas Jude lhe pedira que não ligasse, e Fox teve a impressão de que a própria sra. Sanderson tinha resolvido ficar fora do caminho, sem querer interferir.

Raspando os restos na lata de lixo, Fox se perguntou o que o pai achava dele. Mitch poderia estar morando ali com ele — havia muito espaço. As escadas poderiam ser um problema — esse fora o argumento de Fox ao decidir o futuro de seu pai. Além disso, em Lauder Lodge ele fizera amigos. A verdade é que isso também poderia ter acontecido em Oxgangs — havia uma reunião diária de idosos na igreja ali perto. Mas não... Lauder Lodge fora a melhor opção e o melhor resultado. Lauder Lodge fora a coisa certa a fazer.

Ele começou a preparar um pouco de chá, mas parou — o gosto da xícara que tomara na casa de repouso ainda estava na boca, dissuadindo-o de repetir a experiência. Havia mais suco de maçã na geladeira, mas ele não quis. Fox não sabia o que queria. Na sala de estar, tentou todos os canais da televisão, sem encontrar nada com que estivesse disposto a perder tempo. Pensou que poderia ir para a cama mais cedo, pôr as leituras em dia, mas não eram nem nove horas. Faltavam duas horas para o começo da vigilância sobre Breck. Joe Naysmith fizera a pergunta óbvia — "Está tudo em ordem?".

Ele se referia à papelada. Ao sinal verde que vinha de cima. Naysmith: cauteloso e escrupuloso. Fox lhe garantira que estava "a caminho", que era uma forma abreviada de dizer "vamos lidar com isso mais tarde". Kaye dissera ao rapaz para não se preocupar, despenteando o cabelo de Naysmith. A desculpa deles: a ausência de McEwan. Além da determinação da Casa do Pai de que era uma emergência.

"Tudo vai dar certo", dissera Fox.

Tudo daria certo.

Um DVD... talvez ele pudesse assistir a um filme. Mas nada lhe ocorreu como um candidato óbvio. Pensou nos DVDS na casa de Jude, nenhum deles fora escolha de Vince Faulkner — comédias românticas; sonhos de outra vida menos imperfeita. Tentou se lembrar de quais eram as ambições de Jude quando eram crianças, mas nada lhe veio à mente. E quanto a ele — sempre quisera ser detetive? Sim, sem dúvida. O time principal do Hearts nunca o convocara, e as vagas para estrelas de cinema não apareciam nos jornais. Além disso, gostava de dizer aos amigos: *Vou ser policial*, apreciando aquelas palavras e o efeito que exerciam sobre alguns.

Policial, polícia.

Sujeira, porco.

Ele fora chamado de coisas piores também, ao longo dos anos — e às vezes por sua própria categoria, colegas que tinham atravessado a linha, virado bandidos, e foram descobertos. Ele imaginou Jamie Breck, limpo e brilhante na superfície, indo para casa e trancando a porta atrás de si. Fechando as cortinas. Completamente sozinho, sem olhares intrometidos, aquecendo seu computador, permitindo que seu eu secreto respirasse. E sem perceber a van estacionada na rua, captando cada tecla que ele apertar, cada página que visitar. Tudo o que visse, as pessoas na van também veriam. Fox já tinha visto esse procedimento em ação. Ele sentia um calafrio quando casos amorosos eram revelados, conexões criminosas eram confirmadas, fraudes e fraquezas eram expostas.

É assim que você se excita? Seu voyeur de merda...
Sim, ele já fora chamado de coisas piores. *Desgraçado pervertido... ferrando com os companheiros de trabalho... mais rasteiro que um verme...*
O mais rasteiro de todos. Mesmo assim melhor do que vocês — a única resposta possível.

Mesmo assim melhor do que vocês.

Ele estava prestes a dizer essas palavras em voz alta quando a campainha tocou. Olhou o relógio. Nove e meia. Ficou parado no corredor, em silêncio, tentando ouvir alguma coisa. Quando a campainha tocou novamente, ele entreabriu a porta.

"Olá", disse Jamie Breck.

Fox abriu a porta completamente. Olhou para a esquerda e para a direita. "Que surpresa", foi tudo que conseguiu dizer.

Breck deu uma risadinha. "Eu estaria mentindo se dissesse que estava apenas passando por aqui, mas isso, de certa forma, é verdade. Eu às vezes faço uma caminhada à noite, para espairecer. Quando vi a placa da sua rua, percebi onde estava. Talvez tenha planejado vir até aqui o tempo todo." Ele deu de ombros. "O subconsciente é uma coisa maravilhosa."

"É mesmo?" Fox estava avaliando suas opções. "Bom, é melhor você entrar."

"Só se eu não estiver incomodando você..."

Fox levou Breck até a sala de visitas. "Quer beber alguma coisa?"

"Você está bebendo o quê?"

"Eu não bebo."

"Eu acho que não sabia disso."

"Bom, agora você pode acrescentar isso ao meu perfil, não é?"

Breck sorriu. "Não tem álcool na casa, nem para as visitas?" Ele viu Fox fazer que não com a cabeça. "Isso quer dizer que você não confia em si mesmo — estou certo?"

"Em que posso ajudá-lo, detetive Breck?"

"Isso não é uma visita oficial, Malcolm — pode me chamar de Jamie."

"Em que posso ajudá-lo, Jamie?" Breck estava sentado no sofá. Fox na poltrona à direita dele. Breck havia torcido o corpo de forma a encarar o homem mais velho. Ele tinha trocado de roupa depois do trabalho — jaqueta de brim, calças de veludo preto, camisa polo roxa.

"Belo apartamento", disse ele, estudando o ambiente.

"Maior do que o meu, mas o meu é mais novo — a tendência é construir menores hoje em dia..."

"É", concordou Fox, esperando ouvir o que Breck realmente tinha para dizer.

"Fizemos o que pudemos com as imagens captadas fora do pub", Breck acabou por dizer. "Acho que não vamos conseguir nada útil em termos de identificação. De qualquer forma, podemos deixar a polícia de Gales dar uma olhada, só como possibilidade remota... O fato é que, apenas alguns minutos depois da discussão, os rapazes do rúgbi estavam de novo dentro do Marooned, rindo muito e pedindo mais bebida."

"Quem disse?"

"Alguns frequentadores assíduos — os galeses pagaram uma rodada para eles. Até mesmo pediram desculpas por terem partido para cima do Faulkner." Ele fez uma pausa. "Além disso, havia uma câmera dentro do bar e uma fora — a história se sustenta. Então, a menos que eles tenham encontrado com ele mais tarde naquela mesma noite..."

"Você está descartando esses caras?"

"Não estamos descartando nada, Malcolm."

"Por que está me contando isso?"

"Achei que você gostaria de saber — fica entre nós, você entende."

"E o que eu lhe dou em troca?"

"Bom... depois de ver como nesta casa vigora a lei seca, eu realmente não sei."

Fox conseguiu dar um sorriso, e se acomodou um pouco mais na poltrona. "Tem uma coisa", disse ele por fim. "Jude não disse a Billy Giles porque não gostou da postura dele..."

"O que foi?" Breck ficou atento, inclinando o corpo para a frente.

"Na segunda-feira à noite alguém apareceu na casa dela perguntando por Faulkner."

"Se o patologista estiver certo, Faulkner já estava começando a ficar frio nesse horário."

Fox concordou. "Provavelmente não é nada", disse ele. "E tudo o que consegui dela como descrição é que era um homem."

Foi a vez de Breck sorrir. "Ora, valeu por isso, Malcolm. Um homem? Isso certamente limita as coisas..." Os dois ficaram em silêncio por um momento até que Breck começou a balançar a cabeça devagar. "Eu não sei por que eles se importam tanto com as câmeras", declarou ele.

"Valor de intimidação", sugeriu Fox.

"Ou forma de se sentir seguros", retrucou Breck. "As pessoas estão colocando câmeras em casa agora, sabe? Para que se sintam mais seguras. Houve um arrombamento em Merchiston há alguns meses. Glen Heaton me levou junto para dar uma olhada. O vídeo estava tão granulado que os sujeitos responsáveis mal pareciam humanos. Eles levaram meio milhão em antiguidades e joias — sabe o que Heaton falou para os proprietários? Vendam as câmeras e comprem um cachorro."

Fox concordou com a cabeça.

"De preferência um bem grande", continuou Breck, "e mantenha-o com fome."

"Você costumava trabalhar com ele?"

"Quase nunca — estou supondo que é por isso que você nunca se deu ao trabalho de me entrevistar."

"Nós tínhamos tudo de que precisávamos."

"Mas ainda assim vocês deram um aperto em Billy Giles."

"Só por diversão."

"Eu não acho que 'diversão' esteja no dicionário, pelo menos no que diz respeito à Divisão de Denúncias." Breck pensou por um momento. "Eu ousaria dizer que agora você sabe mais sobre Glen Heaton do que eu — por quanto tempo vocês o tiveram sob vigilância?"

"Meses." Fox se remexeu na poltrona, menos à vontade agora.

"Nós nem sequer deveríamos estar falando sobre ele?", perguntou Breck, aparentemente entendendo a indireta.

"Provavelmente não. Mas agora que você sabe que ele estava infringindo todas as normas, como se sente em relação a ele?"

"Do jeito que Billy Giles conta, Heaton só infringiu uma norma se ele esperou ganhar algo. Ele trocou informações com criminosos, mas o que conseguiu de volta pôs muitos bandidos na cadeia."

"E isso faz tudo ficar bem?" Quando Breck deu de ombros, Fox suspirou. "Mudando de assunto — mais alguma novidade sobre Vince Faulkner?"

"Ainda não temos nada relacionado ao domingo ou à segunda-feira."

"E nenhuma poça de sangue a ser relatada nas proximidades daquele canteiro de obras?"

Breck fez que não com a cabeça. "Billy Giles acha que talvez ele tenha sido morto na noite de sábado e mantido em algum lugar... Lá pela segunda-feira a coragem do assassino estava começando a desaparecer, e foi aí que ele se livrou do corpo."

Fox assentiu com a cabeça lentamente, olhando fixo para o carpete.

"Uma última coisa", acrescentou Breck. "Dois jovens foram vistos discutindo em voz alta com um sujeito em um ponto de ônibus na Dalry Road — não muito longe do Marooned e uns trinta ou quarenta minutos depois que Faulkner saiu de lá."

"A que horas foi isso?"

"Por volta das nove e meia."

"A descrição bate?"

"Não há muita descrição. Uma mulher viu da janela de seu apartamento. Ela estava no segundo andar e a cinquenta metros do outro lado da rua. Mas, sendo uma intrometida respeitadora da lei, ela veio nos contar."

"O que ela diz que aconteceu?"

"Uns sujeitos mais jovens discutindo com um sujeito mais velho. Ele parecia estar esperando o ônibus quando eles passaram a pé. Trocaram uns insultos. Apareceu um táxi e o homem estendeu a mão. Entrou no carro, e um dos moleques deu um chute na traseira do táxi logo que ele saiu."

"Para qual direção?"

"Haymarket."

Fox ficou pensativo. "Que ônibus fazem essa rota?"

Breck balançou a cabeça. "É uma agulha no palheiro, Malcolm — eles vão para todos os lugares: para oeste na direção de Corstorphine e Gyle, para o norte, em direção a Barnton, e a leste, para os lados de Ocean Terminal..."

"Vince costumava frequentar um cassino perto de Ocean Terminal", Fox pensou em voz alta. Ele e o mestre de obras dele, mais a mulher do mestre e a minha irmã..."

"É o Oliver?", perguntou Breck, parecendo interessado. Fox confirmou com a cabeça.

"Por quê?", perguntou ele.

"Nenhum motivo real. Você já esteve lá?"

"Não."

"Nem eu." Breck estava pensando em alguma coisa. Estava esfregando a parte de baixo do queixo com as costas da mão.

"Vocês estão tentando rastrear o motorista de táxi?", perguntou Fox quebrando o silêncio.

"Sim, estamos."

"Não deve ser muito difícil — no mínimo ele vai se lembrar do chute em seu carro."

"Humm." Breck pareceu tomar uma decisão, batendo as mãos nos joelhos. "Eu realmente estou a fim de uma bebida, Malcolm — você tem permissão para me acompanhar?"

"Eu não bebo."

"Quero dizer, você pode ir comigo até o pub?"

"Claro", disse Fox depois de um instante de hesitação. Ele olhou o relógio. Àquela altura eles já estariam com a van... já teriam verificado o equipamento. Estariam discutindo táticas antes de sair. "Mas já está ficando tarde."

Breck olhou o próprio relógio e ergueu uma sobrancelha. "Não são nem dez horas."

"O que eu quis dizer é: tem que ser rápido."

"Rápido", concordou Breck. "Tudo bem se formos no seu carro?"

"Em que lugar você estava pensando?"

"No Oliver. Acho que tem um bar lá."

Os olhos de Fox se estreitaram. Ele não estava pensando em opções agora, mas em consequências. "Por que lá?"

"Talvez a gente possa perguntar se Vince Faulkner não passou por lá na noite de sábado."

"Isso não é exatamente seguir as normas, Jamie. O seu chefe vai ter um ataque se descobrir."

"As normas são feitas para serem infringidas, Malcolm."

Fox balançou o indicador. "Cuidado: olha para quem você diz isso."

Breck apenas sorriu e se levantou. "Você topa?", perguntou.

"É muito longe só para uma bebida..." Breck não se mexeu nem estava prestes a dizer alguma coisa. Com um suspiro, Fox apoiou as mãos nos braços da poltrona e começou a levantar.

A área ao redor de Ocean Terminal era um estranho amálgama de zona portuária abandonada, armazéns reformados e prédios novos. Ocean Terminal era, na verdade, o nome de um shopping center e um complexo de cinemas, com o iate real *Britannia* ancorado permanentemente como atração turística em uma marina localizada numa das extremidades do prédio. Ali por perto uma enorme construção brilhante abrigava o exército de servidores públicos municipais — ou, pelo menos, alguns batalhões deles. Um punhado de restaurantes muito elogiados tinham sido inaugurados, talvez de olho nos navios de cruzeiro que de vez em quando aportavam em Leith. O Oliver tinha formato de abóbada, e gostava de posar de antiga residência do capitão do porto. Fox nem sequer sabia se poderiam entrar — Breck estava usando roupas esportivas —, mas ele ignorara as objeções feitas por Fox, e mostrou o distintivo.

"Aceito no país inteiro", ele disse, balançando-o diante do rosto de Fox. Então eles pararam entre um Mercedes e um Toyota esportivo no estacionamento. Porteiros fardados montavam guarda diante da entrada bem iluminada. Breck mostrou a câmera de segurança para Fox, que já a observara. Ele estava se perguntando se deveria mandar uma mensagem para Kaye para informá-lo de que não faria sentido fazer a vigilância naquela noite. Por outro lado, se eles realmente ficassem para tomar apenas um copo...

"Boa noite", disse um dos porteiros. Parecia mais um alerta do que um cumprimento.

"Como vai?", disse Breck. "Está cheio hoje?"

"Está começando a ficar." O homem o mediu de alto a baixo, os olhos se demorando sobre a jaqueta de brim. "Viagem turística, é?"

Breck deu um tapinha na altura da lapela do paletó. "Tenho um dinheiro aqui que está me queimando o bolso."

O outro homem estava olhando para Fox. "Este aqui é policial", ele informou ao colega. "Aposto o quanto você quiser."

"E policiais não têm direito a uma noite de folga?", perguntou Fox, dando um passo para a frente de forma a encarar o homem.

"Contanto que não estejam procurando uma boca livre", disse o primeiro porteiro.

"Temos condições de pagar a nossa despesa", garantiu-lhe Breck.

"Acho bom", advertiu o homem. E então eles entraram. Breck deixou sua jaqueta na chapelaria, o que o ajudou a se misturar um pouco no ambiente. À primeira vista, o lugar parecia luxuoso de uma forma ostensiva, mas era razoavelmente informal: executivos jogando em algumas mesas, suas esposas e namoradas em outras. Alguns curiosos espalhados, avaliando suas chances. Um deles parecia o garçom que servira Fox no restaurante chinês naquela noite — o que se confirmou quando o homem sorriu, acenou e fez uma pequena reverência.

"Amigo seu?", perguntou Breck.

Havia máquinas caça-níqueis e também mesas para carteado, dados e roleta, além de um bar bem iluminado. Cada crupiê era observado por um funcionário da casa, só por precaução. Fox ouvira histórias de crupiês que eram muito constantes em suas ações, o que significava que os jogadores conseguiam calcular em qual quadrante da roleta a bola teria maior probabilidade de parar, restringindo as possibilidades. Ao longo dos anos, alguns policiais haviam se encrencado com dívidas de jogo e, em consequência, tinham entrado na órbita da Divisão de Denúncias — nem todo mundo era bom em contar cartas e fazer prognósticos para a roleta.

Uma escada circular com degraus iluminados engenhosamente conduzia ao mezanino. Fox subiu atrás de Breck. Havia outro bar ali, e o restaurante do cassino em um dos lados. O restaurante tinha meia dúzia de mesas em cubículos e havia três ou quatro mesas extras, completamente vazias naquela noite. Todos os bancos do bar estavam tomados, e outras pessoas que estavam bebendo observavam a ação sob a relativa segurança do balcão.

"O que você vai tomar?", Breck perguntou.

"Suco de tomate", respondeu Fox. Breck assentiu e se espremeu entre dois banquinhos no bar. O barman estava servindo um coquetel em uma taça de champanhe antiquada. Fox juntou-se aos outros clientes e espiou o piso embaixo. A atração adicional parecia ser o fato de se poder, de vez em quando, olhar o decote de uma mulher, mas as mesas estavam posicionadas e iluminadas de forma que era impossível discernir as cartas que os jogadores seguravam. O homem mais próximo de Fox o cumprimentou com um aceno da cabeça. Parecia ter sessenta e poucos anos, o rosto profundamente vincado, os olhos remelentos.

"A mesa três é a mesa da sorte esta noite", comentou ele em voz baixa. Fox torceu a boca, como se estivesse analisando aquilo.

"Obrigado", disse ele. Ele tinha três notas de vinte libras no bolso e sabia que precisaria trocar uma delas para poder pagar uma bebida para Breck. Com sorte Breck não iria aceitar, e eles iriam embora. Com certeza Fox não tinha a menor intenção de deixar o dinheiro nas mesas, nem mesmo na sortuda mesa três.

"Um Virgin Mary", disse Breck, entregando-lhe sua bebida. Fox agradeceu e tomou um gole. Estava completamente temperado: molho inglês, *tabasco*, pimenta-do-reino. Fox sentiu os lábios dormentes.

"Achei que era assim que você gostaria. Saúde!"

Breck segurava um copo largo cheio de gelo e de uma mistura escura. "Rum com coca?", adivinhou Fox, e o outro fez que sim com a cabeça.

"Era a bebida costumeira do meu pai", disse Breck.

"Não é mais?"

"Ele é como você — parou com a birita. Por ser médico, já viu fígados estragados demais."

O homem ao lado dele estivera ouvindo a conversa. "O que não te mata...", disse ele, oferecendo um brinde, os restos de gelo tilintando dentro do copo de uísque que ele levou à boca.

"Este cavalheiro", Fox informou a Breck, "acha que a mesa três é a boa."

"É mesmo?" Breck espiou por cima do balcão. Na mesa três o jogo era vinte e um, e Breck se virou para Fox. "O que você acha?"

"Eu estou satisfeito com a minha bebida", respondeu

Fox, tomando mais um gole abrasador. "Mas não se prenda por mim..."

Foi depois que Fox pagou a segunda — "e última" — rodada que Breck decidiu que iria "tentar a sorte". Nos quinze minutos seguintes, perdeu quase trinta libras, enquanto Fox observava nas laterais.

"Dancei", foi tudo o que Breck disse quando terminou a experiência.

"Dançou mesmo", concordou Fox. Eles se afastaram até um local perto das máquinas. "Por que viemos até aqui, Breck?"

Breck analisou o ambiente. "Não sei muito bem", ele pareceu reconhecer. E então, olhando para o copo vazio de Fox: "Vamos tomar a saideira?".

Mas Fox fez que não com a cabeça. "Vamos embora", foi tudo o que disse.

No trajeto de volta, Breck começou a falar sobre o acaso e sobre como ele não acreditava naquilo. "Eu acho que a gente decide como as coisas vão ser, e então fazemos essas coisas acontecerem."

"Você acha?"

"Você não concorda?"

Fox deu de ombros. "Para mim, as coisas apenas acontecem e continuam acontecendo, e não há muita coisa que possamos fazer a respeito."

Breck o estudou. "Você já ouviu falar de uma banda chamada Elbow? Eles têm uma canção que fala sobre como, quando estamos bêbados ou apenas alegres, podemos começar a acreditar que criamos o mundo todo ao nosso redor."

"Mas isso é uma ilusão."

"Não necessariamente, Malcolm. Eu acho que a gente produz cada momento da vida. Nós *escolhemos* o caminho que nossa vida seguirá. É por isso que eu fico tão animado com jogos."

"Jogos?"

"Jogos on-line. RPGS. Tem um chamado Quidnunc que

eu jogo bastante. Tenho um avatar que percorre a galáxia à procura de aventuras."

"Quantos anos você tem?"

Breck apenas riu.

"Eu não acredito que tenhamos algum tipo de controle sobre o mundo", continuou Fox. "Meu pai está em uma casa de repouso — *ele* quase não tem controle sobre sua vida diária. As pessoas simplesmente aparecem e fazem coisas em volta dele, tomando decisões por ele — do mesmo jeito que os políticos, ou mesmo os nossos chefes, fazem por nós. São eles que conduzem a nossa vida. Anúncios nos dizem o que comprar, o governo nos diz como viver, a tecnologia nos diz quando fizemos alguma coisa errada." Como prova do que dizia, Fox soltou o cinto de segurança. Uma luz de alerta acendeu, acompanhada pelo som agudo e repetido de um alarme. Voltou a colocar o cinto e olhou na direção de Breck. "Já tentou usar um computador sem que ele perguntasse se você precisa de ajuda?"

Breck tinha um sorriso largo no rosto. "Livre-arbítrio versus determinismo", declarou.

"Se você está dizendo, eu acredito."

"Aposto que você não tem um perfil no Facebook, nem nada semelhante."

"Nossa! De jeito nenhum."

"No Friends Reunited?"

Fox fez que não com a cabeça. "Está cada vez mais difícil ter um pouco de vida privada."

"Minha namorada gosta do Twitter — você sabe o que é?"

"Ouvi falar, e não me agrada."

"Você é um dos espectadores da vida, Malcolm."

"E é desse jeito que eu gosto..." Fox fez uma pausa. "Você não perguntou aos funcionários do cassino sobre Vince Faulkner."

"Em outra ocasião", disse Breck dando de ombros.

Fox sabia que tinha uma decisão a tomar. Em termos ideais, deixaria Breck na rua principal e ele andaria as poucas centenas de metros restantes até chegar em casa. Dessa forma, os três ocupantes da van de vigilância não o veriam. Mas, se deixasse de levar Breck até em casa, o próprio Breck não ficaria desconfiado em relação a seus motivos? E uma vez que ele começasse a suspeitar de alguma coisa, será que não perceberia a presença da van? No final, foi Breck quem tomou a decisão. Eles tinham acabado de entrar na Oxgangs Road quando ele pediu a Fox para encostar para que ele saísse.

"Não quer que eu te deixe mais perto de casa?"

Breck fez que não com a cabeça. Fox já estava sinalizando para parar junto ao meio-fio. "Quero terminar a caminhada que eu estava fazendo", explicou Breck. Quando Fox puxou o freio de mão, viu que Breck tinha estendido o braço para um aperto de mãos.

"Obrigado", disse Breck.

"Não, Jamie, eu é que agradeço."

Breck sorriu e abriu a porta, mas já do lado de fora pôs a cabeça dentro do carro de novo.

"Isso fica estritamente entre nós, certo? Caso contrário, não seria bom para nenhum de nós."

Fox assentiu com a cabeça devagar, e ficou olhando Breck se erguer. Mas então a cabeça dele apareceu mais uma vez na janela.

"Uma coisa que você precisa saber", disse o homem mais jovem. "Não somos todos como Glen Heaton — nem como Bad Billy Giles. Muitos de nós em Torphichen ficamos contentes quando vocês o pegaram. Então, obrigado por isso, Malcolm."

A porta do passageiro foi fechada. Uma mão bateu duas vezes no capô do carro. Fox fez sinal de que ia voltar para a rua e soltou o freio de mão. Ele dirigiu para casa com seus pensamentos revirando em um turbilhão, recusando-se a se unir.

QUINTA-FEIRA,
12 DE FEVEREIRO DE 2009

9

Fox estava no escritório fazia três horas quando Tony Kaye chegou, parecendo exausto.

"Bom", disse Kaye, "esse foi um pedaço da minha vida que eu nunca mais vou recuperar."

"O que aconteceu?" Fox fez uma pausa em sua digitação. Ele estava fazendo o registro de uma reunião que acabara de ter com dois advogados da Promotoria. Eles o alertaram de que o caso contra Glen Heaton "levaria um bom tempo para ser preparado". Os dois eram jovens — um homem, uma mulher. Quase poderiam ser irmão e irmã, pelo jeito como se vestiam, agiam e falavam. Era como se tivessem passado a vida inteira juntos, a ponto de Fox ter perguntado se eles eram um casal.

"Um casal?" A advogada pareceu não entender a pergunta.

"Não, não somos", respondeu o colega dela, o sangue colorindo seu pescoço.

"O que aconteceu?" Tony Kaye estava imitando o jeito de Fox perguntar, enquanto tirava lentamente o sobretudo. "Não aconteceu *nada*, Malcolm. O cara só chegou à meia-noite. Ele tinha deixado uma luz acesa no andar de cima, então a gente não sabia se ele estava lá ou não. Aí, quando finalmente chegou, foi direto para o computador. Foi aí que pensamos que iríamos pegá-lo. Sabe o que ele fez?" Kaye tinha pendurado o paletó e colocado sua mochila de couro no chão ao lado da mesa.

"O quê?"

"Ele começa a olhar um RPG on-line. Você sabe o que é isso?"

"Um jogo, *role-playing game*."

Kaye fez um olhar de surpresa diante da amplitude de conhecimentos do colega. "O Joe Naysmith teve que me contar", reconheceu Kaye. "Ficou jogando aquilo durante uma hora, e depois foi escrever e-mails — coisas realmente excitantes, como um e-mail para o irmão que mora nos Estados Unidos e outro para seus sobrinhos."

"Pensei que o irmão dele era gay."

Kaye olhou para ele de novo. "Por que está dizendo isso?"

Ele me contou, Fox pensou consigo mesmo. Mas ele não queria que Kaye soubesse como algumas das conversas com Breck tinham se tornado íntimas, então mudou de posição na cadeira e explicou que a informação estava na pasta pessoal de Breck.

"Ora, isso é o que eu chamo de ampla divulgação de informações... O cara da Casa do Pai diz que talvez eles estejam adulterando o conteúdo das pastas, mas isso é só paranoia dele." Kaye fez uma pausa. "E isso é outra coisa sobre a qual vamos ter uma conversinha, eu e você, velho amigo." Kaye acenou com a cabeça na direção de Fox para enfatizar o que dizia. "Nem sinal da sargento-detetive Inglis. Parece que ela tem um filho para botar na cama toda noite, então trocou de lugar com o sujeito mais tedioso do mundo. E então... surpresa! *Ele* fica instantaneamente amigo de Naysmith. Adivinha por quê?"

"Eles gostam de jogos de computador?"

"Eles *adoram* jogos de computador. E tranqueiras eletrônicas, nova tecnologia, blá-blá-blá... Dez minutos juntos e um já está mostrando o celular para o outro. Mais dez minutos, e é *modem* para cá, e fluxo de dados para lá, e Deus sabe o que mais. Tive que suportar quatro horas disso." Kaye deu um suspiro e olhou na direção da máquina de café desligada. "Não me diga que o Naysmith ainda está na cama?"

Fox assoou o nariz. "Eu ainda não o vi", admitiu ele.

"E McEwan ainda está em seu seminário", acrescentou Kaye. "Talvez eu me enrole num edredom lá na minha mesa."

"Fique à vontade."

"Breck foi para a cama por volta das duas. Esperamos para ver se ele levaria o laptop consigo, mas nada aconteceu, então fomos embora."

"A Casa do Pai quer fazer outra tentativa?"

Kaye deu de ombros. "Não me surpreenderia, mesmo que fosse só para o Gilchrist e o Naysmith compararem pacotes do Freeview." Kaye suspirou outra vez. Ele ainda não havia sentado; na verdade, dera alguns passos na direção da mesa de Fox e estava olhando para ele.

"O que foi?", perguntou Fox.

"Mais uma coisa, *compadre*... Ele jogou seu nome no Google."

As sobrancelhas de Fox se arquearam. "Ele fez o quê?"

Kaye encolheu os ombros em resposta. "E isso o levou para alguns websites. Ele não ficou muito tempo nisso, então a gente acha que ele estava imprimindo em vez de ler on-line."

"Ele não deve ter encontrado muita coisa."

"A não ser pelo fato de ele ter acrescentado 'Denúncias e Conduta' na busca. Boa parte de tudo o que fizemos aos olhos da mídia nos últimos anos." Kaye fez uma pausa. "Incluindo Heaton, é claro."

"Por que ele faria isso?"

Kaye deu de ombros de novo. "Talvez ele goste de você."

Fox estava pensando em falar ao colega sobre a visita inesperada de Breck e o breve passeio até o Oliver. Mas Kaye voltou a falar.

"Por outro lado... o sujeito que batia na sua irmã acabou de ser encontrado morto. Billy Giles está à caça de suspeitos."

"Usando Breck como seu cão de caça?" Fox ficou pensativo por um momento. "Tive a impressão de que não havia muita afeição entre aqueles dois."

"Pode ser um disfarce. O Breck *querendo* que você pense isso..."

Fox concordou com um movimento lento da cabeça.

"Você o viu recentemente?", Kaye perguntou.

"Quem? Breck?" Fox enfiou a mão no bolso em busca do lenço e começou a assoar o nariz de novo, ganhando tempo. A porta se abriu e Joe Naysmith entrou. Ele estava carregando seu notebook em uma das mãos e um jornal na outra.

"Aqui diz", ele começou, estendendo o jornal sobre a mesa de Fox, "que os investigadores estão fazendo progressos."

A história estava em destaque na página três de *The Scotsman*. Não era de surpreender: Edimburgo não era exatamente a capital do assassinato — talvez um por mês, em média, em geral resolvidos rapidamente. Mas quando eles de fato ocoriam, a mídia local reagia com rapidez, e costumava estender o assunto. Havia uma grande foto da cena do crime com uma imagem granulada que mostrava Vince Faulkner sorrindo, e uma foto menor de Billy Giles, parecendo não menos violento do que ao vivo.

"Olhos de laser", comentou Naysmith.

"De onde veio este jornal?", perguntou Kaye. "Pensei que você era leitor do *Guardian*."

"Helen disse que já estava cheia dele."

"Helen?"

"Do RH... a mesa que fica mais perto da porta..."

Kaye virou os olhos. "A gente, aqui, fazendo por merecer nossos salários, e ele ficando íntimo daquele pessoal." Ele balançou o indicador diante de Naysmith. "Logo você vai estar me dizendo que a sra. Stephens engraxa os seus sapatos quando você coloca os pés embaixo da mesa dela."

"Ela não é má pessoa", resmungou Naysmith, indo para a máquina de café. "Todas elas são..."

"O meu com três colheres!", gritou Kaye.

"Acho que a essa altura ele já sabe disso", afirmou Fox.

"Ele nunca adoça o suficiente." Kaye voltou a atenção para Fox. "O que diz aí?"

"Não muita coisa. O Marooned é mencionado. Estão pedindo às pessoas que viram a vítima em outros lugares no fim de semana para se apresentar."

"As memórias são curtas", comentou Kaye. "O que é Marooned?"

"Um pub em Gorgie — Vince teve uma discussão com alguns torcedores galeses." Fox passou os olhos pela história novamente. "Não falam nada sobre o ponto de ônibus...", ele estava falando consigo mesmo, mas alto o suficiente para Kaye ouvir.

"Que ponto de ônibus?"

"Depois da discussão com os torcedores, Vince foi para a Dalry Road. Parece que ele ia pegar um ônibus, mas acabou se envolvendo em um bate-boca com uns rapazes."

Os olhos de Kaye se estreitaram.

"Ele acabou pegando um táxi", Fox terminou de dizer.

"E como é que o senhor tem todas essas informações, inspetor Fox?"

Fox lambeu os lábios. "Eu tenho minhas fontes, sargento Kaye."

"Breck?" Fox não conseguiria negar, então ficou em silêncio. Kaye revirou os olhos mais uma vez. "Do que a gente estava falando agora mesmo? Ele está balançando minhocas na sua frente, para que você não veja Giles atrás dele com um anzol!"

"Bela imagem", disse Naysmith em voz alta.

"Cala a boca, Joe", retrucou Kaye. Ele estava apertando as palmas das mãos contra a mesa de Fox, inclinando-se sobre ela. "Diga que você percebe isso. Diga-me que está vendo as coisas exatamente como são."

"Claro", afirmou Fox, sem ter mais muita certeza sobre muita coisa. Ele mordeu a caneta que estava segurando, sentindo o plástico rachar.

* * *

Havia uma academia de ginástica bem na frente do Asda na avenida Chesser. Fox sabia disso porque havia recebido um certificado de cliente temporário quando eles inauguraram. Mas ele nunca estivera dentro do supermercado, e ficou surpreso com o tamanho. Pegou uma cesta de metal, colocou alguns itens nela e foi para os caixas. A mulher na frente dele na fila mostrou que havia um outro caixa ali perto onde ele não teria que esperar para ser atendido. Ela descarregava um carrinho lotado enquanto o filho pequeno chupava um pirulito. Ele estava sentado dentro do carrinho, balançando as pernas em tentativas repetidas de fazer contato com a cesta de Fox.

"Não estou com pressa", Fox disse à mulher. Ela olhou para ele com estranheza e então continuou a encher a esteira rolante. Quando terminou, ela pagou não com cartão de crédito, mas com punhados de notas que tirou da bolsa. A atendente contou as notas, colocando-as na gaveta da caixa registradora, e entregou à mulher um recibo que parecia uma enorme fita de papel. Ela então sorriu para Fox e perguntou como ele estava.

"Tudo bem, Sandra", respondeu ele.

Sandra Hendry já tinha passado as compras dele pela leitora de preços. Ao ouvir seu nome, olhou para o rosto dele pela primeira vez. "É você", disse ela. E em seguida: "Vai preparar comida indiana hoje?".

Fox pensou no que havia comprado: arroz *basmati*, molho *curry*. "Vou", disse ele.

"Como está a Jude?" Não havia ninguém atrás de Fox, e Sandra, por falta de outra coisa para fazer, tirou um pano de debaixo da registradora e começou a limpar a esteira.

"Ela está bem", respondeu Fox.

"Vou visitá-la mais tarde."

"Ela vai gostar." Fox fez uma pausa. "Lembra que você disse que às vezes ia ao Oliver? Eu estava me perguntando se você e o seu marido estiveram lá no sábado."

"Sábado?" Ela pensou um pouco. "Sábado eu estava na minha irmã. Um grupo se reuniu lá para sair à noite."

"Mas não foram ao Oliver?"

Sandra Hendry balançou a cabeça. "Longe demais do centro para Maggie. Ela gosta é da George Street."

"Seu marido estava com você?"

"Ronnie? Em uma noite só de garotas?" Ela bufou. "Está de brincadeira, né?"

"Então ele estava em casa?"

Ela terminou de limpar e olhou firme para ele. "Aonde quer chegar?"

Fox tinha uma resposta preparada. "Achamos que o Vince pode ter ido ao Oliver. Só estava pensando se teria ido sozinho."

Ela pensou naquilo e fez que sim com a cabeça lentamente, aceitando a explicação como razoável.

"Ele conhecia alguma outra pessoa que frequentava o cassino?", perguntou Fox.

"Não tenho ideia." Pelo tom que ela usou, ele sabia que a estava perdendo — perguntas demais. Aos olhos dela, ele tinha deixado de ser o irmão de Jude e voltara a ser um policial.

"Nas ocasiões em que você esteve lá com ele, Vince não encontrou ninguém que ele conhecesse?"

Ela deu de ombros, endireitando o corpo quando um novo freguês apareceu e começou a esvaziar seu carrinho. O homem era desgrenhado, com a barba por fazer, os olhos injetados. Estava comprando bebidas alcoólicas suficientes para uma grande festa de fim de ano. Sandra Hendry torceu o nariz quando encarou Fox. O que ela queria dizer era claro: aquele era um de seus fregueses assíduos, mas de jeito nenhum era seu favorito.

"Ronnie está trabalhando agora?", perguntou Fox rapidamente.

"A menos que tenha sido despedido... Hoje em dia ninguém está seguro."

Fox concordou com um movimento da cabeça, pegou suas compras e agradeceu-a por tudo.

* * *

Quando Fox entrou no estacionamento do Asda, um Vauxhall Astra estava trinta metros atrás dele. Agora, saindo de lá, viu o mesmo carro pelo espelho retrovisor. O carro não estava perto o suficiente para que ele conseguisse enxergar a placa. Ele se manteve em velocidade baixa enquanto se dirigia para a rua principal, mas o Astra não chegou perto. O telefone tocou e ele atendeu.

"Onde você está?", perguntou Tony Kaye.

"Me mantendo ocupado", Fox respondeu.

"Quer ouvir as novidades?"

"Boas ou ruins?"

"Vince Faulkner realmente pegou um táxi. O motorista se lembra de ter interrompido a discussão e de seu táxi levar um chute."

"Como descobriu isso?"

"Você não é o único que tem fontes — e não existem muitas companhias de táxi em Edimburgo. Os rapazes de Giles tiveram essa informação cerca de uma hora antes de mim."

"O motorista se lembra de onde deixou Vince?"

"No cassino perto de Ocean Terminal. O motorista saiu para examinar o dano."

"Ele viu Vince entrar no Oliver?"

"Parece que você já sabe de tudo isso..."

"Eu tive uma intuição, mas agradeço muito a confirmação." Fox se despediu e terminou a chamada, congratulando-se com um pequeno sorriso. Ele não sabia de que maneira pensara no Oliver como provável destino de Vince, mas os fatos provaram que ele estava certo. Nunca fora o tipo de pessoa de confiar em instintos — em cada etapa, ele trabalhava com base nas evidências que surgiam. Gostava de pensar que essa era uma razão pela qual a Divisão de Denúncias havia mantido uma ficha quase perfeita. Mas talvez o instinto funcionasse algumas vezes.

Ao se aproximar do centro da cidade, ele perdeu o Astra de vista. Talvez o motorista tivesse virado antes. A área ao redor de Haymarket estava ruim como sempre. Uma placa numa banca de jornal o informou que a manchete do *Evening News* era sobre uma disputa entre o conselho municipal e a companhia alemã encarregada da construção do sistema de bondes. Os alemães queriam mais dinheiro, devido ao enfraquecimento da libra na taxa de câmbio.

"Que a boa sorte britânica esteja com vocês", Fox murmurou, aguardando para atravessar o contrafluxo. Ele se perguntou se deveria ter feito outro caminho — talvez atravessar o sul da cidade. Mas houve congestionamentos lá também. Ele tinha a impressão de que toda a cidade — com as bênçãos dos que foram alçados ao poder para administrá-la e cuidar dela — estava prestes a parar. Por falta de coisa melhor para fazer, pegou o telefone no banco do passageiro e teclou o número do celular de Jamie Breck. Ouvindo-o tocar, ele casualmente olhou pelo retrovisor de novo. Um Astra preto de aparência familiar estava três carros atrás dele.

"Alô?"

"Jamie, é Malcolm Fox."

"Bom dia, Malcolm. Obrigado mais uma vez por ser o motorista ontem à noite."

"Sem problema. Eu queria saber se apareceu alguma novidade."

"O motorista do táxi se lembra de Vince Faulkner. Deixou-o na frente do Oliver."

"Então você vai falar com os funcionários?"

"Alguém da equipe vai fazer isso. Eu estou um pouco ocupado com outras coisas neste momento."

"Eu estou interrompendo você?"

"Não, mas não posso conversar muito. Você quer mais alguma coisa?"

Fox percebeu que provavelmente não havia mais nada — tudo o que ele queria saber era se Breck iria transmitir para ele a informação do motorista de táxi, e Breck havia passado no teste. Além disso, o tráfego tinha diminuído, e Fox não estava longe de seu destino. O Astra parecia ter virado em outro lugar, mas agora Fox estava intrigado com um Ford Ka verde — estava alguns carros para trás, e há quanto tempo estaria ali?

"Mais nada", disse Fox respondendo a pergunta de Breck. Ele encerrou a chamada e virou à direita no semáforo seguinte, aproximando-se do meio-fio e parando. Ficou olhando pelo retrovisor e viu quando o Ka seguiu em frente no cruzamento sem segui-lo. "Só porque você é paranoico, Malcolm", ele murmurou para si mesmo, sem se incomodar em completar a frase.

Havia muitas placas mostrando o caminho para Salamander Point aos potenciais compradores. Alguns blocos de apartamentos já estavam terminados — cortinas e persianas nas janelas; plantas em vasos sobre as sacadas. Mas a área era enorme, e já havia fundações prontas para receber mais construções de quatro andares. Grandes painéis presos à cerca ao redor do canteiro de obras mostravam uma imagem aproximada da "cidade dentro da cidade à beira-mar". Havia palavras atraentes em letras maiúsculas, como BEM-ESTAR, QUALIDADE e ESPAÇO pairando sobre um céu azul pintado, sob o qual o artista tinha retratado pessoas sorridentes passando na frente de um café, onde outras pessoas sorridentes sentavam ao redor de mesinhas tomando seus *espressos* e *cappuccinos*. Esse era seu ESTILO DE VIDA, mas a realidade atual era um tanto diferente. Os ocupantes de Salamander Point estavam morando no meio de um canteiro de obras que se assemelhava, aos olhos de Fox, a um campo de batalha da Primeira Guerra Mundial, cheio de lama e valas, barulho e fumaça de óleo diesel. Um dos cantos do local fora transformado em barracão da mão de obra — dez ou doze construções modulares montadas em dois níveis, tendo na frente andaimes e escadas. Homens com coletes de alta visibilidade e capacetes amarelos examinavam plantas enquanto apontavam para diversos lugares. Operários cavavam, guindastes abaixavam canos e lajes de concreto, colocando-os em posição. A única área de pavimentação terminada levava à porta de um escritório de vendas provisório. Através das janelas, Fox podia ver uma jovem sentada atrás de uma mesa. Ela não tinha nenhum cliente naquele momento, e o telefone aparentemente não precisava ser atendido. O olhar vidrado lhe indicava que aquilo talvez fosse a rotina diária dela.

Ninguém estava comprando nada.

Daqui a pouco ele iria aparecer na área pavimentada e ela o veria, e por um momento ela ficaria um pouco mais animada, mas se decepcionaria depois que ele se apresentasse e pedisse para falar com o mestre de obras. Mas primeiro ele trancou o carro, deixando-o junto ao meio-fio. Um caminhão passou ruidosamente por ele, levantando uma pequena tempestade de poeira. Fox cobriu os olhos e a boca com as mãos até que a poeira assentasse, então se dirigiu para o escritório. Quando seu telefone começou a tocar, ele atendeu.

"Fox", disse ele.

"Você quer me contar alguma coisa, Malcolm?" Era a voz de Breck.

"Como assim, Jamie?"

"Olhe para a esquerda, perto das construções modulares."

Com o telefone ainda no ouvido, Fox virou a cabeça, sabendo o que iria ver. Breck estava em pé sobre um dos andaimes. Havia um capacete amarelo em sua cabeça e outro homem estava ao lado dele. Breck acenou e falou em seu aparelho. Um segundo depois, suas palavras chegaram a Fox.

"Venha até aqui, então..."

Quando começou a se mover, Fox percebeu a vendedora. Ela havia saído de trás de sua mesa, pronta para cumprimentá-lo. Ele encolheu os ombros e deu um sorriso encabulado, e começou a atravessar o terreno perigoso em direção ao escritório do canteiro de obras. No topo da escada, Breck o apresentou a Howard Bailey.

"O senhor Bailey é quem comanda este show", explicou Breck, estendendo um dos braços na direção do canteiro de obras. Então, virando-se para Bailey: "Pode me dar um minuto com o meu colega?".

"Eu preciso pegar um capacete para ele."

"Ele não vai ficar aqui."

Bailey assentiu e dirigiu-se para a porta na extremidade da plataforma. Breck colocou as mãos nos bolsos e encarou Fox.

"Isso te deu um bom tempo para pensar em uma história plausível?", perguntou ele.

"Você sabe por que eu estou aqui — pelo mesmo motivo que você."

"Não exatamente, Malcolm. *Eu estou* aqui porque faço parte da equipe de investigação. Você, por outro lado, está aqui para se intrometer."

"Eu só estava querendo dar uma palavrinha com Ronnie, amigo de Vince."

"Deve ser o Ronnie Hendry — o mestre de obras de Vince. O senhor Bailey estava me contando que os dois eram amigos dentro e fora do canteiro de obras."

"Você vai falar com ele?"

Breck fez que sim com a cabeça devagar. "E vou fazer para ele as mesmas perguntas que você provavelmente faria." Depois de um momento, Breck suspirou e olhou para seus sapatos enlameados. "E se fosse Billy Giles que estivesse esperando aqui, e não eu? Ele poria o seu nome nos relatórios — e isso não é o tipo de coisa que o seu chefe apreciaria, eu acho."

"Minha irmã perdeu o companheiro dela. Eu só estou querendo dar uma palavra com o melhor amigo desse companheiro. Pode ser que eu quisesse discutir detalhes do enterro... pedir a Ronnie para carregar o caixão."

"Você acha mesmo que Giles iria acreditar nisso?"

Fox deu de ombros. "Eu realmente não estou muito preocupado com Billy Giles."

"Pois deveria — e você sabe disso."

Fox virou e apoiou as mãos em um dos canos de sustentação do andaime. Pelo visto, os armazéns do outro lado da rua iriam ser reformados também. As janelas tinham sido tampadas com pranchas de madeira, e uma pequena árvore se esforçava para crescer no beiral do telhado coberto de musgo. Um carro passou em frente — um Astra preto.

"Por acaso você não mandou que me seguissem?", Fox perguntou a Breck.

"Não."

"É possível que Billy Giles esteja fazendo isso sem que você saiba?"

"Duvido que tenhamos pessoal disponível para fazer isso. E por que ele iria querer que você fosse seguido?"

"Um Vauxhall Astra preto? Um Ford Ka verde?"

Breck balançou a cabeça em negativa. "Mas isso é estranho..."

"O quê?"

"Depois que eu cheguei em casa ontem à noite, havia uma van estacionada do lado de fora. Só depois que eu fui para cama, eu a ouvi indo embora."

"E daí?" Fox ainda estava fingindo olhar a vista. Ele apertou mais ainda o cano.

Breck tirou o capacete para passar a mão no cabelo. "Nós todos estamos ficando meio nervosos", concluiu ele. Abaixo deles, um homem tinha aparecido. Estava vestido para trabalhar, as calças de brim surradas enfiadas em meias grossas de lã e as meias saindo de botas com bico revestido de aço. Usava o capacete alto na cabeça, e sob seu colete de alta visibilidade estava uma jaqueta de brim, muito parecida com a que Breck usara na noite anterior. Fox sabia que aquele só podia ser Ronnie Hendry. Ele se virou para encarar Breck.

"Me deixa participar", disse ele.

Breck olhou para ele. Hendry já estava no pé da escada e começava a subir.

"Por favor", disse Fox.

"Então não diga nada", avisou Breck. "Nenhuma palavra. Ele já te viu antes?"

Fox fez que não com a cabeça.

"Você mesmo disse", continuou Breck, "que ele vai ver você no enterro, se não antes. Ele vai saber que já viu você em algum lugar..." Ele esfregou o nariz, obviamente num dilema. Então, quando a cabeça de Hendry apareceu entre as tábuas do andaime, ele disse as únicas palavras que Fox queria ouvir.

"Tudo bem."

Fox ficou para trás enquanto Breck se apresentava para Ronnie Hendry e lhe apertava a mão. Hendry estivera usando luvas de couro, mas colocou-as no bolso.

"O senhor Bailey nos deixou usar este escritório aqui", Breck disse a Hendry, abrindo a porta mais próxima deles. "Meu colega vai nos acompanhar." Breck os conduziu para dentro, sem dar tempo a Hendry de estudar o rosto de Malcolm Fox. Era um espaço funcional, apenas uma mesa com uma planta aberta sobre ela, presa nos quatro cantos com pedaços de tijolos. Havia três cadeiras dobráveis, um aquecedor elétrico portátil e pouca coisa mais. Hendry estendeu as mãos na frente do aquecedor e as esfregou para fazer o calor voltar.

"Não dá para trabalhar muito com esse tempo", Breck disse, solidário. Hendry concordou com um movimento de cabeça e tirou o capacete. Seu nome estava escrito com pincel atômico na parte de trás, e pelo que Fox conseguira ver das luvas, elas também levavam o nome dele. Afinal de contas, ali era um canteiro de obras. Havia certa tendência para o sumiço de objetos. O cabelo de Hendry era bem curto e estava começando a ficar grisalho nas têmporas. Fox imaginou que ele deveria ter pouco menos de quarenta anos. Era baixo e magro — um tipo físico não muito diferente do de Vince Faulkner. O rosto era cheio de linhas e depressões, as sobrancelhas espessas e negras. Ele agora estava sentado atrás da mesa e de frente para Breck, e Fox optou por ficar em pé em um dos cantos do escritório improvisado, os braços cruzados, mantendo-se tão discreto quanto possível.

"Eu queria conversar sobre Vince Faulkner", Breck disse a Hendry.

"Aquilo foi uma merda." A voz era áspera.

"Vocês dois eram amigos."

"Isso mesmo."

"Você não o viu no sábado passado?"

Hendry fez que não com a cabeça. "Recebi uma mensagem dele à tarde."

"É mesmo?"

"Só um comentário sobre os jogos de futebol."

"Você não falou com ele?"

"Não."

"Teve notícias dele depois disso?"

Hendry balançou a cabeça novamente. "A primeira notícia que tive depois disso é que ele estava morto."

"Deve ter sido um choque."

"Pode crer, meu chapa." Hendry se mexeu na cadeira.

"Vocês dois trabalhavam juntos?"

"Às vezes. Dependia da equipe em que cada um de nós estava. Vince era um bom trabalhador, então eu sempre tentava trabalhar com ele."

"Ele era especializado em alguma coisa?"

"Ele assentava tijolo, misturava cimento. Ele tinha experiência como pedreiro, mas conseguia fazer bem qualquer coisa que dessem para ele."

"Ele era inglês", disse Breck com aparente indiferença. "Alguma vez isso foi um problema?"

"Como assim?"

"Alguém pegava no pé dele por isso?"

"Se pegava, ele enfiava o pé na cara do sujeito."

"Então, ele era meio esquentado?"

"Só estou dizendo que ele se garantia."

"Você sabia que às vezes ele batia na companheira?"

"Jude?" Hendry pensou um momento antes de responder. "Sandra me contou que ela está com o braço quebrado."

"E isso não é exatamente uma surpresa para você?"

"Aqueles dois gostavam de um bate-boca. A Jude é quem costumava começar. Ela ficava pegando no pé dele até ele não aguentar mais."

"Já conheci mulheres assim." Breck assentiu com a cabeça, aparentemente concordando. "Parece até que elas se divertem com isso..."

Fox mudou o apoio do corpo e mordeu o lábio inferior. *Ele só está fazendo o que tem que fazer*, disse a si mesmo, *tentando fazer o homem se abrir com ele...*

"Então dá para imaginar que ele pode ter se metido em uma briga na noite de sábado?", perguntou Breck.

"Acho que sim."

"Quando ele não apareceu para trabalhar na manhã de segunda, o que você pensou?"

Outro gesto de indiferença. "Eu estava até o pescoço de serviço. Não tive muito tempo para pensar. Tentei telefonar para ele..." Ele fez uma pausa. "Ou será que não? Eu sei, com certeza, que mandei uma mensagem para ele."

Breck fez que sim com a cabeça. "Nós verificamos o telefone dele. A mensagem estava lá, mas ninguém tinha lido. Demos uma olhada em todas as mensagens que ele tinha guardado. Havia algumas suas e outras para você."

"Ah é?"

"E a menção ao Oliver..."

"É um cassino. Na verdade, fica aqui bem perto. Às vezes a gente levava as patroas lá."

"Ele gostava de jogar?"

"Ele não gostava de perder", disse Hendry com um leve sorriso.

"Achamos que talvez ele tenha ido até lá no sábado à noite. Isso seria típico dele — ir até lá sem você?"

"Se ele teve alguma discussão com a Jude... saiu para beber... É, talvez."

"E quanto a você, senhor Hendry — o que fez no sábado?"

Hendry encheu a boca de ar e bufou. "Fiquei na cama

até tarde, como de costume... Compras no Gyle com a Sandra, também como de costume... futebol na televisão. Fui buscar comida indiana..." Ele fez outra pausa, lembrando-se de alguma coisa. "Espera aí, é isso mesmo — Sandra tinha saído com a irmã dela e algumas colegas. Eu comi curry suficiente para duas pessoas e dormi na frente da televisão."

"E no domingo?"

"Não foi muito diferente."

"Quer dizer que vocês não estão fazendo horas extras nos fins de semana?"

"Durante a Fase Um, sim, mas ninguém está comprando agora que estamos na Fase Dois. Eu diria que daqui a quinze dias eles começam a dispensar gente. Mais quinze dias depois e o canteiro todo vai ficar às moscas."

"Não é muito agradável para as pessoas que já estão morando aqui."

"A gente acha que, se eles tentarem vender, vão pegar de metade a dois terços do que pagaram originalmente."

"Então dá para barganhar?"

"Se você estiver interessado, faça uma oferta para a Helena, lá das vendas. Ela provavelmente senta no seu colo como cortesia."

"Vou me lembrar disso." Breck conseguiu dar um sorriso.

"Mas eu vou te contar o que realmente está preocupando os patrões", continuou Hendry. "Eles não conseguem enxergar um fim para isso. Todo este empreendimento — a câmara municipal vendeu o terreno por quase seis milhões. Só com muita sorte eles conseguem recuperar um terço desse valor."

"Puxa!", solidarizou-se Breck.

"Bom, isso é uma maneira de ver as coisas. Os caras acham que a única razão que nos faria terminar o próximo prédio é que o empreiteiro pode se superar pulando dele."

"Qual é o nome do empreiteiro?", perguntou Breck.

"Charlie Brogan — você vai pôr o nome dele na lista de potenciais suicidas?"

"Você acha que a gente deveria fazer isso?"

Aquilo arrancou uma risada seca de Ronnie Hendry.

"Não antes de ele pagar as contas", disse ele.

Breck deu mais um sorriso e decidiu mudar de direção. "Você sabia que Vince Faulkner tinha uma ficha criminal?"

"Um monte de sujeitos na construção civil poderiam dizer a mesma coisa."

"Então você sabia?"

"Ele nunca fez segredo disso — estava anotado no formulário de solicitação de emprego dele."

"Parece que a companheira dele não sabia."

"Jude?" Hendry deu de ombros e cruzou os braços. "Isso é entre eles."

"Ele pediu para você não mencionar o fato na frente dela?"

"Que importância tem se ele fez isso ou não? Isso é história antiga, é o que é."

Foi a vez de Breck dar de ombros. "Está bem, vamos dizer que ele teve uma briga com a companheira. O braço dela quebra e ela vai para o pronto-socorro. Vince opta por não ir com ela e sai para se embebedar. Acaba indo até o Oliver e perde algum dinheiro... O que acha que ele faria em seguida, senhor Hendry?"

"Não tenho a menor ideia." Os braços de Hendry ainda estavam cruzados. Sem dúvida estava na defensiva. Fox percebeu que era necessária uma interrupção.

"A companheira dele disse que às vezes ele ficava fora a noite toda, dormia na casa dos amigos..."

"Sim, isso aconteceu uma ou duas vezes."

"Então poderia ter acontecido naquela noite?", perguntou Breck.

"Não na minha", declarou Hendry com um movimento da cabeça.

"Onde então?"

"Sei lá — vocês é que são os caras que têm cérebro."

* * *

O carro de Jamie Breck estava estacionado no canteiro de obras, quase ao lado das construções modulares. Era um Mazda RX8, baixo e esportivo. Breck apoiou os cotovelos no teto enquanto observava Ronnie Hendry voltar a trabalhar.

"Alguma coisa que eu tenha esquecido de perguntar?"

Fox balançou a cabeça. "Acho que não."

"O que você achou dele?"

"Posso entender por que Vince gostava dele. Ele é o tipo de sujeito que te apoiaria em uma briga, mas ao mesmo tempo é provavelmente esperto o bastante para acalmar as coisas de forma que a briga nunca aconteça."

"Ele não pareceu estar muito chocado, não é?"

"Esse não é o jeito escocês de ser?"

"Guardando tudo para mais tarde?", conjecturou Breck. Então ele assentiu com um movimento lento da cabeça.

"Desculpe por ter me intrometido."

"Foi uma boa sugestão. Eu não sabia que ele gostava de dormir fora de casa."

"Jude nunca falou em outras mulheres", esclareceu Fox. "A propósito, vocês fizeram alguma coisa a respeito do visitante misterioso de Jude?"

"Já faz parte do processo", confirmou Breck.

"E qual é o próximo passo?", perguntou Fox. "Ir até o Oliver?"

Breck olhou para ele. "E suponho que você queira ir junto."

"Não é má ideia", disse Fox. "O último a chegar lá é mulher do padre..."

Mas na verdade, assim que ele destrancou o Volvo e fez a manobra para retornar, o Mazda já estava a uns cem metros de distância. Quando entrou no estacionamento do cassino, Breck estava parado ao lado da porta de entrada, tentando fazer parecer que estava lá havia horas.

"E aí, mulher do padre?", disse Breck em saudação. "Quer relatar algum Astra suspeito?"

145

"Não", reconheceu Fox. Então ele abriu a porta. "Depois de você", disse.

Embora o cassino estivesse aberto ao público, nada estava acontecendo. Não havia quem atendesse na chapelaria e apenas uma crupiê em uma mesa de vinte e um, praticava suas habilidades na frente de três banquinhos vazios. Umas duas mulheres pequenas, de aparência estrangeira, vestidas com aventais, estavam polindo as decorações de metal e os corrimões. O barman da parte de baixo parecia estar fazendo uma verificação de estoque, marcando itens em uma prancheta. No andar de cima, Fox podia ouvir um aspirador de pó funcionando.

"O chefe está por aí?", Breck perguntou à jovem crupiê. Ela era loira, o cabelo em um rabo de cavalo, com um colete preto sobre uma blusa branca e uma gravata-borboleta azul-celeste.

"Você vai ter que falar com o Simon." Ela apontou na direção do barman.

"Obrigado", disse Breck. Ele começou a andar naquela direção, tirando o distintivo do bolso. "Preciso falar com você, Simon."

"Ah, é?" O barman não se dera ao trabalho de tirar os olhos do que estava fazendo, mas Fox sabia que ele tinha notado o distintivo... e reconhecido o que significava.

"Você é que está no comando aqui?", perguntou Breck.

"O chefe deve chegar daqui a uns quinze minutos."

"Você se importa de olhar para mim quando fala?" Breck estava conseguindo parecer educado, mas havia uma aspereza implícita em sua voz. Simon levou alguns segundos antes de atender ao pedido. "Obrigado", disse Breck. "Tudo bem se eu guardar o distintivo agora? Você se convenceu de que está falando com um detetive e não com algum idiota da vizinhança?"

O barman deu um meio sorriso, mas Breck conseguira a atenção dele. Fox reparou que seu colega tornara mais áspera sua voz natural e estava fazendo mais pausas.

"Se tiver a ver com licenças ou essas coisas", dizia Simon, "vocês têm que falar é com o chefe."

"Mas o chefe não está aqui agora, então é sua obrigação responder algumas perguntas." Breck guardara o distintivo, mas agora tivava do bolso uma fotografia. Era de Vince Faulkner. Fox deduziu que fora surrupiada da casa de Jude.

"Este sujeito é um cliente assíduo", disse Breck, "então suponho que você o conheça."

O barman olhou para a foto e deu de ombros.

"Na verdade", Breck continuou, "eu deveria ter especificado que ele *era* um cliente assíduo. Ele foi assassinado no fim de semana, depois de visitar este lugar."

"Em qual noite?"

"Sábado." O barman não disse nada por um momento. Breck decidiu falar por ele. "Você está tentando calcular as probabilidades, não é? Se você mentir ou contar a verdade — qual vai funcionar melhor? E isso significa apenas uma coisa, Simon — você estava aqui na noite de sábado."

"Eu estava ocupado", reconheceu o barman, dando de ombros novamente.

"Mas ele estava aqui." Breck balançou a foto. "E ele estava fora do papel que sempre fazia, porque, todas as vezes que você o viu no passado, ele estava com outras pessoas."

"E daí?"

Fox estivera examinando os cantos do teto. "Vamos precisar ver as gravações", comentou ele. "Das suas câmeras de segurança..."

Breck ficou um pouco tenso. Ele estava com um fluxo de ideias em andamento, e Fox o interrompera.

"Meu colega está certo", ele acabou dizendo.

"Falem com o chefe."

"Vamos fazer isso", confirmou Breck. "Mas você se lembra de Vince Faulkner?"

"Eu nunca soube o nome dele."

"Você viu nos jornais que ele estava morto?"

"Acho que sim." A afirmação foi feita no mínimo com má vontade. Simon estava passando um dedo sobre a prancheta, como se esperasse que eles entendessem a indireta e deixassem que ele continuasse seus afazeres. Sem chance, pensou Fox.

"Você o viu aqui no sábado?"

"Não consigo me lembrar."

"Ele chegou aqui por volta das dez."

"Isto aqui estava lotado nessa hora."

"Mas o senhor Faulkner estava sozinho, e eu aposto que isso significa que ele estaria sentado em um desses bancos." Breck deu um tapa no assento do banco a seu lado.

"Tem outro bar no andar de cima."

"Mas mesmo assim..." Breck decidiu deixar o silêncio se estender.

"Ele estava meio bêbado quando chegou aqui", Simon afinal admitiu. "Os porteiros nunca deveriam ter deixado que ele entrasse."

"Ele causou problemas?"

O barman fez que não com a cabeça. "Mas estava com cara de perdedor."

"E isso não é bom para o ambiente?" Breck acenou com a cabeça, mostrando seu entendimento.

"Só ficou largado em um canto do bar."

"Quantas bebidas ele tomou?"

"Não tenho ideia."

"O que ele estava tomando?"

"Eram doses... isso é tudo de que me lembro. Estávamos com três pessoas trabalhando no bar naquela noite."

"Ele encontrou alguém? Falou com alguém?"

"Não sei." Os dedos agora estavam batendo na prancheta, reproduzindo os sons de cascos de cavalo em pleno galope.

"Você viu quando ele foi embora?"

Simon fez que não com a cabeça.

"E no domingo e na segunda-feira?"

Simon repetiu o gesto. "Eu estava de folga nas duas noites."

Breck deu uma olhada no relógio. "Seu chefe está atrasado."

"É, os chefes costumam fazer isso."

Breck sorriu e virou a cabeça na direção de Fox pela primeira vez. "O Simon gosta de pensar que ele é esperto." Mas cada traço de humor tinha abandonado o rosto de Breck quando ele se virou de novo para o barman. "Então faça uma coisa esperta, Simon — comece a pensar em qualquer outra coisa que você possa nos contar sobre a noite de sábado ou sobre Vince Faulkner de maneira geral." No lugar em que estivera a foto, agora estava um cartão de visitas. "Pegue", disse Breck com firmeza. O barman fez o que ele mandou. "Quantos anos você tem, Simon?"

"Vinte e três."

"Trabalha nisso há muito tempo?"

"Comecei a trabalhar em bar quando estava na universidade."

"O que você estudava?"

"Não estudava muito — esse era o problema."

Breck fez que sim com a cabeça, mostrando que entendia. "Já viu algum problema acontecendo por aqui?"

"Não."

"Nem mesmo depois que os apostadores saem? Uma boa noite que se transforma em chateação?"

"Quando eu fecho o bar, faço a limpeza e fecho o caixa, as pessoas já foram embora há muito tempo."

"A gerência paga o táxi para você voltar para casa?" Breck viu o barman fazer que sim com a cabeça. "Bom, isso já é alguma coisa." Então, virando-se para sair: "Anote algumas ideias e me telefone. Além disso, passe o número para o seu chefe. Se eu não tiver notícias dele até o final do expediente, à noite eu volto com alguns carros-patrulha e policiais uniformizados. Entendeu?"

Simon estava estudando o que estava escrito no cartão. "Sim, senhor Breck", disse ele.

Foi estranho sair do escuro — o cassino não tinha nenhuma iluminação natural — e descobrir que ainda era dia em Edimburgo, o céu nublado, mas com claridade suficiente para fazer Jamie Breck pôr seus óculos ray-ban. Ele assumira a mesma posição em que estivera depois do encontro com Ronnie Hendry — os cotovelos apoiados no teto do Mazda. Fox apertou a parte superior do nariz e piscou os olhos ao sair na luz. Fora um belo desempenho: Breck agira com perfeita naturalidade. A mistura certa de autoridade e empatia. Se ele tivesse sido muito truculento, o barman teria brigado ou teria se retraído...

Eu gosto de você, pensou Fox. Apesar de você estar me investigando pelas costas. Apesar de você poder não ser quem parece ser...

"Você representou muito bem lá dentro", Fox cumprimentou-o. "Gostei daquilo que você fez com a voz."

"Essa é a vantagem dos RPGS e avatares — você tem a possibilidade de fingir ser quem não é."

"É o tipo de treinamento que vem a calhar para a DIC." *E para outras coisas*, Fox pensou. "E agora, o que acontece?"

"Mais nada. Eu volto para a base, registro por escrito o que consegui — pode ser que eu deixe de fora *alguns* detalhes." Breck olhou na direção de Fox.

"Desculpe eu ter me intrometido de novo", disse Fox. "Quebrei minha promessa..."

"Eu teria falado sobre as câmeras no momento certo, Malcolm."

"Eu sei que sim."

Os dois homens se viraram ao ouvir um carro se aproximando. Era um Bentley modelo GT. Carroceria preta brilhante e vidros com *insulfilm*. O motor parou e a porta do lado do motorista se abriu. Fox entreviu o estofamento de couro vinho. A mulher que saiu usava salto alto, meias pretas e uma saia que chegava ao joelho. A saia era bem justa. Blusa de seda branca, aberta no pescoço para mostrar um tipo de pingente. Um paletó creme com ombreiras. O cabelo era ruivo, espesso e ondulado. Ela teve que afastá-lo do rosto depois de uma forte rajada de vento. Batom vermelho e, quando ela retirou os enormes óculos escuros, sombra escura e um pouco de rímel. Ela olhou para eles com curiosidade enquanto se dirigia para a entrada do cassino.

"Simon vai te contar tudo", gritou Breck para ela. Ela ignorou isso e entrou. Fox se virou para Breck.

"A gente não deveria ir falar com ela?"

"Ela vai me ligar, lembra?"

"Mas ela é a gerente, certo?"

"Mais tarde."

"Você não quer saber quem ela é?"

Breck sorriu. "Eu *sei* quem ela é, Malcolm." Ele apontou para um lugar pouco acima da entrada principal do cassino. Havia uma placa lá, anunciando que o estabelecimento tinha permissão para venda de álcool. O nome do licenciado era J. Broughton.

"Quem é J. Broughton?", perguntou Fox.

Breck abriu a porta do Mazda e começou a entrar. "Fique vigiando os detetives, Malcolm. Deixe que nós, os outros policiais, façamos o trabalho *de verdade...*"

10

"Significa alguma coisa para você?"

Fox estava de volta ao escritório da Divisão de Denúncias, em pé na frente da mesa de Tony Kaye. Kaye repetiu o nome algumas vezes. Como de costume, ele tinha colocado sua cadeira para trás, e agora a balançava lentamente, para a frente e para trás.

"Não existia um vilão com esse nome?", disse ele por fim. "Bom, por 'vilão', é óbvio que eu quero dizer algum notável executivo local cuja emaranhada teia de transações duvidosas a polícia de Lothian and Borders nunca conseguiu revelar." Kaye fez uma pausa. "Mas ele estaria com uns setenta anos agora... não ouço falar nele há anos."

"Será que ele aparece em algum lugar do sistema?" Fox fez um gesto com a cabeça na direção do computador de Kaye.

"Eu posso verificar, assim que você me der um motivo."

"Vince foi ao Oliver na noite de sábado. A licença deles está no nome de J. Broughton."

"Jack Broughton — esse era o nome do sujeito." Kaye olhou para seu colega. "Mas Vince não é sua jurisdição, Foxy. Você não deveria estar se ocupando dos contatos com a Promotoria para falar sobre Glen Heaton? Ou preparando um relatório sobre Jamie Breck para enviar à Casa do Pai?"

"Faça o que eu pedi, está bem?" Fox virou-se e dirigiu-se para a máquina de café. As palavras de Breck ainda o estavam incomodando — *nós, os outros policiais... o tra-*

152

balho de verdade... Ele sabia que muita gente na DIC achava isso. A Divisão de Denúncias era para os indiferentes, os esquisitos, os policiais que nunca conseguiriam se tornar legítimos investigadores. Era para *voyeurs* mal-humorados. Joe Naysmith estava abrindo um pacote novo de café, e Fox ficou observando enquanto ele trabalhava. Naysmith não se enquadrava naquela descrição; e muito menos Tony Kaye...

"Adoro o cheiro", comentou Naysmith, levando o pacote ao nariz.

"Diga-me uma coisa, Joe — por que a Divisão de Denúncias?"

Naysmith ergueu uma sobrancelha. "Você teve seis meses para me perguntar isso."

"Estou perguntando agora."

Naysmith pensou por um momento. "Porque me convém", ele acabou respondendo. "Não é por isso que todos estamos aqui?"

"Vai saber", murmurou Fox, coçando a parte de cima do nariz. Então ele perguntou se Naysmith estava planejando outra noite na van.

"O detetive Gilchrist acha que deveríamos."

"Bom, eu não acho", declarou Fox. "Pelo que pude ver, seria desperdício de tempo. Então por que você não vai até lá e diz isso para ele?"

"Eu estou fazendo café..."

Fox tirou o pacote da mão dele. "Não está mais. Agora vai." Ele balançou a cabeça como incentivo adicional e ficou olhando Naysmith sair da sala. Fox colocou o café no filtro, acertou a posição do filtro e encheu a cafeteira com água antes de pôr a jarra de vidro refratário sobre a placa de aquecimento.

"Eu gosto mais quando é o Joe quem faz o café", reclamou Kaye em voz alta. Ele tinha se levantado e estava diante da impressora compartilhada que havia na sala. A máquina estava em processo de liberar uma última folha de papel. "Você vai ver uma nota no pé da página", explicou ele. "Diz que há um pouco mais no DAM."

DAM: o Depósito de Arquivo Morto. De vez em quando as delegacias de polícia na cidade e seus arredores realizavam uma "limpeza geral". Limpava-se o pó dos arquivos, sua existência era registrada para a posteridade e eles eram sentenciados à prisão perpétua em uma prateleira em um enorme depósito no distrito industrial de Dumbryden. Fox tivera motivos para visitar o local algumas vezes no passado. Na verdade, tudo o que estava nos arquivos deveria ter sido transferido para formato digital — o processo recebera aprovação de um chefe de polícia anterior —, mas os recursos financeiros se tornaram um problema. Quando Kaye entregou a Fox as quatro folhas em papel A4, a primeira coisa que Fox fez foi estudar o rodapé da última página. Havia várias referências ao DAM. As referências estavam datadas — 1968, 1973, 1978. Os dados impressos pelo computador listavam outros atritos com a lei em 1984 e 1988. Um deles era ser cúmplice de um fugitivo. Nunca fora a julgamento. O outro era por receptação de mercadorias roubadas — mais uma vez, as acusações tinham sido retiradas. O ano de nascimento de Jack Broughton era 1937, ou seja, ele tinha setenta e um, quase setenta e dois anos.

"Mais de vinte anos desde a última vez em que se meteu em encrenca", comentou Fox. "E agora ele tem a mesma idade do meu pai."

Kaye estava lendo as informações por cima do ombro de Fox. "Eu me lembro de um dos policiais mais velhos me contar sobre ele quando eu ainda estava em período de experiência. O sujeito sem dúvida tinha uma bela reputação naqueles tempos."

"No cassino havia uma mulher de uns trinta anos — acho que ela é a gerente."

"Você esteve lá?"

Fox olhou furioso para ele. "Não pergunte." Começou a ler a próxima página. Jack Broughton tivera dois filhos e uma filha, mas os dois filhos haviam morrido antes do pai, um deles em um acidente de carro, o outro em uma briga de bar. "Será que é a filha dele?"

154

"O comitê de licenciamento deve saber", Kaye lhe informou. "Quer que eu entre em contato com eles?"

"Você conhece alguém lá?"

"Talvez sim." Kaye começou a voltar para sua mesa. "Traz uma caneca quando estiver pronto, pode ser?"

"Três colheres de açúcar?", perguntou Fox, com uma ponta de sarcasmo.

"Cheias", confirmou Kaye.

Mas Joe Naysmith voltou antes de a cafeteira terminar seu serviço. Ele pareceu preocupado que alguma coisa terrível pudesse ter acontecido com ela em sua ausência.

"Como foi com o Gilchrist?", perguntou-lhe Fox.

"A detetive Inglis quer falar com você." Naysmith estava evitando olhar para ele.

"Por quê? O que foi que eu fiz?"

"Ela só disse que quer falar com você."

"É melhor sair correndo e ir até lá falar com ela, Foxy", disse Kaye, a mão sobre o telefone. "Talvez você queira antes dar uma borrifadinha de antisséptico bucal..."

Mas, quando Fox olhou, Annie Inglis estava em pé na porta, os braços cruzados. Ela moveu discretamente a cabeça, fazendo sinal para que ele a encontrasse no corredor. Fox entregou a Naysmith a caneca vazia que estivera segurando. Em seguida saiu, fechando a porta atrás de si.

"Por quê?", ela perguntou, sem preâmbulos.

"Por quê, o quê?"

"Por que retirar a vigilância sobre Breck?"

"Aquilo de ontem à noite não deu em nada."

Os olhos dela se estreitaram. "Você andou se reunindo com ele, não é?"

"Você mandou me seguir, detetive Inglis?"

"Responda a pergunta."

"Responda a minha primeiro."

"Não, eu não mandei seguirem você."

"Ele está investigando um assassinato que ocorreu muito próximo de mim, a menos que você tenha esquecido — eu estou acompanhando o caso, então, sim, eu conversei com ele."

"Pelo que eu ouvi, ele consegue dissimular muito bem: consciencioso, agradável, generoso..."

"E daí?"

"*Todos* eles fazem isso, Malcolm. É assim que eles conquistam a confiança das crianças, e às vezes até mesmo dos pais delas. Por esse motivo é tão difícil pegá-los — eles são *bons* nisso. São bons em agir como se fossem iguais a mim e a você..."

"Ele não é igual a mim", afirmou Fox.

"É isso que está incomodando você?"

"Nada está me incomodando." Havia um tom de irritação na voz dele. Inglis olhou para o chão e suspirou. "Ele passou uma hora ontem à noite em um jogo on-line chamado Quidnunc. Ele tem um avatar. Você sabe o que é isso?"

"Sei."

"É alguém que ele cria para poder esconder seu verdadeiro eu — permite que ele se torne outra pessoa."

"Ele e alguns milhões de outros jogadores."

Ela levantou a cabeça para olhar Fox. "Ele te contou isso?"

"Sim."

Inglis ficou pensativa por um momento. Afastou o cabelo da testa, sem pressa. "Há alguma possibilidade de ele saber que estamos investigando?"

Fox lembrou o que Breck lhe havia dito — a van estacionada na rua, indo embora logo depois que ele foi para a cama. "Acho que não", respondeu ele.

"Porque, se ele souber, vai começar a se livrar das evidências."

"Eu acho que ele não sabe", repetiu Fox.

Ela pensou naquilo por mais alguns instantes. "Isso se encaixa no perfil criminoso", disse ela por fim, a voz mais calma. "Esses homens, eles entram em comunidades on-line, fingem que têm catorze ou quinze anos, pedem a outros no grupo que lhes mandem fotos..."

"Entendo", disse-lhe Fox.

"Eles são bons em assumir papéis. Eles aprimoram suas habilidades nesses jogos on-line. Às vezes eles até acabam encontrando outros jogadores..."

"Você quer que o Gilchrist e o Naysmith vão até lá esta noite de novo?"

"Eles estão querendo muito."

Fox assentiu com a cabeça lentamente. "Será que eles podem estacionar um pouco mais longe? Ficar no mesmo lugar por duas noites seguidas vai aumentar a probabilidade de serem notados."

Inglis concordou e tocou-lhe o braço. "Obrigada", disse ela, virando-se para ir embora. Mas então parou.

"Sobre o namorado da sua irmã — alguma novidade?"

Fox fez que não com a cabeça e observou-a se afastando. Então ele pegou o celular e ligou para Jude, culpado por não ter feito isso antes. Mas ninguém atendeu, então ele deixou um recado e retornou ao escritório.

"Você vai voltar lá esta noite", ele disse a Naysmith.

"Por favor, diga que eles não vão precisar de mim", implorou Kaye. Ele tinha acabado de desligar o telefone e segurava um pedaço de papel.

"Isso é para mim?", perguntou Fox.

"O nome que você queria." Kaye balançou o papel.

"Tudo bem", Fox lhe disse, "você está dispensado de segurar a mão de Joe esta noite."

"Você tem o Gilchrist para fazer isso, não é, Joe?", provocou Kaye, transformando o pedaço de papel em um aviãozinho e atirando-o na direção da mesa de Fox. O papel caiu no chão e Fox se agachou para pegá-lo. Um nome estava escrito nele. O J em J. Broughton não era de Jack.

Era Joanna, a filha.

Fox se lembrou da mulher que tinha estacionado na frente do Oliver. Surgira em um Bentley e entrara agitada no cassino. Ela não havia parado para perguntar o que eles estavam fazendo no estacionamento dela porque fora treinada desde pequena pelo pai — podia sentir o cheiro de um policial a um quilômetro de distância.

Joanna Broughton. Fox ligou para o celular de Jamie Breck.

"O J é de Joanna, certo?", perguntou ele sem rodeios. Fox percebeu um sorriso na voz de Breck.

"Foi rápido."

"E estou supondo que você saiba quem ela é."

"A filha de Jack Broughton?", Breck fingiu adivinhar.

"Então ela está à frente do cassino no lugar dele, ou não?"

"Você está supondo que a mulher que vimos hoje é a senhorita Broughton."

"Eu não estou supondo nada", Fox o corrigiu. "Mas eu acho que *você* sabe que era. Qual é o problema com ela e com o Oliver? Alguma coisa que você está escondendo de mim, Jamie?"

"Estou trabalhando em uma investigação de assassinato, Malcolm. Há um momento em que não posso me abrir para você."

"Este é um desses momentos?"

"Talvez eu lhe responda mais tarde. Por ora, preciso voltar a trabalhar." Breck encerrou a chamada, e Fox colocou seu celular sobre a mesa e se acomodou na cadeira. Os suspensórios estavam apertando os ombros e ele ajustou as duas tiras. As palavras de Inglis dançavam em sua cabeça: *consciencioso... agradável... generoso... É isso que está incomodando você?* Quando seu celular tocou, ele o pegou e olhou o número na tela — Jude.

"Ei, mana, obrigado por retornar..." Do outro lado da linha havia silêncio, a não ser por um som abafado, muito parecido com o de alguém soluçando. "Jude?", chamou ele.

"Malcolm..." A voz dela falhou no meio da frase.

"O que está acontecendo?"

"Eles estão cavando no jardim."

"O quê?"

"A polícia — *o seu* pessoal — eles estão..." Ela deu outro soluço.

"Eu estou indo", Fox disse. Terminada a chamada, voltou a vestir o paletó. Kaye lhe perguntou o que estava acontecendo.

"Tenho que sair", foi tudo o que Fox disse. No estacionamento, o interior do carro ainda mantinha um resto de calor.

Alguns dos vizinhos de Jude estavam nas janelas novamente. Três carros-patrulha, duas vans brancas. A porta da frente de Jude estava aberta. Não havia sinal de desordem no jardim da frente. Os fundos só podiam ser acessados por uma porta na cozinha. Também não era um jardim muito grande, uns dezoito por seis metros, talvez, a maior parte com lajes de pavimentação e mato. Havia um policial uniformizado a serviço na porta da frente, mas ele deixou Fox entrar ao ver o distintivo. O interior da casa estava muito frio — a porta da frente e a de trás abertas, com a capacidade dos aquecedores esgotada.

"Quem deixou você entrar?", rosnou Billy Giles. Ele estava em pé na cozinha, com uma xícara de chá numa mão e um chocolate Mars Bar comido pela metade na outra.

"Onde está minha irmã?"

"Na vizinha", afirmou Giles, mastigando. Fox entrara o suficiente para poder ver pela janela dos fundos. Havia um grupo trabalhando com afinco com pás e picaretas. Eles estavam cavando em alguns lugares, erguendo as lajes em outros. Tinham trazido sujeira para dentro da casa, que fora limpa tão recentemente por Alison Pettifer. Alguém da equipe de criminalística passava um escâner portátil nas paredes da sala de visitas, à procura de manchas de sangue microscópicas.

"Você ainda está aqui?", rosnou Giles, jogando no chão a embalagem vazia do chocolate.

"Que jogo é esse que você está fazendo, Giles?"

"Não estou fazendo jogo nenhum — estou *fazendo meu trabalho* como policial." Ele olhou furioso para Fox. "Uma coisa que o seu pessoal parece não entender. Estou começando a pensar que são ciúmes."

"Não consigo decidir a que isso está fedendo mais: se a intimidação ou a desespero."

"Nós recebemos um telefonema de um vizinho preocupado", disse Giles. A voz dele era rouca, a respiração, irregular, quando ele foi para cima de Fox. "Ouviram alguém cavando no jardim na noite de domingo. Horticultura à meia-noite — sua família tem o hábito de fazer isso?"

"Esse vizinho se identificou?" Giles não respondeu, e Fox deu uma risada seca. "Você realmente vai escutar todos os malucos que telefonarem para você? Você se deu ao trabalho de saber de onde vinha a ligação?" Fox fez uma pausa. "Estou supondo que você tenha anotado o número."

"Um pub em Corstorphine", afirmou Giles. Então, virando rapidamente a cabeça quando um dos homens de sua equipe entrou, vindo do jardim: "Alguma coisa?".

"Alguns ossos... estão lá há muitos anos — o Phil diz que é um gato de estimação ou talvez um filhote de cachorro."

"O que é que você acha que vai encontrar?", Fox perguntou, sem resposta. "Você sabe muito bem que não se trata de gatos nem de filhotes de cachorro... mas sim do papel de pato que vocês estão fazendo."

Giles apontou um dedo curto e grosso para ele. "Este homem está contaminando minha cena do crime e eu o quero fora daqui!"

Alguém agarrou o braço de Fox por trás. Ele sacudiu o braço para se livrar, mas virou-se e viu que era Jamie Breck.

"Vamos embora", disse Breck rispidamente, levando Fox para a porta da frente.

Lá fora, os dois homens mantiveram a voz baixa. "Isso tudo é uma tremenda besteira", disse Fox entre os dentes.

"Talvez sim, mas é nossa obrigação seguir todas as pistas que aparecerem. Você sabe disso, Malcolm."

"Giles está tentando me atingir e aos meus, Jamie — a questão é essa. Você tem que controlá-lo melhor."

As sobrancelhas de Breck se ergueram. "Eu?"

"Quem mais iria enfrentá-lo?"

"Parece que você estava fazendo um bom trabalho nessa direção..." Eles ouviram um som repetido. Dedos contra o vidro de uma janela na casa ao lado. "Estão procurando você", foi tudo o que Breck disse. Fox virou-se para olhar, viu Alison Pettifer o chamando. Fox ergueu a mão, sinalizando que já estava a caminho, mas então se voltou e encarou Jamie Breck.

"Dê uma dura nesse cara", repetiu ele, indo para a casa vizinha.

Ele ficou lá durante quase uma hora, tomando duas canecas de chá enquanto as duas mulheres permaneceram sentadas no sofá, Pettifer de vez em quando pegando a mão de Jude e acariciando-a ou dando tapinhas nela. Ele havia perguntado à vizinha se poderia destrancar a porta dos fundos, dar uma olhada por cima da cerca enquanto outra laje era levantada. Giles olhara furioso para ele, mas não havia nada que pudesse fazer.

"Você não pode impedi-los?", Jude perguntara ao irmão mais de uma vez. "Com certeza você pode impedi-los."

"Não estou muito certo disso", ele respondera na defensiva, sabendo o quanto aquilo fazia que parecesse fraco. Poderia ter acrescentado que tudo o que estava acontecendo era culpa exatamente *dele*. Giles não podia atingi-lo, então, em vez disso, estava atingindo as pessoas que ele amava. Fox sabia que podia apresentar uma denúncia para McEwan, mas ele também sabia que isso iria fazê-lo parecer ridículo. Seria simples demais para Giles se defender da acusação: *houve um assassinato... nós temos que percorrer todas as rotas de investigação... Não posso acreditar que um colega policial não concorde com isso...*

Não, ele não iria falar com McEwan. Pensou em dizer a Jude que arrumasse um advogado, mas sabia como *aquilo* iria parecer — e todos os policiais, inclusive os da Divisão de Denúncias, tinham uma profunda desconfiança dos advogados. A verdade é que ele não podia fazer nada a respeito, e Giles também sabia disso. Fox tinha se despedido, beijando o rosto de Jude e apertando a mão de Pettifer. Ficou sentado no carro durante uns cinco minutos, tentando decidir se ia voltar a Fettes ou não. Decisão tomada, ele dirigiu até o supermercado em Oxgangs, levou as sacolas para casa e passou meia hora guardando a comida, verificando as datas de validade para que pudesse dispor a posição dos alimentos — os itens com validade maior no fundo da geladeira, e os com validade menor na frente. Macarrão com molho *pesto* para o jantar daquela noite. No supermercado, ele se vira na seção de bebidas, pensando em comprar algumas garrafas de cerveja sem álcool, então passou pelos vinhos e destilados, reparando que alguns uísques estavam até mais baratos que da última vez que ele comprou uma garrafa. As garrafas mais caras tinham etiquetas sinalizadoras para evitar que fossem roubadas. Passando de novo por uma das geladeiras, ele pegara uma caixa de um litro de suco de manga e pera. É muito melhor para você, rapaz, dissera a si mesmo.

Depois da refeição, tentou assistir TV, mas não havia nada que prendesse sua atenção. Ele não parava de passar e repassar os acontecimentos do dia em sua cabeça. Quando seu celular deu um sinal indicando que havia uma nova mensagem, ele pulou na direção do aparelho. Tony Kaye o convidava para ir até o Minter's. Fox só precisou de cinco segundos para se decidir.

"É quase como se não tivéssemos nada melhor a fazer", disse Fox, dirigindo-se para a mesa de sempre. Havia um barman diferente trabalhando — muito mais jovem, mas ainda ligado ao programa de perguntas na televisão. Dois clientes estavam no bar — Fox não reconheceu nenhum deles. Margaret Sime, a amiga de Kaye, estava em sua própria mesa. Ela o cumprimentou com a cabeça. No trajeto de volta à cidade, Fox desviara um pouco para passar na frente da casa de Jamie Breck. Não havia sinal de vida, e nenhuma van parada ali por perto.

"Saúde", disse Kaye, recebendo a caneca nova e colocando-a ao lado de outra que estava pela metade. Fox pôs seu copo com suco de tomate sobre um descanso e tirou a jaqueta esportiva. Tinha deixado a gravata em casa, mas ainda usava a mesma camisa, suspensórios e calças.

"E então, o que estava acontecendo na casa da Jude?", perguntou Kaye.

"Bad Billy mandou seus homens cavarem no jardim. Uma ligação anônima disse que houve alguma atividade na noite de domingo."

"Essa é só a desculpa do Bill", Kaye solidarizou-se, balançando a cabeça. "Espero que você não tenha deixado impressões digitais no lugar, Foxy. Se perceber uma possibilidade, ele vai para cima de você com garras e dentes à mostra."

"Eu sei."

"Aquele desgraçado tem muita confiança em Glen Heaton... defendeu o sujeito sem pestanejar."

Fox olhou para o colega. "Você não acha que Giles sabia o que Heaton andava fazendo?"

Kaye deu de ombros. "Nunca vamos saber isso. Tudo o que estou dizendo é que eu gosto do fato de ele estar mordido."

"Se continuar atormentando minha irmã, ele realmente vai ver o que é sentir dor."

Kaye deu uma risada atrás da caneca. Fox sabia o que ele estava pensando: *você não tem cacife para isso, Foxy, não tem estômago para esse tipo de briga*. Talvez. Talvez não. Ele bebericou seu suco.

"Se pusesse um pouquinho de vodca aí, isso iria te matar?", Kaye resmungou. "Eu fico me sentindo o bêbado da cidade quando sento com você aqui."

"Você me convidou para vir."

"Eu sei. Só estou dizendo..."

"O primeiro não iria me matar", disse Fox depois de

um momento. "Mas seria um começo. Tudo de que uma pessoa como eu precisa, Tony, é um começo."

Kaye torceu o nariz. "Você não é um alcoólatra, Malcolm. Eu já *vi* alcoólatras, costumava lavar as celas deles com mangueira quando estava no período de experiência."

"A bebida não gosta de mim, Tony. Além disso..." Ele pegou o copo com suco novamente. "Isto aqui me dá uma posição moral melhor."

Os dois homens beberam em silêncio. Um grupo de três novos rostos tinha chegado. Fox, de costas para a porta, observou Kaye fazer uma rápida avaliação. É isso que se faz quando a gente é policial — você fica olhando para a porta para ver se não entra encrenca. Encrenca é o sujeito que um dia a gente prendeu; o sujeito que é tio ou primo de alguém de quem descobrimos indícios suspeitos; o sujeito que uma vez convencemos a se tornar informante para salvar a própria pele. Em uma cidade do tamanho de Edimburgo, às vezes era difícil escapar da própria história — as coisas que você tinha feito, as pessoas que tinha usado. Mas Kaye logo voltou a se concentrar em sua bebida: não havia motivo para preocupação. Mesmo assim Fox deu uma rápida olhada nos homens. Ternos e gravatas — executivos no final do dia, talvez com um compromisso para um jantar de comida indiana mais tarde.

Quando a porta voltou a se abrir, Fox olhou para Kaye, viu que ele ergueu uma sobrancelha, e virou-se para trás para olhar. Era Joe Naysmith. Ele estava vestido para uma longa noite de frio na van. Uma camisa de lenhador sob um suéter de lã grossa, o suéter sob um colete de couro sem mangas, o colete sob um casaco grosso. Ele estava tirando todas essas camadas quando se aproximou da mesa.

"Estou fervendo aqui", reclamou. Ele desabotoou a camisa, revelando uma camiseta preta simples por baixo.

"Teve uma briguinha com o namorado?", perguntou Kaye em voz baixa e maliciosa.

Naysmith o ignorou e perguntou o que eles estavam bebendo.

"O de sempre pra mim", Kaye respondeu rapidamente, enquanto Fox recusou com a cabeça. Seus olhos encontraram os do jovem.

"Então o que aconteceu?", perguntou. "Estávamos fazendo uma verificação final na van, Gilchrist recebe um telefonema e me diz que não precisamos mais sair." Naysmith deu de ombros e se virou para ir até o bar.

"De quem foi o telefonema?", insistiu Fox. Naysmith apenas deu de ombros novamente e foi buscar as bebidas.

"Você acha que aconteceu alguma coisa?", Kaye perguntou a Fox.

"Eu não sou vidente, Tony."

"Bela desculpa para ligar para a casa da detetive Inglis e convidá-la para comparecer a uma reunião noturna com bebidas gentilmente oferecidas..."

"Ela tem um filho."

"Então você se convida para ir até lá; leve uma garrafa." Kaye interrompeu o que dizia e rolou os olhos. "Mas você não bebe."

"Isso mesmo."

"Então serão refrigerantes para você e alguns Bacardis fortes para a dama."

Naysmith estava voltando, uma caneca em cada mão. "Eu tinha levado sanduíches e tudo o mais", ele continuou reclamando. "Carreguei alguns vídeos no meu celular para mostrar para ele..."

"E ele não disse de quem foi a chamada ou o que foi dito?" Fox observou Naysmith fazer que não com a cabeça. "Você não conseguiu ouvir nada — nem mesmo o que *ele* estava dizendo?"

"Eu estava no fundo da van; ele estava na frente."

"Isso foi na garagem em Fettes?"

Naysmith confirmou com a cabeça e tomou dois centímetros do copo em um só gole, estalando a língua de satisfação e passando o polegar e o indicador pelos lábios.

"Hoje cedo a detetive Inglis pareceu bastante ansiosa para que vocês fossem", afirmou Fox.

"Talvez ela tenha aceitado o seu ponto de vista", sugeriu Naysmith.

"Talvez", admitiu Fox. "E onde está Gilchrist agora?"

"Ele disse que não estava a fim de beber."

Os três homens permaneceram sentados e em silêncio, e, quando retomaram a conversa, logo estavam discutindo outros casos — antigos e atuais —, passando disso para a atual "alegria" de McEwan.

"Vai ser uma hora de discussão com chá e biscoitos e depois quatro horas no campo de golfe", sugeriu Kaye.

"O McEwan até joga golfe?", peguntou Fox, levantando-se para ir buscar a próxima rodada. Ele estava pensando se deveria ficar ou ir embora. Talvez comprasse uma caneca para Naysmith e outra para Kaye e depois lhes dissesse que estava indo embora. Mas, enquanto esperava para ser servido, ele olhou para a televisão. O show de perguntas terminara, e o noticiário local havia começado. Um homem de aparência asseada estava dando algum tipo de depoimento no que parecia ser seu escritório. Os repórteres seguravam microfones na frente de seu rosto. Então uma fotografia apareceu na tela: um homem e uma mulher em pé no convés de um iate, ambos muito bem-vestidos e sorrindo para a câmera, abraçados. Fox achou que havia reconhecido a mulher.

"Aumenta um pouco", ele ordenou ao barman. Mas, quando o controle remoto finalmente foi localizado, o noticiário já tinha passado para outra reportagem. Com um gesto, Fox pediu o controle remoto, e usou-o para mudar de TV para texto, percorrendo a lista de opções até encontrar "Notícias Regionais". Ele clicou em Escócia e esperou que os itens aparecessem na tela. A terceira história era o que ele estava procurando.

"Magnata do mercado imobiliário desaparece no mar."

Fox apertou o botão novamente e rolou a história para baixo. Charles Brogan, 43, empreiteiro milionário... tirou seu barco do ancoradouro em Edimburgo... o barco fora encontrado abandonado e à deriva na boca do Firth of Forth...

"O que foi?", perguntou Kaye. Ele estava em pé ao lado de Fox olhando para a tela da televisão.

"O sujeito por trás de Salamander Point. Ouvi dizer que a companhia dele estava com problemas, e agora ele desapareceu de seu barco."

"Haraquiri?", sugeriu Kaye.

Fox colocou o controle remoto sobre o balcão e pagou a rodada. Sem ter lhe perguntado, o barman lhe serviu outro copo de suco de tomate. Eles levaram as bebidas para a mesa.

"Alguma coisa no noticiário?", perguntou Naysmith.

"Nada para você preocupar essa sua linda cabecinha", respondeu Kaye, desarrumando o cabelo de Naysmith. "Não é melhor você cortar o cabelo antes que o Jack Nicklaus volte?"*

"Eu cortei no mês passado."

Fox estava se levantando novamente. "Preciso dar um telefonema", explicou ele. "Volto já."

Ele saiu do pub e foi atingido pelo frio. Pensou em voltar para pegar a jaqueta, mas resistiu ao impulso. Um outro impulso teve precedência. Ele digitou o número de Jamie Breck em seu celular.

"Estava me perguntando quanto tempo você ia demorar para ligar", disse Breck ao atender.

"Eu acabei de ver no noticiário."

"Eu também."

"Você não sabia?"

"Parece que o primeiro telefonema da esposa foi para o relações-públicas."

"É a pessoa que estava dando a declaração?"

(*) Jack Nicklaus é um dos mais importantes jogadores americanos de golfe, vencedor de diversos campeonatos nacionais e mundiais. (N. T.)

"O nome dele é Gordon Lovatt. De Lovatt, Meikle, Meldrum."

"Nunca ouvi falar neles."

"Firma grande de RP. Fazem lobby também."

"Você fez a lição de casa."

"Eles já circularam perto da minha órbita algumas vezes..." A voz de Breck desapareceu por um momento. Fox pôde ouvir uma sirene. Ele abaixou o telefone do ouvido para confirmar que o som vinha do aparelho. "Você está na rua", ele afirmou.

"Estou indo para Torphichen."

"Por quê?"

"Nenhum motivo especial."

"É por causa de Joanna Broughton? Ela chegou a entrar em contato com você para falar sobre as imagens das câmeras no cassino?" Fox se afastou quando dois fregueses apareceram para fumar. Eles tossiram algumas vezes e continuaram a conversa que estavam tendo.

"Em qual pub?", perguntou Breck. "No Minter's?"

"Eu estava perguntando sobre Joanna Broughton. Como é que eu acabei de vê-la na televisão?"

"Ela é casada com Charlie Brogan. Não mudou o nome, mas eles estão juntos há uns três ou quatro anos."

"O corpo dele já apareceu na praia?"

"Está escuro, se é que você não notou. A guarda costeira suspendeu a busca até amanhã cedo."

"Mas mesmo assim você está indo para Torphichen." Era uma afirmação, mais do que uma pergunta.

"Sim", Jamie Breck respondeu.

"Você vai me contar se descobrir alguma coisa?"

"Se for pertinente ao caso. Eu não duvido que falarei com você em algum momento amanhã... quer goste disso ou não. Enquanto isso, inspetor, tire o resto da noite de folga."

"Obrigado, farei isso."

"Ou pelo menos tente", disse Breck, encerrando a chamada.

Fox voltou para dentro, esfregando as mãos e o corpo para recuperar o calor.

"A boa notícia", ele disse a Naysmith, "é que vocês estariam desperdiçando o tempo de vocês."

"Breck não está em casa?", Kaye adivinhou.

"Indo para Torphichen", confirmou Fox.

"Foi por isso que Gilchrist cancelou?", perguntou Naysmith. "Será que ele sabia?"

"Duvido", respondeu Fox depois de pensar por um momento.

SEXTA-FEIRA,

13 DE FEVEREIRO DE 2009

11

Na manhã seguinte, ele chegou ao escritório cedo, mas não havia ninguém na Sala 2.24. Fox desceu até a cantina e encontrou Annie Inglis lá, inclinada sobre uma xícara de café preto com um sanduíche de ovo mexido comido pela metade e posto de lado.

"Parece que você não está bem", comentou ele, puxando uma cadeira e sentando-se na frente dela.

"Duncan", foi tudo o que ela disse.

"O que ele fez?"

Ela passou as mãos pelo rosto. "Na verdade, nada. Ele está naquela idade..."

"Rebelando-se contra a mãe?"

Ela deu um sorriso cansado. "Ele fica fora até tarde — mais tarde do que eu gostaria. Ele sempre acaba voltando para casa..."

"Mas você espera por ele acordada."

Ela fez que sim com a cabeça. "E, quando ele tem escola no dia seguinte, é como tentar levantar os mortos."

"Ele está andando com a turma errada?"

Ela conseguiu dar outro sorriso, dessa vez daquilo que ele havia dito. "Quando se é mãe, *todo mundo* é a turma errada."

"Certo."

"Eu acho que eles bebem um pouquinho... usam drogas um pouquinho."

"Maconha?"

Ela negou com a cabeça. "O Duncan só aparece um

pouco..." Ela procurou a descrição correta. "Alto", ela acabou por dizer, "de vez em quando. Além disso, a escola disse que ele está indo mal, não está entregando as tarefas."

"Ele tem Avaliação no ano que vem?"

"Eles chamam de Exame Padrão hoje em dia." Ela tentou se animar e pegou o café. "Já tomei três destes."

"Quer um quarto?"

Mas, depois de esvaziar a xícara, ela fez que não com a cabeça.

"Ele vê o pai?", perguntou Fox, mas ela não ia responder.

"Queria alguma coisa, inspetor?", ela perguntou no lugar da resposta.

"Sim, mas pode esperar."

"Diga. Pode ajudar a fazer meu cérebro começar a funcionar."

"Você sabe que a vigilância de ontem à noite foi cancelada."

"Eu ainda não falei com o Gilchrist esta manhã."

"Eles estavam preparando a van. Gilchrist recebeu um telefonema e disse para o meu investigador que não ia mais acontecer."

"Vou perguntar quando o vir. Talvez tenha aparecido alguma outra coisa."

"Talvez", reconheceu Fox.

"Vou perguntar para ele", repetiu Annie Inglis.

"Está bem." Fox ficou em pé de novo. "Tem certeza sobre o café? Na verdade, nós fazemos um café muito melhor lá em cima — pó de ótima qualidade."

"Dá para sentir o cheiro sempre que a gente passa por lá."

"Venha tomar uma xícara quando quiser."

Ela agradeceu. "Malcolm... aquilo que eu disse sobre o Duncan..."

"Meus lábios estão fechados", Fox garantiu a ela.

No escritório da Divisão de Denúncias, McEwan estava de volta.

"Você nos trouxe uma lembrancinha?", Fox perguntou-lhe.

McEwan bufou e então perguntou se as coisas estiveram tranquilas em sua ausência.

"Como um túmulo", declarou Fox, indo na direção da cafeteira. Mas quase já não havia mais café. Ele pensou em ir até a cantina, mas decidiu não ir. Havia chá em saquinhos e ele poderia ferver água. Mas sem leite. Olhou o relógio. Naysmith não teria uma desculpa naquela manhã — não houve a vigilância noturna para explicar o atraso. Ele deveria ter chegado há mais de quinze minutos.

"A agência central do Royal Bank of Scotland tem sua própria Starbucks", comentou McEwan, como se estivesse lendo a mente dele.

"Nós não somos o RBS", retrucou Fox.

"Ainda bem."

"Como foi o seminário?"

"Um tédio."

"Alguma probabilidade de tumultos populares no próximo verão?"

"Parece que alguns dos mandachuvas acham que sim. O aumento de desemprego... inquietação... as pessoas com medo do futuro... tensão precisando ser descarregada de alguma forma... E um monte de extremistas prontos para fazer isso acontecer."

"Um tumulto em Edimburgo seria algo digno de se ver." Fox tinha voltado para sua mesa.

"Houve muitos no passado, Malcolm — a multidão era algo a ser temido."

Fox estava balançando a cabeça. "Não hoje em dia. Mesmo quando estão protestando na frente da casa do chefe do RBS, eles usam placas para as mensagens, que é para não estragar nada — *essa* é a sua multidão de Edimburgo, Bob."

"Deus queira que você esteja certo." McEwan espirrou três vezes, e então pegou o telefone. E ainda por cima eu peguei seu resfriado."

"Fico feliz por compartilhar, senhor", Malcolm Fox lhe disse. "Na verdade, o meu está um pouco melhor." Ele viu quando Joe Naysmith entrou na sala. Naysmith ergueu o saco plástico que estava carregando — café e leite. Fox fez sinal de positivo para ele e recebeu um gesto em resposta — a palma da mão de Naysmith estendida, como se pedisse dinheiro. Era sexta-feira — dia de acertar as contas dos gastos com o café. Fox ignorou Naysmith e começou a cuidar da primeira das tarefas do dia. Cópias de depoimentos no caso Heaton estavam começando a chegar dos advogados no escritório da Promotoria, com dúvidas e comentários presos à maioria das páginas. Fox iria passar alguns para Naysmith e outros para Kaye, ficando com os mais interessantes. Meia hora depois Kaye entrou como se estivesse passeando, e rolou os olhos para cima ao ver que McEwan tinha voltado.

"Isso é hora de chegar?", reclamou McEwan.

"Desculpe, senhor", respondeu Kaye, pegando o café que Naysmith tinha servido para ele. Então tirou um jornal do bolso do paletó e jogou-o sobre a mesa de Fox. "Página três", disse. "Mas não tem fotos de topless..."

Era a edição matutina do *Scotsman*. A história ocupava uma página inteira. Havia fotos de Brogan, de seu barco, de Joanna Broughton e do pai dela, Jack. Nenhuma das fotos parecia especialmente recente, a não ser uma de Gordon Lovatt na coletiva à imprensa. A história em si tinha muito histórico e pouco conteúdo de fato. A empresa de Brogan era dona de terrenos em áreas comerciais e propriedades na cidade. As dívidas se tornaram um problema. Brogan era um "apaixonado marinheiro de fim de semana" que mantinha seu iate de um milhão de libras ancorado em South Queensferry. A esposa era proprietária do bem-sucedido cassino Oliver e seu sogro era um rico "homem de negócios local, conhecido por sua atitude arrogante", hoje aposentado. Fox deu um pequeno sorriso ao ler aquilo. Quando levantou a cabeça, Kaye o observava.

"Não acrescenta muita coisa", comentou Fox.

"Talvez porque não haja muita coisa para acrescentar. Você viu televisão esta manhã?"

Fox fez que sim com a cabeça. "O corpo ainda está em algum lugar por aí."

"Uma garrafa vazia de vinho grã-fino deixada sobre o convés, mais uma pequena quantidade de pílulas para dormir receitadas para a esposa." Kaye fez uma pausa, tombando a cabeça para olhar o jornal. "Ela é muito sedutora — o que será que a atraiu em um magnata quase careca e barrigudo?"

"Aqui diz que eles moravam na cobertura de um dos prédios dele."

"Os três últimos andares de um edifício recém-construído perto do parque Inverleith", confirmou Kaye. "Saiu nos jornais na época — o apartamento mais caro da Escócia."

"Mas isso foi antes da crise."

"Duvido que ela tenha que vender — o papaizinho está a postos para ajudá-la."

"Resta saber por que ele não ajudou o genro."

"Vocês dois", interrompeu Naysmith, "são como uma dupla de garotas deslumbradas lendo o último exemplar da revista *Heat*."

O telefone na mesa de Fox tocou e ele atendeu.

"Vá para o corredor em dois minutos", disse Annie Inglis antes de desligar. Fox recolocou o telefone no lugar e deu uma pancadinha nas pilhas de papelada que tinha diante de si.

"Qual é a minha?", Kaye perguntou. Fox indicou a pilha correspondente.

"E a minha?" Fox indicou outra pilha para Naysmith.

"Isso quer dizer que a sua é a menor das três, Malcolm", disse Kaye, franzindo a testa como sempre fazia.

"De fato", concordou Naysmith.

"Que duro, hein?", Malcolm lhes disse, levantando-se.

Do lado de fora, no corredor, Annie Inglis já o esperava. Ela estava com as costas apoiadas na parede, um pé cruzado sobre o outro, as mãos atrás do corpo.

"Foi cancelado", ela disse.

"Até aí eu já sabia."

"Nós não vamos mais atrás do detetive Breck." O rosto dela estava tão inexpressivo quanto a voz.

"Por quê?"

"Ordens."

"Quem deu?"

"Malcolm..." Os olhos dela se fixaram nos dele. "Tudo o que você precisa saber é que não precisamos mais da ajuda da Divisão de Denúncias e Conduta."

"Foi isso o que eles te instruíram a dizer?"

"Malcolm..."

Ele deu um passo na direção dela, mas ela já estava voltando para o escritório. Enquanto os olhos dele a seguiam, ele viu o momento em que ela abaixou a cabeça. Ela sabia que ele estava olhando, sabia que ele perceberia que aquilo era um sinal.

Uma mulher que acabara de fazer uma coisa em relação à qual não estava satisfeita, e queria que ele soubesse disso.

Na hora do almoço, ele avisou no escritório que ia sair. Pegou um desvio para passar na cantina, na esperança de que Inglis estivesse lá, mas ela não estava. Quando saiu do estacionamento, rezou para que sua vaga ainda estivesse vazia quando ele voltasse, embora soubesse que a chance de isso acontecer era menos do que mínima. Como se tornara seu costume, observou de maneira constante o tráfego atrás de si, mas não apareceram Astras pretos nem Kas verdes. Em dez minutos ele estava estacionando do lado de fora do Oliver. Simon estava novamente atrás do bar, conversando com uma das crupiês enquanto a outra dava duro na mesa de vinte e um com os dois únicos apostadores que havia no cassino.

"Eu já falei que vocês precisam falar com a chefe", disse Simon, reconhecendo Fox.

"Na verdade, você disse isso para o meu colega, e nós já falamos com a senhora Broughton." Fox fez uma pausa. "Achei que vocês iriam estar fechados hoje em sinal de respeito."

"A gente só fecha se houver uma guerra nuclear."

"Que sorte a minha." Fox apertou as palmas das mãos sobre o balcão do bar. Simon olhou fixamente para ele.

"Ela disse que vocês podem assistir às fitas?", ele adivinhou.

"Da noite de sábado", confirmou Fox. E em seguida: "Vá chamá-la, ela vai te dizer". Mas ambos sabiam que Simon não ia telefonar para Joanna Broughton. Primeiro, porque ela devia ter outras coisas em que pensar. Segundo, porque Simon não tinha de fato poder algum — o que não significa que ele ia querer que a crupiê loira e elegante do outro lado do bar percebesse isso, razão pela qual disse a Fox que tudo bem, e que ele podia usar o escritório. Fox agradeceu com a cabeça, congratulando-se no íntimo por ter interpretado o jovem corretamente, e explicou que seria bastante breve.

O escritório estava atulhado. Simon sentou-se atrás da mesa enquanto ajustava a gravação. As imagens seriam vistas diretamente na tela de um computador de mesa.

"Os gravadores são no disco rígido", explicou Simon.

Fox fez que sim com a cabeça enquanto estudava o ambiente: algumas cadeiras, três arquivos e uma bancada de telas do circuito interno de câmeras de segurança, alternando entre uma dúzia de câmeras diferentes.

"Vocês dependem disso para pegar as trapaças?", perguntou Fox.

"Temos funcionários vigiando todo o andar de baixo. Às vezes colocamos alguém em uma das mesas, fingindo ser outro apostador. Todo mundo é treinado para ficar alerta."

"Algum golpe já deu certo de fato?"

"Um ou dois", admitiu Simon, usando o mouse para navegar pela tela. Até que ficou satisfeito e trocou de lugar

179

com Fox. Ele perguntou se havia alguma novidade sobre o "senhor Brogan".

"Você o conheceu?", perguntou Fox.

"Ele aparecia regularmente por aqui. Não jogava muito, mas gostava de ver Joanna."

Simon estava com jeito de quem iria ficar por ali, então Fox lhe disse que ele podia voltar ao trabalho. O rapaz hesitou, mas então pareceu se lembrar da crupiê loira. Ele concordou e saiu. Fox inclinou-se na direção da tela e apertou o botão "play". Havia uma inscrição numérica no canto superior direito, mostrando-lhe que eram nove horas da noite de sábado. Ele avançou a gravação até as dez horas. Às vezes a câmera dava um zoom para focalizar algum jogador em especial, ou mesmo os movimentos das mãos desse jogador enquanto estudava as cartas. O lugar estava movimentado, mas pelo fato de a fita não ter som, havia um quê de surreal na imagem, e as cores tinham uma aparência desbotada. As câmeras pareciam estar focalizando as mesas. Pouca atenção era dada aos porteiros, ao saguão ou a qualquer um dos dois bares. Fox não conseguia ver Vince Faulkner em lugar algum. Simon dissera a Breck que Faulkner estava bêbado, sentado em um banquinho no bar do andar térreo, mas Fox não conseguia vê-lo de jeito nenhum. Quando bateram à porta, ele expirou longamente.

"Escuta", disse ele em voz alta, "eu ainda não acabei aqui!"

A porta abriu devagar. "Ah, acabou sim!", murmurou uma voz. O inspetor-chefe Billy Giles estava parado ali, preenchendo todo o vão da porta.

"Te peguei", disse ele.

Delegacia de polícia de Torphichen.

Não era a mesma sala de antes — era uma das salas de interrogatório *de verdade*. E pronta para um interrogatório *de verdade* também — uma videocâmera no teto apontada para a mesa embaixo. Assim que estivesse funcionando, uma luz vermelha iria piscar indicando que uma gravação estava acontecendo. Um gravador cassete ligado a uma tomada na parede — duas fitas, uma para cada pessoa. Um microfone em sua base no centro da mesa. As paredes eram caiadas, decoradas apenas com um lembrete de que fumar era punível com multa — como se algum dos frequentadores costumeiros daquela sala fosse se preocupar com isso. Um cheiro fétido: o lugar tinha sido ocupado recentemente.

Eles deixaram Malcolm Fox ali, pensando nas possíveis consequências de seus próprios erros. Não ofereceram chá, nem mesmo água. Giles pediu que ele lhe entregasse o telefone. Fox dissera para ele ir se ferrar.

"Como é que eu vou saber se você não vai ligar para números de bate-papo às minhas custas?", foi o argumento dele.

Havia um policial uniformizado com ele na sala, em pé ao lado da porta. Sem dúvida aquele homem teria sido escolhido por sua capacidade de se lembrar das coisas — toda delegacia tinha um. Então Fox fingiu estar mandando mensagens de texto em vez de telefonando. O problema era... para quem iria contar? Quem poderia ajudá-lo a escalar a montanha de esterco onde ele mergulhara de cabeça? Então ele apenas ficou apertando botões a esmo, na esperança de estar enervando o policial uniformizado. Passaram-se mais dez minutos antes que a porta se abrisse. Giles entrou na sala seguido de dois outros detetives. Um deles era uma mulher de uns trinta anos. Fox teve a impressão de tê-la visto por ali quando trabalhava no caso Heaton, mas não conseguia se lembrar se deveria saber o nome dela.

O outro detetive era Jamie Breck.

Era função da mulher certificar-se de que as fitas estavam funcionando e que o gravador estava captando a voz deles. Ela também verificou se a luzinha vermelha da câmera estava piscando, então fez um sinal positivo com a cabeça para Giles. Ele havia sentado no lado oposto ao de Fox. Colocou uma pasta e um envelope grande entre eles. Fox resistiu à possibilidade de parecer interessado.

"Detetive Breck", disse Giles com um aceno da cabeça. O aceno indicava a cadeira vazia ao lado de Fox. Breck sentou-se devagar, evitando contato visual, e Fox percebeu que os dois estavam metidos na mesma confusão. Eles se sentaram lado a lado, com Giles do outro lado da mesa como se fosse um diretor de escola diante de um par de cabuladores, e a mulher substituiu o policial uniformizado na porta.

"Por onde eu começo?", murmurou Giles, quase para si mesmo. Ele estava passando os dedos sobre a pasta e o envelope. Então ergueu os olhos, como se tivesse acabado de ter uma ideia. "E as fotografias? A câmera nunca mente, e tudo isso..." Ele espalhou o conteúdo do envelope com fotos. Elas tinham vindo de uma impressora menor, e sua qualidade não era das melhores.

Mas, mesmo assim, bastante boa.

"Vocês vão ver a data e a hora em cada uma delas", Giles disse, virando as fotos para que Fox e Breck pudessem vê-las melhor. "Este aqui é você, detetive Breck. Você está fazendo uma visita ao inspetor Fox no apartamento dele. Em seguida vocês dois fazem um pequeno passeio até um cassino." Giles fez uma pausa para criar suspense. "Acontece que é o mesmo cassino em que Vince Faulkner esteve na noite em que desapareceu." Ele ergueu a foto a que se referia. Era granulada, tirada a certa distância com uma teleobjetiva. Fox e Breck eram mostrados conversando com os dois porteiros, antes de entrar no Oliver. "Quem mais temos aqui?" Giles foi espalhafatoso ao remexer as fotos de novo. "Vocês dois em Salamander Point. O detetive Breck estava lá para coletar informações sobre a nossa vítima de assassinato." Outra pausa. "Não estou muito certo sobre o *porquê* de você estar lá, inspetor Fox. Dificilmente isso seria parte de suas atribuições como membro da Divisão de Denúncias e Conduta." Giles fungou de leve.

Aquele homem estava adorando cada segundo daquilo, representando tanto para a câmera quanto para o microfone. Fox se lembrou do carro — dos *dois* carros. Agora ele conseguira uma resposta. O fato de ser paranoico, disse para si mesmo, não significa que eles não estejam atrás de você.

"Tentando influenciar na investigação, inspetor Fox?", Giles perguntou. "Entrando sem pedir licença no meio da investigação na casa da sua irmã?"

"A casa dela não é uma cena de crime", Fox retrucou ríspido.

"Até que eu diga o contrário, é exatamente isso o que é." A voz do homenzarrão estava tão calma que ele poderia estar inalando Prozac em vez de oxigênio.

"Isso porque você é um idiota arrogante", Fox julgou que uma pausa da sua parte também seria adequada. "Só para constar", concluiu ele.

Giles levou alguns instantes para reconduzir suas emoções para o local certo. "O que estava fazendo quando foi detido, inspetor?"

"Estava *fazendo meu trabalho* como policial."

"Você estava no escritório do cassino Oliver, vendo as imagens captadas pelo circuito interno de câmeras na noite em que Vince Faulkner desapareceu."

Fox pôde perceber o incômodo de Jamie Breck com aquela informação.

"Com a autoridade de quem você foi lá?"

"Com a de ninguém."

"O detetive Breck lhe disse que você poderia fazer isso? Vocês dois já estiveram naquele estabelecimento não só uma, mas duas vezes." Giles examinou outra foto — Breck e Fox durante o dia, em pé ao lado do carro de Breck segundos antes de Joanna Broughton aparecer.

"Isso não tem nada a ver com o detetive Breck", argumentou Fox. "Eu fui a Salamander Point por minha conta. Foi uma coincidência que ele estivesse lá na mesma hora."

Giles tinha voltado sua atenção para Breck. "Mas você deixou o inspetor participar da sua entrevista com o senhor Ronald Hendry?"

"Sim", admitiu Breck.

"Eu sou o superior dele", Fox começou a explicar. "Eu lhe dei uma *ordem*..."

"Quer você tenha feito isso ou não, o problema é este..." Giles abriu a pasta e tirou de lá uma folha digitada. "O detetive Breck deixou esse detalhe específico fora de seu relatório sobre a entrevista." Giles deixou a folha de papel cair sobre a mesa. "E na noite em que ele foi à sua casa — você tinha dado uma *ordem* para ele aparecer?" Giles deixou que o silêncio se mantivesse por um tempo. "Para mim parece que vocês dois ficaram muito amiguinhos." Ele olhou furiosamente para Breck, enquanto seu indicador apontava na direção de Fox. "Ele é um suspeito! *Você* sabia disso! Desde quando a gente fica íntimo dos suspeitos?"

"O Glen Heaton fez isso com frequência", Fox comentou em voz baixa.

Os olhos de Giles estavam cheios de fúria, sua voz quase perdendo o controle.

"Olha só a hipocrisia desse homem", ele rosnou. Então recostou na cadeira, girando os ombros e o pescoço para aliviar a tensão. "Isso tudo não me parece nada bom. Em outros tempos, talvez a polícia lidasse com a situação à sua própria maneira..." Ele fingiu dar um suspiro de infelicidade. "Mas, hoje em dia, com todo esse sistema de controle mútuo entre os diversos departamentos, essa necessidade de ser mais realista do que o rei..." Ele estava olhando diretamente para Fox. "Bem... você, entre todas as pessoas, inspetor, você sabe como é." E deu de ombros. Quase no mesmo instante, como se o gesto fosse um sinal para o que iria acontecer, bateram à porta. A policial a abriu, e dois homens entraram. Um deles era o inspetor-chefe Bob McEwan. O outro estava uniformizado, trazendo um quepe pontudo enfiado sob um dos braços.

"Uma tremenda vergonha!", foram as primeiras palavras do homem. Giles tinha se levantado, assim como Breck e Fox. Era o que se fazia quando o subchefe de Polícia anunciava sua presença. E ele *realmente* tinha presença. Ele se mantivera firme em seu cargo em Lothian and Borders, rejeitando convites de outros grupamentos policiais. Mantivera-se firme enquanto diversos chefes de Polícia tinham sido promovidos ou trazidos de fora. Seu nome era Adam Traynor e ele tinha o rosto avermelhado, o olhar duro, era alto e de peito grande e arredondado como um barril. "Um policial exemplar", era o consenso, admirado pelas patentes mais baixas e pelas mais altas. Fox já havia encontrado o homem diversas vezes. O vcp podia cuidar dos casos menores de má conduta. Apenas os casos mais sérios tinham que ir para a Promotoria.

"Vergonha", Traynor repetia para si mesmo, enquanto McEwan só olhava para seu errante subalterno. Fox lembrou-se da conversa que haviam tido naquela manhã. *As coisas estiveram tranquilas durante a minha ausência?*, McEwan tinha perguntado. *Como um túmulo*, Fox respondera. Agora a atenção de Traynor estava voltada para McEwan e para Giles. "Os seus homens", ele estava lhes dizendo, "terão que ser suspensos até o final da investigação."

"Sim, senhor", murmurou McEwan.

"Sim, senhor", concordou Giles.

"Não se preocupem", Traynor continuou, virando a cabeça um pouco na direção de Fox e de Breck. "Vocês continuarão recebendo pagamento integral."

Giles também estava olhando para Fox, e Fox sabia o que o inimigo estava pensando: *igualzinho ao Glen Heaton...*

"Com licença", a policial interrompeu. "Ainda estamos gravando..."

"Então desliga!", rugiu Traynor. Ela obedeceu, não sem antes informar ao microfone que o interrogatório estava terminando às duas e cinquenta e sete da tarde.

"Vai haver uma sindicância, senhor?", Bob McEwan perguntou.

"Um pouco tarde para isso, Bob — Grampian manteve seu homem sob vigilância nos últimos quatro dias." Traynor olhava as fotografias sobre a mesa. *"Eles* é que vão acertar as coisas, da mesma forma que nós faríamos se as posições estivessem invertidas."

McEwan estava franzindo a testa. "O meu policial estava sob vigilância?"

O subchefe de Polícia o silenciou com um olhar furioso. "O seu homem andou se comportando mal, inspetor-chefe."

"E ninguém achou que deveria me informar", declarou McEwan.

"Esse é um assunto para ser discutido mais tarde." Traynor estava encarando McEwan, mas a atenção de McEwan estava concentrada em Malcolm Fox, e havia uma pergunta que não fora respondida: *o que diabos estava acontecendo ali?*

"Certo", disse Traynor endireitando o corpo e passando o polegar pela aba do quepe. "Está tudo claro para vocês?"

"Eu tenho uma papelada por terminar", disse Breck.

"De jeito nenhum", Traynor retrucou rispidamente. "Não quero que você sequer tente alterar os registros."

O sangue subiu ao pescoço de Breck. "Com o devido respeito, senhor..."

Mas o subchefe de Polícia já tinha começado a ir embora.

"Entreguem os distintivos e quaisquer outros passes que tiverem", Billy Giles estava dizendo, a mão aberta estendida. "Assim que saírem daqui, não vão passar nem perto dos escritórios de vocês, nem mesmo para pegar um paletó ou uma bolsa. Vão para casa e fiquem lá. A Polícia de Grampian sem dúvida vai entrar em contato — você conhece o protocolo de cor, inspetor Fox..."

McEwan tinha saído atrás de Traynor, como se quisesse pegá-lo pelo colarinho, e sem nem olhar para trás. Mas Fox confiava em seu chefe. Ele iria argumentar a favor de Fox, ficaria a seu lado.

"Distintivos", repetiu Giles, os dedos fazendo movimentos rápidos. "Em seguida vocês serão acompanhados até a saída."

"A Federação tem advogados", disse a policial. Giles olhou feio para ela.

"Obrigado, Annabel", disse Jamie Breck, jogando o distintivo sobre a mesa, a poucos centímetros da mão de Billy Giles.

12

Havia um salão de bilhar na esquina, e ali foi a primeira parada deles, no mínimo porque precisavam de um lugar para sentar e digerir tudo o que acontecera. Breck parecia conhecer o proprietário. Uma mesa perto da janela foi limpa para eles, e cafés "por conta da casa" chegaram.

"Não, vamos pagar por eles", insistiu Breck, tirando um punhado de moedas do bolso. "Ferrado por ferrado..." Seus olhos encontraram os de Fox, e os dois homens conseguiram sorrir de maneira contida.

"Não é exatamente a mais importante das nossas preocupações", comentou Fox. "Mas Annabel estava certa — há advogados que poderíamos consultar."

Breck deu de ombros. "Pelo menos você estava certo quando disse que estava sendo seguido. Isso talvez explique a van parada na rua da minha casa..."

"É", disse Fox, sentindo-se constrangido de repente.

"E então, o que acontece agora? Eu diria que o especialista nisso é você."

Fox não respondeu de imediato. Estava ouvindo os sons ao seu redor — as bolas de bilhar batendo umas nas outras; alguns xingamentos leves entre os jogadores; o som abafado do tráfego lá fora. *Agora estamos no mesmo barco*, pensou.

"Quando foi a última vez que você ouviu falar no iate de Brogan?", ele perguntou.

Breck olhou fixamente para ele. "Nós não estamos interessados em nada disso, Malcolm. Fomos afastados de nosso trabalho."

"Claro." Fox deu de ombros. "Mas você tem amigos, certo? Annabel — é uma delas? Isso significa que você pode acompanhar o que estiver acontecendo."

"E se Billy Giles ficar sabendo?"

"O que mais ele poderia fazer? De agora em diante somos um problema do pessoal de Grampian." Fox pegou a xícara e soprou sobre a superfície. Ele sabia que era a marca mais barata de café instantâneo. Sabia que a xícara não estava tão limpa quanto deveria estar. Mas se lembraria do cheiro, do gosto e do padrão impresso no pires pelo resto de sua vida.

"Nós somos civis agora, Jamie", continuou ele. "Isso nos dá mais espaço de manobra, não menos."

"Eu não sei bem o que você está dizendo."

Fox deu de ombros ostensivamente. "Pensei que você era o sujeito que se arriscava, Jamie, aquele que acha que todos nós fazemos nosso próprio destino, que influenciamos a maneira como nossa vida segue seu curso."

"E você é aquele que pensa o contrário."

Fox não fez mais do que dar de ombros de novo. Alguns jogadores tinham entrado. Traziam seus tacos desmontáveis em maletas retangulares de couro. Um dos homens tinha um exemplar do *Evening News* no bolso. Quando tirou a jaqueta e foi pendurá-la, Fox se aproximou.

"Posso dar uma olhada?", perguntou ao homem. Ele concordou, e Fox voltou para a mesa com o jornal. Charlie Brogan estava na primeira página — o que não significa que houvesse muita coisa para relatar.

"Lembra-se do que disse, Jamie? O primeiro telefonema de Joanna Broughton parecia ter sido feito para sua agência de RP. A mídia ficou sabendo sobre o barco antes de nós. O que isso lhe diz?"

"Que a mulher tem prioridades distorcidas." Breck fez uma pausa. "O que *você* está vendo nisso?"

"Não tenho certeza... ainda não."

"Você não vai se limitar a ir para casa e pôr os pés pro alto, vai?"

"Acho que não."

"Quem garante que eles vão parar de seguir você?"

"Isso é outra coisa — eu quero saber exatamente há quanto tempo isso está acontecendo."

"Por quê?"

"Porque *timing* é tudo, Jamie." Fox encarou Breck. "Você não sabia mesmo que eu estava sob vigilância?"

Breck fez que não com a cabeça de maneira firme.

"Traynor disse quatro dias — isso remonta à segunda-feira."

"O corpo de Vince só foi encontrado na terça-feira."

Fox assentiu. "Eu ainda quero saber o que há nas imagens das câmeras no Oliver."

"Duvido que seja útil."

Fox recostou na cadeira. "Talvez seja hora de você me contar por que parece saber tanto sobre aquele lugar."

Breck pensou por um momento, pesando o quanto devia dizer. "Foi há alguns meses", começou ele. "Era só uma pessoa contra quem estávamos tentando elaborar uma ação..."

"Quem?"

"Um conselheiro municipal — suspeito de ter sido um mau menino. Houve boatos de uma reunião no Oliver, então nós pedimos as gravações a Joanna Broughton."

"E então?"

"E não havia nenhuma — não da hora que queríamos ver."

"Foram apagadas?"

"A história que ouvimos é que houve algum defeito."

"Mas eu vi as gravações da noite de sábado — eu sei que *estão* lá."

"Isso não significa que não tenha havido outro defeito. O Oliver é a alegria e o orgulho de Broughton — é a maneira de ela se virar sozinha."

"Sem o Papai Jack, você quer dizer."

Breck confirmou com a cabeça. "Ela não quer que aquele lugar crie esse tipo de reputação — reuniões escusas; último lugar onde vítimas de assassinato foram vistas..."

"É por isso que ela usa a agência de RP?"

"Lovatt, Meikle, Meldrum", recitou Breck.

Fox pensou por um momento. "Na noite em que fomos ao Oliver, você me disse que nunca tinha estado lá na vida."

"Eu menti."

"Por quê?"

"Empatia?", sugeriu Breck. Ele tirara o jornal de Fox, passando os olhos pela primeira página e indo para a coluna principal. "Está vendo isto?", perguntou ele. Então começou a ler: "O valor de diversos empreendimentos da orla marítima de Edimburgo tinha caído em duzentos e vinte milhões de libras durante o ano passado... Os preços dos terrenos na cidade tinham caído de um valor máximo de dois milhões de libras por acre para menos de um quarto disso... O projeto de Fountain Brewery está em apuros... Ditto Caltongate e a nova cidade projetada em Shawfair. Oitenta por cento dos terrenos em Edimburgo agora não têm nenhum potencial de desenvolvimento imobiliário..." Ele colocou o jornal sobre a mesa na frente deles. "Não tem nenhum potencial de desenvolvimento imobiliário", repetiu ele. "Parece que Charlie Brogan tinha todos os motivos para pular do barco."

"Difícil discordar." Fox estava lendo o mesmo texto. "Fountain Brewery", disse ele. "O lugar onde Vince foi encontrado."

Breck fez que sim com a cabeça.

"Será que o Brogan era um dos empreiteiros?"

"É possível", admitiu Breck.

"Centenas de milhões de libras que simplesmente desapareceram no ar", comentou Fox.

"O terreno ainda está lá", argumentou Breck. "A única coisa que desapareceu foi a confiança. Os bancos pararam de emprestar, todo mundo ficou nervoso." Ele pensou por um momento. "Então, o que *você* vai fazer, Malcolm?"

"Talvez eu vá visitar a Jude, ver como ela está passando. E você?"

"Já faz um bom tempo que eu não dedico um dia inteiro para o Quidnunc." Breck parou de falar, olhando fixamente para a mesa. "Eu não lamento ter feito o que fiz."

"Não se preocupe — isso tudo é culpa minha, não sua. Conte exatamente como aconteceu — eu induzi você a engano, usei a minha patente, talvez até tenha mentido..." Ele estava prestes a dizer: *a propósito, eu não sou o único que está sob vigilância*. Mas engoliu as palavras e, em vez de falar, suspirou. "Você podia ter me contado sobre o cassino e o advogado."

Breck apenas deu de ombros. "Mas o Giles estava certo — eu nunca deveria ter permitido que você chegasse nem mesmo a um milhão de quilômetros do caso. Ele provavelmente está mais furioso comigo do que com você — você é o inimigo que ele conhecia, mas eu... eu acabei posando de Judas."

"Tenho certeza de que Judas teve bons motivos."

Eles riram discretamente enquanto se levantaram, sem terminar o café. Ficaram em pé um de frente para o outro e apertaram-se as mãos. Fox recolocou o jornal no bolso da jaqueta do jogador de bilhar e acenou um agradecimento. Quando se virou na direção da porta, Jamie Breck já tinha ido embora.

Tony Kaye saiu do quartel-general da polícia com uma pasta surrada balançando em uma das mãos. Ele estava assobiando baixinho, sondando com os olhos o estacionamento. Quando ouviu o som de uma buzina, foi naquela direção. A porta do lado do passageiro do Volvo já estava aberta, então ele entrou e a fechou, entregando a pasta para seu dono.

"O que aconteceu?", perguntou ele.

"Eles não me deixaram passar da recepção", explicou Malcolm Fox. "Já devem ter ficado sabendo que sou radioativo."

"O McEwan está muito furioso."

"O que ele andou dizendo?"

"Nem um pio. Ele teve uma reunião na sala do sub-chefe, e tem outra agendada para mais tarde." Kaye fez uma pausa. "Estou ouvindo um monte de vozes estranhas por aí..."

"Polícia de Grampian", explicou Fox. "Acho que deve ser o pessoal da Divisão de Denúncias de lá. Eles me puseram sob investigação."

Kaye juntou os lábios para dar um assobio. "A Divisão de Denúncias de Grampian? O que está acontecendo, Foxy?"

"Eu entrei de cara nessa situação, Tony. A culpa é só minha."

"O Breck te dedurou?"

Fox pensou por um momento, e então fez que não com a cabeça. "Eles estavam de olho em mim antes de eu ter conhecido Breck."

"Estar de olho é uma coisa, mas eles tinham alguma munição antes de ele aparecer? E, para início de conversa, por que estavam de olho em você? Tem alguma coisa que eu deveria saber?"

Fox não tinha nem sequer o começo de uma resposta. Ele abriu a pasta e olhou dentro. "Onde estão as anotações de dúvidas do escritório da Promotoria?"

Foi a vez de Kaye balançar a cabeça. "McEwan já as passou para outra pessoa."

"Ele está pondo outra pessoa no meu lugar?"

"É só temporário, até que você volte a ficar em pé."

"Quem disse que eu não estava em pé?", disse Fox, ríspido. E em seguida: "Quem é?".

"Gilchrist."

Fox o encarou. "O Gilchrist da Casa do Pai?"

Kaye confirmou com a cabeça. "Então agora em vou tê-lo em um ouvido, o Naysmith em outro, os dois competindo para ver quem é mais viciado em tecnologia. E você sabe o que isso significa."

"O quê?"

193

"Significa que você tem que acabar com essa história rapidamente, antes que eu fique louco."

Fox conseguiu dar um sorriso cansado. "Obrigado pelo voto de confiança."

"É em *mim* que eu estou pensando, Foxy." Eles ficaram em silêncio por um momento, olhando através do para-brisa. Então Kaye deu um suspiro comprido. "Você vai ficar bem?", ele perguntou.

"Não sei."

"Alguma coisa que eu possa fazer para ajudar?"

"Ficar atento a tudo. Ligar para mim uma vez por dia para eu saber o que está acontecendo." Ele fez uma pausa. "De quem foi a ideia de trazer Gilchrist?"

"Sem dúvida Naysmith deve ter feito a recomendação..."

"Mas pelo que eu vi, a Casa do Pai já está com falta de pessoal. Com Gilchrist em outro lugar, só sobra a Inglis."

Kaye deu de ombros. "Não é problema seu, Foxy." Ele estava abrindo a porta do carro. "Vamos ao Minter's mais tarde? Noite de sexta, lembra...?"

"Duvido que eu vá estar no clima."

Kaye já tinha tirado metade do corpo do carro quando voltou. "A propósito, o Joe quis que eu lembrasse o seguinte: você está três semanas atrasado com os gastos do café."

"Diga a ele que o débito foi transferido para o novo colega."

"Eu gosto do seu estilo, inspetor Fox", disse Kaye sorrindo. "Sempre gostei..."

Em vez de ir direto para casa, Fox parou na frente da casa de Jude. Não havia sinal de atividade — nem vans nem policiais. Ele tocou a campainha e ela atendeu com um grito atrás da porta.

"Quem é?"

"Seu irmão."

Ela abriu a porta e o deixou entrar. "Apareceram repórteres?", adivinhou ele.

"Eles queriam saber por que o seu pessoal esteve cavando no meu jardim." Ela aceitou o beijo dele no rosto e levou-o para a sala de visitas. Ela tinha fumado: uma ponta ainda queimava dentro do cinzeiro. Mas não havia nenhum indício de que tivesse bebido qualquer outra coisa a não ser café. Um novo bule de café instantâneo estava sobre o balcão, junto com a chaleira, uma caneca e uma colher.

"Quer um?", ela perguntou, mas ele fez que não com a cabeça.

Ela ergueu um pouco o braço. "Coloquei um gesso novinho na hora do almoço. Um pouco menos incômodo, e pelo menos consegui dar uma boa coçada quando tiraram o velho."

Ele sorriu daquilo. "Uma vez você não quebrou o outro braço?"

"Foi o pulso", ela o corrigiu. "Eu achava que você não se lembrava."

"A mamãe me levou junto quando você foi ao hospital para tirar o gesso."

Jude estava confirmando com a cabeça. Ela voltara para sua poltrona favorita e se preparava para acender um novo cigarro.

"Você acabou de apagar um", Fox lembrou-lhe.

"O que significa que deve ser hora de acender outro. Você não fumava?"

"Não desde que saí da escola." Ele se acomodou no sofá na frente dela. A televisão estava ligada, mas sem som — parecia ser um documentário sobre natureza.

"Parece que foi há muito tempo", Jude disse.

"E *foi* há muito tempo."

Ela concordou, ficando séria, e Fox sabia que ela estava pensando em Vince. "Eles ainda não sabem me dizer quando vão liberar o corpo", ela disse em voz baixa.

"Eu estava pensando em uma coisa", Fox começou,

inclinando-se um pouco para a frente. "Eu não sei muito bem se alguma vez você me contou como vocês se conheceram."

Ela olhou para ele. "Achei que você não se interessasse."

"Agora estou interessado."

Jude tragou o cigarro, fechando os olhos contra a fumaça. Ela se virara sobre a poltrona de maneira que suas pernas ficaram penduradas sobre um dos braços. Fox se lembrou de que a irmã tinha uma bela figura. O jeans que usava era justo, mostrando as linhas de suas coxas e quadris esbeltos. Só o começo de um leve acúmulo de gordura ao redor da cintura. Não havia sinal de sutiã sob a camiseta, que era larga nas mangas, permitindo vislumbres da pele em ambos os lados dos seios. Ela fora brilhante na escola, esforçada até demais. A rebelde nela só viria à luz mais tarde, com sua primeira tatuagem — uma rosa vermelha no ombro esquerdo, completa, com haste e espinhos. Fox se lembrou de que Sandra Hendry também exibia uma tatuagem — um escorpião no tornozelo. E os braços de Vince Faulkner tinham sido marcados por métodos amadores de tinta e agulha de sua juventude.

"Vince", dizia Jude, estendendo o nome para além de seu comprimento natural. "Vince estava bebendo com alguns de seus amigos no West End. Era uma noite de sábado e eu tinha saído com uma garota do escritório, Melissa. Era aniversário dela e, para falar a verdade, ela era chamada de Brega Chique pelas costas. Ela convidara uma meia dúzia de nós para sair naquela noite, e eu aceitei antes de perceber que todo mundo tinha dado alguma desculpa." Jude suspirou. "Então só estávamos nós duas, e isso tinha suas compensações"

"Como assim?"

"Sair com a Brega Chique significava que eu recebia todas as atenções."

"A Bela e a Fera?"

"Ela não era *tão* ruim assim, Malcolm." Mas o comentário fora no mínimo indiferente. "De qualquer forma, nós acabamos indo para um pub em St. Martin's Lane ou algo assim... Você não conhece Londres, conhece?" Ela viu Fox fazer que não com a cabeça. "Você iria odiar — grande demais, muito cheia de si..." Ela parecia estar divagando, mas conseguiu se conter. "Vince estava em um bando de meia dúzia. Tinha havido um jogo de futebol na hora do almoço naquele dia e parecia que eles estavam comemorando desde a hora do jogo. Eles insistiram em nos pagar uns drinques..." Ela fez uma nova pausa, perdida em pensamentos. "Vince era como os outros, mas diferente. Ele não parecia ter bebido tanto quanto os colegas. Ele era mais quieto, quase tímido. Ele escreveu o número de seu celular nas costas da minha mão, disse que deixaria o resto por minha conta."

"Ficou por sua conta tomar a iniciativa?"

"Acho que sim..."

"E você acabou ligando."

Mas Jude estava fazendo que não com a cabeça. "Eu tomei banho no dia seguinte e o número desapareceu. Pelo que me dizia respeito, ele era apenas um sujeito no meio de uma bebedeira da noite de domingo. Mas a Melissa tinha começado a namorar um dos sujeitos. Uma semana depois ele apareceu para pegá-la no escritório..."

"O Vince estava com ele?"

Ela sorriu. "Quis saber por que eu não tinha telefonado."

"Vocês quatro saíram juntos?"

"Nós quatro saímos juntos", ela confirmou. "A Melissa rompeu com o Gareth depois de uns quinze dias." Os olhos dela ficaram brilhantes com as lágrimas, mas ela piscou e impediu-as de sair. "Eu nunca esperei que fôssemos continuar."

Fox observou a irmã esfregar os olhos nos dois ombros da camiseta. Havia algo escrito na frente da camiseta, junto com uma ilustração. Era de uma turnê de rock, e Fox se lembrou de que Vince com frequência a levava em shows. Eles chegaram a viajar até Paris e Amsterdam para ver certas bandas.

"Você nunca o conheceu de verdade", Jude estava dizendo. "Você nunca se esforçou."

Tudo que Fox podia fazer era concordar com a cabeça.

"Ele não era um doce o tempo todo, Jude."

"Isso porque ele teve problemas com a lei?" Os olhos dela estavam fixos nos dele. "Mas esse é o problema — pessoas como *você* não conseguem ver além disso. Aquilo era história antiga, e no entanto aquele homem, o Giles, ficou fazendo um cavalo de batalha desse assunto, e os jornais não param de comentar a mesma coisa."

"E ele escondeu isso de você, Jude. Ele não queria que você soubesse."

"Porque não era mais *ele*!" O tom de voz dela estava aumentando. "E não comece a dizer que ele estava me batendo — eu não quero ouvir! Os jornais ficaram sabendo disso também, e quem mais está passando essas coisas para eles, a não ser *o seu* pessoal?"

"Eles não são o meu pessoal", disse Fox em voz baixa. "Não mais."

Ele passou a maior parte da noite tirando livros das prateleiras em sua sala de estar e colocando-os sobre a mesa de café. Sua intenção era colocá-los em ordem alfabética, talvez com uma divisão em duas categorias — aqueles que ele já lera; aqueles que não. Mas então ele se perguntou se alguns não poderiam ir para alguma instituição de caridade. E, quanto aos que fossem voltar para as prateleiras, será que devia fazer outra subdivisão em ficção e não ficção? Ele tinha comido frango com curry de jantar, usando os ingredientes que comprara no Asda quando fora lá conversar com Sandra Hendry. O frango viera de uma cooperativa no trajeto de volta da casa de Jude. Ele agora estava indisposto, depois de comer demais.

"Talvez eu devesse dar todos eles", disse a si mesmo, olhando as pilhas de livros. Isso significava que ele poderia se livrar das prateleiras, criando mais espaço. Mas espaço para quê exatamente? Uma televisão maior, um daqueles sistemas de cinema doméstico: ele acabaria assistindo a mais porcarias que de costume. Quando seu celular deu sinal de vida, ele ficou feliz em abri-lo. Era uma mensagem de texto de Annie Inglis, convidando-o para almoçar no domingo. Ela dava o endereço e terminava a mensagem com a mais simples das perguntas:

O.k.?

Fox passou os dedos pelo cabelo e descobriu que estava suando com a arrumação dos livros. Como nunca fora um exímio escritor de textos em celular, precisou de três tentativas antes de concluir que estava satisfeito com sua resposta. Só então ele apertou o botão de envio. Sua mensagem fora um sucinto "O.k.", sem ponto de interrogação.

SÁBADO,

14 DE FEVEREIRO DE 2009

13

No sábado Fox dormiu até tarde, mas também fora dormir às duas da manhã. Às onze ele estava sentado à mesa da cozinha com três jornais — o *Scotsman*, o *Herald* e a primeira edição do *Evening News*. Buscava informações sobre Charlie Brogan, e o jornalismo escocês teve o prazer de fornecê-las. Vindo da classe trabalhadora, criado e educado em Falkirk. O pai fora um marceneiro, e Charlie aprendeu algumas habilidades com ele antes mesmo de sair da escola. Seu currículo era enorme e abrangente, incluindo tudo, de instalação de carpetes a vendas de porta em porta. Os dois acabaram se associando, e Brogan montou uma empresa que vendia revestimentos de pisos para fábricas e escritórios. Aos vinte e três anos ele tinha dinheiro de sobra para lhe permitir um investimento de risco — a compra de apartamentos para alugar ou para reformar e revender. A economia estava relativamente estável, e Brogan prosperou ainda mais, passando para empreendimentos imobiliários de grande monta e ficando lado a lado com os ricos e influentes. Ele desfrutava da hospitalidade de banqueiros e de outros executivos, saía com as jovens mais desejáveis da Escócia e acabou conhecendo e se casando com Joanna Broughton.

Os jornais traziam várias fotos de Joanna. Ela sempre fora atraente, mas havia uma dureza em seus traços e em seu olhar. Mesmo quando estava sorrindo, ela deixava o fotógrafo saber que era ela quem mandava. O interior da cobertura em Inverleith aparecia em uma das fotos, as paredes cheias de obras de arte. Uma coluna paralela escrita por um psicólogo profissional chamava a atenção para o fato de que mais tragédias envolvendo antigos investidores ambiciosos e bem-sucedidos seriam o resultado inevitável do estrangulamento do crédito.

O único fracasso público na longa carreira de Brogan ocorrera quando sua tentativa de fazer parte do conselho do Celtic Football Club fora rejeitada. Um de seus amigos falou ao *Herald* sobre o ocorrido: "Charlie nunca se acostumou com o fato de as pessoas dizerem 'não' para ele. Aquilo o perturbou de tal forma que ele pensou em mudar para o Rangers FC — esse era o tipo de pessoa que ele era".

Do tipo esquentado, pensou Fox. Não do tipo que tratava racionalmente uma afronta se pudesse reagir de maneira exaltada. Um homem que via os problemas da economia como ofensa pessoal. Mas aquela passagem sobre os Rangers... sobre não ceder mas ir à forra... não parecia que Brogan era o tipo de pessoa que simplesmente desistia. Ele iria querer resistir, revidar. O psicólogo tinha se concentrado na economia sem se importar em discutir a questão mais importante: Charlie Brogan poderia ser considerado um suicida em potencial? Não havia menção a nenhum bilhete que tivesse deixado. Nenhum indício de que tivesse resolvido seus assuntos antes de tomar aquela atitude. Mas então talvez aquilo fosse razoável — ele saíra com o barco, navegando para cada vez mais longe de seus problemas, tranquilizando-se com comprimidos e álcool. Pode ser que estivesse no convés e tivesse tropeçado e caído. Ou aquele gesto impetuoso poderia ter lhe sugerido que ele devia terminar as coisas de maneira adequada. Não um suicídio planejado, mas totalmente decidido no momento.

Não houve comentários da família, além da declaração original feita por meio de Gordon Lovatt. Fox olhou para a fotografia de Joanna Broughton.

"Você garantiu que houvesse um ponto de vista da mídia", ele disse para ela, "antes de deixar qualquer outra pessoa se aproximar."

Isso era frio? Era calculista? Ou apenas uma mulher inteligente sendo inteligente? Fox olhava, olhava, e não conseguia decidir. Fez uma pausa, alongando a coluna e relaxando os ombros. Através da sala de estar, viu que a mesa do café estava coberta de livros. Havia mais no chão, na frente das prateleiras, elas próprias vazias. Havia poeira no ar. Até agora ele só encontrara meia dúzia de títulos para os quais não via mais utilidade, em muito superados pela quantidade dos que queria ler novamente. Quando o telefone tocou, teve que procurar o aparelho. Estava escondido entre duas pilhas.

"Malcolm Fox", disse ao atender.

Era de Lauder Lodge. Mitch queria saber se ele iria fazer uma visita hoje ou amanhã. Ele queria vê-lo. Fox estava prestes a sugerir domingo até se lembrar do almoço com Annie Inglis. Ele deu uma olhada no relógio e então pediu ao funcionário para dizer ao pai que estava a caminho.

Pegou a passagem secundária até a rotatória de Sheriffhall e rumou para The Wisp, cortando por Niddrie e chegando à casa de repouso em menos de vinte minutos. Mitch estava sentado na recepção, de casaco, cachecol e chapéu.

"Eu quero sair", ele disse ao filho.

"Claro", concordou Fox. "Vou trazer o carro até aqui."

"Minhas pernas ainda não estão totalmente paralisadas." Então eles andaram até a esquina onde Fox tinha encontrado uma vaga para estacionar. Ele teve que ajudar o pai com o cinto de segurança, e eles percorreram o curto trajeto até Portobello, estacionando em uma rua lateral ao lado do passeio público.

"Devíamos ter convidado a senhora Sanderson."

"Audrey vai passar o dia de cama", explicou Mitch. "Está chegando um resfriado para ela." Então, quando Malcolm soltou o cinto de segurança dele: "Eu pedi a eles que ligassem para Jude para mim, mas ela não estava atendendo".

"Ela tem recebido muitos telefonemas de jornalistas. Ou pode ser que estivesse na casa da vizinha."

"Como ela está?"

"Se aguentando."

"Vocês estão perto de prender o assassino?"

"O caso não é meu, papai."

"Mas eu espero que você fique de olho nele, diacho."

Fox assentiu com um movimento lento da cabeça. "Acho que não houve muito progresso..."

O sol brilhava, e a orla estava cheia de gente. Havia pessoas caminhando com cachorros e crianças na própria praia. Garotos com patins eram guiados pela calçada de concreto pelos pais. Um vento cortante vinha do Firth of Forth. Fox se perguntou se o barco de Charlie Brogan seria visível dali. Segundo os jornais, ele fora rebocado até North Queensferry, o que significava que a Polícia de Fife estava em uma disputa por jurisdição com Lothian and Borders. Os respectivos chefes iriam se entender, com Edimburgo como provável vencedora, por mais que os policiais de Fife imaginassem a possibilidade de passar alguns dias ou mesmo semanas na capital.

"No que você está pensando?", o pai de Fox perguntou. Eles estavam em pé ao lado do quebra-mar, olhando a paisagem.

"Os fins de semana não são para a gente pensar", afirmou Malcolm.

"Isso quer dizer que você estava pensando no trabalho."

Fox não conseguiu negar. "As coisas andam um pouco difíceis", ele admitiu.

"Você precisa de umas férias."

"Eu tive uma folga boa na época do Natal."

"E fez o quê, na verdade? Estou falando de férias de verdade, com sol, um hotel com piscina e refeições servidas na varanda." Mitch Fox fez uma pausa. "Você poderia muito bem pagar algo assim se as minhas despesas não caíssem todas sobre você."

Fox olhou para o pai. "Lauder Lodge foi uma enorme sorte, papai. Eu não me arrependo de um único centavo pago lá."

"Eu aposto que sua irmã não colabora."

"Ela não precisa fazer isso — eu posso pagar sozinho."

"Mas isso deixa as coisas apertadas, não é? Eu sei muito bem o quanto custa o meu quarto, e posso adivinhar quanto você ganha..."

Fox deu uma risada breve, mas não disse nada.

"E se você conhecer alguma garota bacana e quiser levá-la a algum lugar?", continuou o pai.

"Por que estamos falando nisso?", Fox perguntou com um sorriso.

"Eu não vou ficar aqui por muito mais tempo, Malcolm — nós dois sabemos disso. Eu só quero ter certeza de que meu filho e minha filha estão bem."

"Nós estamos bem." Fox tocou a manga do casaco de seu pai. "E você não devia falar essas coisas."

"Eu conquistei esse privilégio."

"Talvez, mas mesmo assim..." Fox assoou o nariz e olhou para os dois lados do passeio. "Vamos arranjar alguma coisa para comer", disse ele.

Eles comeram peixe com batatas fritas no papel, sentados ao lado do quebra-mar. "Tem certeza de que não está com frio?", Fox perguntou ao pai. O velho senhor fez que não com a cabeça. "O cheiro do vinagre", confidenciou Fox, "sempre me leva de volta a ocasiões especiais."

"Era uma delícia no sábado à noite", concordou Mitch Fox. "A não ser pelo fato de que sua mãe não gostava tanto assim de peixe — tinha que ser frango ou torta de carne para ela."

"Qual era o nome daquele vendedor de peixe com batatas fritas perto de casa?" Fox estava franzindo a testa, concentrado, mas o pai pensou por um momento e balançou a cabeça.

"Não posso ajudar."

"Talvez eu deva perguntar em Lauder Lodge se eles têm um quarto para mim..."

"Você vai acabar conseguindo."

"O quarto ou lembrar o nome do vendedor?"

Mitch Fox sorriu daquilo. Ele já comera bastante, então ofereceu o resto a Malcolm, que recusou com um movimento da cabeça. Eles levantaram e começaram a caminhar. Mitch estava um pouco rijo no início, mas tentou não demonstrar. As pessoas por quem eles passavam cumprimentavam com um aceno da cabeça ou diziam "olá". Havia muitas gaivotas ali por perto, mas Fox jogou os restos da comida em uma lata de lixo.

"Os Hearts vão jogar em casa ou fora?", perguntou Mitch.

"Não sei dizer nem contra quem eles estão jogando."

"Você adorava ir a um jogo quando era criança."

"Acho que eu gostava mesmo era dos palavrões. E eu não fui a uma única partida nesta temporada." O pai de Fox tinha parado novamente, encostando-se no quebra-mar.

"Está tudo bem mesmo, filho?", ele perguntou.

"Não, não está."

"Você quer conversar sobre isso com o seu velho?"

Mas tudo o que Malcolm Fox conseguiu fazer foi balançar a cabeça em negativa.

Eles encontraram um pub e entraram, e Mitch foi escolher uma mesa enquanto Malcolm pegava as bebidas — uma água com gás e meia caneca de India Pale Ale. O pai lhe perguntou quanto tempo fazia que ele não tomava uma "bebida" de verdade, e confessou que Audrey Sanderson tinha um pequeno estoque de *brandy* em seu criado-mudo. Fox ficou sentado em silêncio por um minuto, e então respirou fundo.

"Quer saber realmente por que eu parei de beber?"

"Porque você percebeu que, no final, isso ia acabar matando você?", adivinhou o pai. Mas Fox fez que não com a cabeça.

"Depois que Elaine foi embora, eu não reagi bem. Passei a importuná-la, a um ponto que poderia ser considerado assédio. Certa noite eu fui até onde ela estava morando. Eu estava embriagado e acabei batendo nela."

Ele ficou em silêncio, mas o pai não ia interromper. "Ela poderia ter me processado. Minha carreira estaria acabada. Quando liguei para pedir desculpas... bom, precisei de todos os poderes de persuasão que eu tinha para fazer com que ela falasse comigo, e então tudo o que ela disse foi 'pare de beber'. E eu sabia que ela estava certa."

"Por que você está me contando isso?", Mitch perguntou em voz baixa. "Por que agora?"

"Por causa do que aconteceu com Vince", o filho explicou. "Eu sempre o odiei, odiava o jeito como ele tratava a Jude, mas agora que ele está morto..."

Mitch esperou que Fox o encarasse. "Você não é como ele", declarou. "Não pense que é."

Eles voltaram a assistir ao futebol na televisão, ficando até o final da partida. Eram cinco horas quando saíram. Fox levou o pai de volta a Lauder Lodge em silêncio, ganhando um olhar zangado de uma das funcionárias. O sr. Fox, ao que parece, estava atrasado para o jantar.

"Por sorte nós guardamos para o senhor", disse a mulher.

"Isso é o que vamos ver", Mitch murmurou, estendendo a mão na direção do filho. Os dois se cumprimentaram.

No caminho de casa, Fox pensou em comprar flores para Annie Inglis. Ela enviara uma mensagem com seu endereço, ignorando que ele já sabia. Ele se perguntou também se deveria comprar alguma coisa para o filho dela. Mas o quê? E as flores não começariam a murchar de um dia para o outro? Então foi direto para casa, para jantar o que havia na geladeira e separar mais alguns livros. Ele pensou na conversa no pub. *Você não é como ele... Não pense que é.* Quando destrancou o portão, havia um bilhete dentro de sua caixa postal. Era de Jamie Breck.

LIGUE PARA MIM QUANDO CHEGAR.

Fox pegou o celular, mas então parou, batendo-o de leve contra os dentes. Trancou de novo o portão e voltou para o carro. Cinco minutos depois, estava parando na rua quase em frente à casa de Breck. As casas tinham suas próprias garagens, então havia bastante espaço para estacionar. Ocorreu-lhe que a van tivesse ficado em evidência exatamente por esse motivo. Ao apertar o botão da trava, ele reparou em uma jovem que tinha acabado de sair da casa de Breck, enfiando os braços em um casaco e colocando um cachecol ao redor do pescoço. Ela se dirigia ao Mazda de Breck, mas viu Fox e o reconheceu. Ela acenou e sorriu.

"Estou indo buscar pizza — você quer?"

Fox, mais perto da casa agora, fez que não com a cabeça. "Annabel, certo?"

Ela confirmou e entrou no carro. "Abrimos uma garrafa de vinho", ela informou, acenando de novo antes de sair. Fox tocou a campainha e esperou.

"Esqueceu alguma coisa?", Jamie Breck perguntou pouco antes de abrir a porta. Então seus olhos se arregalaram. "Ah, é você." Ele estava vestido com jeans e camiseta, descalço. Havia música tocando — pareceu vagamente brasileira para Fox.

"Não queria interromper", começou Fox.

"A Annabel acabou de sair para buscar uma pizza..." Breck interrompeu o que dizia. "Como você sabia onde eu morava?"

É, Malcolm, boa pergunta... "Achei que sabia qual era a rua", ele explicou. "Então acabei tendo sorte — vi a Annabel saindo e a reconheci de Torphichen."

"Então agora o meu segredinho foi revelado."

"Ela é sua namorada?", Fox deduziu.

"Sim."

"O Giles sabe?"

"Acho que desconfia, o que não significa que seja algum segredo de Estado ou coisa assim. É só que eles vão nos atormentar quando ficarem sabendo."

"Qual é a patente dela?"

"Detetive — o sobrenome dela é Cartwright, se você quiser manter as coisas em um nível formal." Breck parou de falar novamente. "Entra."

Fox entrou atrás dele. O lugar tinha uma atmosfera bastante moderna — bem decorado e montado. A música vinha de um aparelho de MP3 e havia uma televisão de tela plana presa em uma das paredes. As luzes tinham sido reduzidas, mas Breck as aumentou novamente. No chão em frente do sofá havia uma garrafa de vinho, dois copos e os sapatos e meias de Breck.

"Escute, eu não quero interromper nada", disse Fox.

"Sem problema, Malcolm. Acho que eu ainda estou em choque por ontem — e você?"

Fox fez que sim com a cabeça e colocou as mãos nos bolsos do casaco. "Você tinha alguma coisa para me contar?", perguntou.

Breck havia se jogado no sofá. Estendeu a mão na direção do copo de vinho e o levou até a boca. "É o seu amigo Kaye", ele disse antes de beber.

"O que tem ele?"

"Annabel me contou hoje à tarde. Eu ia ligar para você, mas achei que seria melhor contar pessoalmente. A gente saiu para dar um passeio, então parei no seu apartamento e, como você não estava, deixei o bilhete."

"E o que você ia dizer sobre Tony Kaye...?"

Breck revirou o vinho dentro do copo. "Lembra que você me contou sobre um visitante misterioso na casa da sua irmã na noite de segunda-feira?" Ele olhou fixamente para Fox por cima da borda do copo.

"Kaye?", adivinhou Fox.

"Parece que um 'cidadão preocupado' ligou para informar à polícia sobre um carro estacionado ilegalmente na rua de Jude — os dois pneus de um dos lados do carro sobre a calçada." Breck deu um sorrisinho. "Eu adoro o exército de intrometidos de Edimburgo." Ele pegou um controle remoto sobre o sofá e abaixou a música. "De qualquer forma, eles deram uma passada por lá e alguém acabou reparando. Acontece que nosso cidadão preocupado tinha anotado a marca e o modelo do carro, além de parte da placa. Nissan X-Trail."

"É esse o tipo de carro que Tony tem."

"E o registro confere."

"Parcialmente", enfatizou Fox.

"Parcialmente", concordou Breck. "Mas o suficiente para satisfazer Billy Giles."

Fox pensou por um momento. "Isso não quer dizer nada", disse ele.

"Talvez não." Breck tomou outro gole de vinho. "De qualquer forma, achei que gostaria de saber, uma vez que o Kaye parece não ter mencionado isso para você."

Fox não sabia o que responder, então moveu a cabeça lentamente em afirmativa. "Ele sabe que foi descoberto?"

"Solicitaram a presença dele em Torphichen amanhã cedo."

"Giles pôs a equipe para trabalhar em um domingo?"

"Ele acha que o orçamento vai dar para isso. Quer ficar para a pizza?"

"Não posso. Escute... obrigado por me contar. Não quero que Annabel se encrenque..."

"Annabel é mais inteligente do que nós dois juntos — e mais astuta também."

"Desculpe mais uma vez por ter interrompido..."

Breck fez um gesto com a mão, indicando que não tinha importância. Ele abriu a porta para Fox e ficou parado ali enquanto Fox andava na direção da calçada.

"Malcolm!" Breck chamou em voz alta, fazendo Fox parar e virar para ele. "Como sabia qual era a minha rua? Na noite em que você me deixou, eu não me lembro de ter dito qual era."

Mas, em vez de esperar por uma resposta, Breck simplesmente fechou a porta. Alguns segundos depois, o som da música voltou a aumentar. Malcolm Fox ainda estava parado no mesmo lugar.

"Merda", disse ele, procurando o celular no bolso.

Tony Kaye estava em um restaurante com a esposa. Pareceu ter pedido licença para sair da mesa e estava se desviando de garçons e outros fregueses enquanto falava.

Fox tinha voltado para o carro, sentado atrás do volante, mas sem colocar a chave na ignição.

"O que exatamente você achava que estava fazendo?", ele perguntou. "E quando ia me contar?"

"Eu tenho uma pergunta mais interessante, Foxy — quem diabos *te* contou?"

"Não importa. É verdade?"

"O que é verdade?"

"Que você foi até a casa de Jude na noite de segunda-feira."

"E se fui, o que é que tem?"

"Por que diabos fez isso?" Fox estava massageando a parte de cima do nariz com os dedos.

"Porra, Foxy, você me contou que ele tinha quebrado o braço da sua irmã."

"Era *meu* problema, não seu."

"Mas nós dois sabemos, não é? Sabemos que você não estava planejando fazer nada a respeito."

"E o que *você* ia fazer, Tony? Ia tentar bater nele?"

"Por que não? Poderia ter impedido o Vince de fazer isso de novo."

"E os dois iriam pensar que fui eu que mandei você fazer isso."

"E que importância tem isso?" O tom de voz de Kaye estava se elevando. "Ele não estava em casa."

Fox soltou um suspiro comprido. "Por que não disse nada?"

"Sua irmã estava completamente bêbada — achei que ela teria esquecido no dia seguinte."

"Em vez disso, agora você vai ter o Billy Giles te enchendo o saco."

"É, para variar, a minha mulher."

"Não vai pensando que isso é engraçado — não é. O Giles vai querer saber tudo o que você fez na noite de segunda-feira. Se houver alguma lacuna, de repente você vira suspeito. O McEwan já perdeu um homem, Tony..."

"Sei, sei."

"O Giles iria adorar arrebentar com tudo o que fizemos."

"Recebido e entendido."

Fox fez uma pausa. "Qual restaurante?"

"O Cento Tre na rua George."

"Ocasião especial?"

"Estamos comemorando o fato de não termos nos matado até agora neste fim de semana. Isso acontece a cada duas semanas. Você viu o jogo dos Hearts?"

"Tome cuidado amanhã."

"Você quer dizer em Torphichen? Significa um domingo longe de casa... no que me diz respeito, isso é igual a um feriado e um prêmio da loteria em um pacote só." Os ruídos no fundo tinham mudado — Kaye obviamente tinha saído do restaurante. Havia os sons agudos de uma risada feminina embriagada e o som da buzina de um carro. "Não sei por que as pessoas não tiveram a decência de parar de se divertir", Kaye comentou. "Será que ninguém percebe que aqui é o centro da crise?"

"Tenha cuidado amanhã", repetiu Malcolm Fox, observando a detetive chamada Annabel voltar com as pizzas no Mazda de Jamie Breck. "E depois me conte como foi."

DOMINGO,

15 DE FEVEREIRO DE 2009

14

Annie Inglis morava no último andar de um prédio em estilo vitoriano em Merchiston. O nome dela estava no interfone, e quando Fox apertou o botão, uma voz masculina atendeu.

"Quem é?"

"Duncan? Meu nome é Malcolm Fox."

"O.k."

Fox abriu a porta e encontrou-se em um poço de escada ladrilhado com duas bicicletas paradas pouco depois da entrada. Subiu as escadas lentamente, olhando para cima, para a cúpula de vidro por onde jorrava o sol da hora do almoço. A manhã dele incluíra café, compras e mais jornais. Levava uma sacola dentro da qual havia uma garrafa de vinho e um buquê de flores amarelas para sua anfitriã, com um vale-presente do iTunes para o filho dela. Duncan esperava por ele no final da escada, parado na frente da porta do apartamento. Fox tentou fazer pouco da subida.

"É bom para manter a forma", disse ele. Duncan apenas grunhiu. Ele usava o cabelo liso cobrindo-lhe os olhos, e era alto e magro. As roupas que usava, camiseta e jeans, teriam servido em alguém com o dobro de sua cintura. Ele entrou e fez sinal com o dedo indicando a Fox para segui-lo. O corredor principal do apartamento era comprido e estreito, com meia dúzia de portas. O piso original tinha sido lixado e envernizado. Havia um capacete de ciclista ao lado do telefone sobre a única mesa, acima da qual havia uma fileira de ganchos com chaves penduradas.

"Minha mãe está...", Duncan apontou vagamente, antes de desaparecer em seu quarto. Havia um adesivo na porta propondo a legalização da maconha, e Fox conseguia ouvir o ruído baixo da ventoinha de um computador. Em uma das extremidades do corredor havia uma porta aberta que conduzia à sala de estar. Parecia espaçosa, com uma janela de sacada que permitia uma vista que ia desde os canos das chaminés no norte até o centro da cidade e além. Mas antes de chegar até ela, Fox ouviu sons vindos da sua direita. A porta estava entreaberta, permitindo-lhe dar uma olhada no interior da cozinha. Annie Inglis estava mexendo em uma panela. O rosto dela estava avermelhado e parecia atrapalhada. Ele decidiu deixá-la sozinha e entrou na sala de estar. Uma mesa para três pessoas fora posta junto à janela. Fox colocou a sacola sobre ela e deu uma olhada ao seu redor. Sofá e poltronas, televisão e aparelho de som, prateleiras com livros, DVDS e CDS. Havia fotos emolduradas também — Annie e Duncan, um casal idoso (presumivelmente os pais dela), mas nenhuma indicação de que o pai de Duncan tivesse algum papel na vida da família.

"Você chegou." Ela estava em pé na porta, segurando três copos de vinho.

"O Duncan abriu para mim."

"Eu não ouvi você." Ela colocou os copos sobre a mesa e então notou a sacola.

"Para você", ele disse. "E uma coisinha para o Duncan também."

Ela olhou dentro e sorriu. "Que gentil."

"Se você estiver ocupada na cozinha, não se preocupe comigo, eu fico aqui. Ou eu posso ajudar..."

Ela balançou a cabeça. "Está quase pronto", disse ela, pegando a sacola. "Me dê apenas dois minutos."

"Claro."

"Posso pegar uma bebida para você."

"Eu não bebo."

"Suco de *cranberry*? É praticamente a única fonte de vitaminas do Duncan."

"Suco de *cranberry* está bem para mim."

"Dois minutos", repetiu ela, saindo. Fox recomeçou seu passeio pela sala. O jornal de domingo dela era o *Observer*. Ela gostava dos romances de Ian McEwan e de filmes com legendas. O gosto musical dela ia de Alan Stivell a Eric Bibb. Isso tudo não disse muita coisa para Fox. Ele voltou para a janela, invejando-a pela vista da cidade e do estuário ao norte.

"Minha mãe mandou eu dizer obrigado." Era Duncan na porta dessa vez. Ele estava agitando o cartão do vale-presente.

"Eu nem sabia muito bem se você usava downloads", disse Fox.

Duncan fez que sim com a cabeça para confirmar. Então ele agitou o cartão uma última vez e desapareceu de novo. Quinze anos — Fox tentou lembrar como era com essa idade. Havia brigas com Jude, e muitas. Ele sempre conseguia irritá-la até ela estar a ponto de gritar. Até mesmo de atirar coisas nele. Quinze anos... ele tinha começado a beber àquela altura. Garrafas de cidra no parque com os colegas. Vinho barato e pequenas garrafas de uísque.

"Aqui está..." Era Annie Inglis de novo, trazendo-lhe um copo alto de suco. Ela olhou à sua volta. "Eu disse para o Duncan..."

"Ele agradeceu. Parece ser um bom menino."

Ela lhe entregou o copo. "Por que você não senta? Vou buscar o meu copo."

Era vinho branco em um copo alto. Ela passou o conteúdo para um dos copos de vinho que estava na mesa, pegou-o e foi sentar ao lado de Fox no sofá.

"Saúde", disse ela, tocando os copos.

"Saúde. E obrigado pelo convite."

"Geralmente nós não almoçamos aos domingos." Os olhos dela arregalaram um pouco. "Você não é vegetariano, é?"

"De jeito nenhum."

"Eu fiz carne de porco com molho de maçã. E um hambúrguer para Duncan."

"Ele não come carne de porco?"

"Não muito." Ela tomou um gole grande de vinho e expirou. "Muito melhor." Ela sorriu para ele. "Você entende, não é, que eu precise."

"Seu segredo está seguro comigo."

"Você ficou sabendo sobre o Gilchrist?"

Fox assentiu. "Eu ia lhe perguntar se você sabia."

"Eu não sei o que a Divisão de Denúncias tem que a PEI não tem."

"Mas é apenas temporário."

"Ele aceitou mais do que rapidamente."

"Você acha que eles deveriam ter oferecido para você?"

"Eu teria recusado", disse ela rapidamente. "E não só porque é do *seu* cargo que estamos falando." Ela fixou os olhos nele. "Como está se sentindo?"

"Eu estou bem. Sabe aquele aviso na porta da PEI, aquele que diz que duas pessoas têm que estar presentes quando se examina qualquer coisa...?"

"Trabalhar sozinho pode trazer problemas", ela concordou.

"Eu não sei como você consegue fazer o seu trabalho", ele afirmou balançando de leve a cabeça.

"O segredo é que você nunca focaliza aquilo que está acontecendo na fotografia — você procura pistas no segundo plano, qualquer coisa que possa identificar onde o abuso aconteceu..."

"Mas isso deve afetar você — você tem um filho também."

"Nós limitamos o tempo que passamos na frente do computador a algumas horas por dia. Além disso, três vezes por ano nós recebemos acompanhamento — orientação compulsória. Quando eu venho para casa, o escritório não vem comigo."

"Ainda assim me parece difícil."

"É um trabalho", disse ela, tomando outro gole de vinho. E em seguida: "E quanto a você, Malcolm? O que vai acontecer?".

Ele deu de ombros e levou seu copo à boca. "O que você vai fazer em relação a Breck?"

"O que eu *posso* fazer?"

"Você pode pelo menos conversar a respeito?"

Ela fez que não com a cabeça.

"Por que não?" Como ela apenas olhou fixamente para ele, Fox levantou as mãos em sinal de rendição.

"Vou dar uma olhada na carne", ela disse, levantando-se. Usava calça preta de algodão justa e um suéter de lã creme. Fox não pôde evitar apreciar a imagem dela ao sair da sala.

O almoço foi bom. Duncan quase não falou, escondido atrás de sua cortina de cabelos. A carne de porco estava macia, acompanhada de muitos legumes, e Duncan devorou duas batatas cozidas e uma assada para acompanhar seu hambúrguer. A sobremesa foi bolo de creme com frutas, que o adolescente pediu para levar para seu quarto. Depois de um suspiro teatral, a mãe concordou. Terminada a sobremesa, Fox a ajudou a tirar a mesa. A cozinha estava uma bagunça, mas ela insistiu que arrumaria tudo mais tarde — "O Duncan vai me ajudar". Então eles se acomodaram no sofá com café e pedacinhos de doce de leite caseiro. Ela tinha colocado as flores em um vaso com água.

"Você foi casado, certo?", ela perguntou.

"Certo."

"Mas não teve filhos?"

"Nós não ficamos juntos tempo suficiente para isso."

"O que aconteceu?"

"Nós casamos por todos os motivos errados que havia."

"Ah, é?"

"Eu não vou matar você de tédio com os detalhes." Ele cruzou a perna. "Como Duncan reage diante do seu trabalho?"

"Ele sabe o suficiente para não fazer perguntas."

"É justo, mas ele sabe o que você faz, e tem que contar alguma coisa para os colegas..."

"Nós nunca conversamos muito sobre isso." Ela pôs as pernas embaixo do corpo, depois de tirar os sapatos. Fox ouviu algum tipo de instrumento de sopro sendo praticado ali por perto.

"É o Duncan?"

Ela fez que não com a cabeça. "Um dos meninos aí de baixo. Tuba, foi o que a mãe me disse. E tem um baterista atrás daquela parede." Ela fez um gesto com a cabeça na direção das prateleiras.

"E Duncan?"

"Ganhou uma guitarra de aniversário no ano passado, mas não quer ter aulas."

"Eu era assim quando meus pais me compraram um jogo de tacos de golfe — achava que eu ia aprender sozinho."

"Adolescentes são teimosos. Seus pais ainda são vivos?"

"Meu pai é."

"E como está a sua irmã? Ela vai ter que se preparar para o enterro, não é?"

"Talvez leve algum tempo até liberarem o corpo."

"E não há novidade?" Foi a vez de ele negar com a cabeça. "Então você começou a fazer suas próprias investigações..."

"E como resultado disso, ganhei um belo período de férias pagas."

"Você está pensando em ir a algum lugar?"

"É melhor eu ficar perto de casa." Ele fez uma pausa. "Faz sentido eu fazer algumas perguntas ao Gilchrist?"

Ela olhou para ele. "Eu acho que não, Malcolm. Você *realmente* entende o que a palavra 'suspensão' significa, não é?"

"É claro."

Um sorriso se espalhou no rosto dela. "Eu nunca pensaria que você é um rebelde."

"Isso é porque eu uso suspensórios."

Agora ela riu. "Talvez."

A cabeça de Duncan apareceu na porta. "Vou dar uma saída."

"Vai aonde?", sua mãe perguntou.

"Princes Street."

"Vai se encontrar com alguém?" Ele deu de ombros.

"Está bem. Despeça-se do Malcolm."

"Tchau", disse Duncan. "Obrigado de novo pelo..."

"A gente se vê", respondeu Fox. Ele ficou em silêncio com Inglis até a porta da frente se fechar.

"Pensei que ele fosse ajudá-la com a cozinha", disse Fox.

"Ele ajuda quando voltar."

"Deve ser difícil." Fox fez uma pausa. "Não ter o pai por perto, quero dizer. Seus pais ainda ajudam?"

"Nós os visitamos em alguns fins de semana."

"Eles ainda estão em Fife?"

Ela olhou para ele. "Eu nunca contei a você que tinha passado a infância em Fife."

"Só podia ser."

Mas ela estava balançando a cabeça lentamente, sem nunca tirar os olhos dele. "Você viu a minha pasta, não é?"

"Eu gosto de você, Annie..."

"E então teve que sondar o meu arquivo pessoal. Descobriu alguma coisa interessante, inspetor?"

"Apenas que você nunca se deu ao trabalho de mencionar Duncan."

A voz dela ficou fria e dura como o aço. "Eu não queria que ninguém me visse primeiro como mãe solteira e depois como policial."

"Eu entendo isso."

"Não posso *acreditar* que você me investigou!"

"É isso o que eu faço." Ele se interrompeu. "O que eu costumava fazer", corrigiu.

"Ainda assim não tinha cabimento, Malcolm."

Ele estava tentando criar uma explicação, mas Annie Inglis tinha levantado.

"Acho que é hora de você ir embora."

"Annie, eu só queria saber um pouco mais sobre você..."

"Obrigada mais uma vez pelo vinho e pelas flores e..."

Ela olhou ao redor, evitando contato visual com ele, e então se virou para a porta. "Preciso começar a arrumar a cozinha."

Ele a observou saindo. Estava em pé agora, ainda segurando a xícara de café. Colocou-a sobre a mesa, e vestiu a jaqueta novamente. Ela fechara a porta da cozinha. Ele podia ouvi-la mexendo em coisas lá dentro. Os dedos dele se apoiaram na maçaneta sem força suficiente para abrir a porta. Ficou ali por mais um minuto, desejando que ela saísse. Mas ela havia ligado o rádio. Classic FM: a mesma estação que ele às vezes ouvia.

Não tinha cabimento, Malcolm

Ele poderia abrir a porta e pedir desculpas. Mas em vez disso saiu andando pelo corredor e foi embora. Na calçada do lado de fora, ele levantou o pescoço. Não havia ninguém olhando da janela da sacada nem da janela ao lado. O carro ao lado do seu estava sendo lavado pelo proprietário.

"Um belo dia, para variar", disse o homem. Fox saiu com o carro sem responder. Ele estava a meio caminho de casa quando seu telefone tocou. Ele atendeu, esperando ouvir a voz de Annie. Mas era Tony Kaye.

"O que você quer?", perguntou Fox.

"Foi você que me pediu para ligar", reclamou Kaye. "E foi tudo bem, obrigado por perguntar."

Fox então se lembrou: Torphichen. "Desculpe, Tony. Eu fiquei meio perdido por um minuto".

"Bad Billy quer me enquadrar pela morte do Faulkner — ele quer *muito*, mas sabe que não vai acontecer, e isso o deixa maluco."

"Ótimo", disse Fox.

"Outro cenário que ele tem é *você* acertando Faulkner e eu agindo como mensageiro. Ele disse que talvez não tenha sido minha ideia, e nem mesmo sua — talvez Jude tivesse feito você fazer isso." Kaye fez uma pausa. "Ela não fez isso, não é?"

"Escuta, Tony, eu acabei de almoçar no apartamento de Annie Inglis."

"Que agradável."

"Terminou muito mal. Ela percebeu que eu dei uma olhada no arquivo pessoal dela."

"Porra, quando isso aconteceu?"

"Eu estava no RH para pegar informações sobre Jamie Breck..."

"E pensou em dar uma espiadinha na Annie enquanto estava lá? Parece razoável."

"Ela não achou."

"Parece que ela exagerou na reação."

Fox estava de acordo, mas ainda tinha um favor a pedir. "Preciso que você fale com ela."

"O quê?"

"Para que ela saiba que eu não sou nenhum assediador."

"Bom, eu só tenho a sua palavra para comprovar isso..."

"Isso vai te dar alguma coisa para fazer amanhã enquanto Naysmith e o novo rapaz estiverem ficando íntimos."

Kaye bufou. "Eu tinha esquecido que nós vamos ser importunados pelo Gilchrist."

"Enquanto os Gêmeos Tecnológicos estiverem batendo papo, você pode dar uma passada na Casa do Pai."

"Intercedendo a seu favor? Pensei que Annie Inglis era a menor das suas preocupações."

"Não posso me dar ao luxo de ter mais inimigos agora, Tony."

"Bem pensado. Pode deixar. Mas se ela começar a se interessar pelos meus encantos em vez dos seus..."

"Vou garantir que a sua esposa há doze anos saiba disso."

"Seu miserável desgraçado", Kaye deu uma risada. "Aposto que você faria isso mesmo."

"Você acabou tudo o que tinha que fazer em Torphichen?"

"Eu diria que o Giles vai me arrastar para lá de novo. Além disso, parece que Grampian vai querer falar comigo também."

"A Divisão de Denúncias?"

"Giles não tardou a contar para eles que eu apareci na casa da sua irmã. Não tem perigo de eles investigarem as suas contravenções sem me arrastar junto."

"As coisas estão ficando cada vez melhores, não é?"

"Olhe o lado bom das coisas — o restaurante na noite passada esqueceu de me cobrar pela nossa segunda garrafa de vinho."

Fox conseguiu esboçar um sorriso, então lembrou a Kaye de falar com Annie Inglis.

"Relaxe", Kaye disse. "E o que você vai fazer no resto do dia? Quer ir ao Minter's?"

"Tenho coisas pra fazer."

"Que coisas?"

"Pôr meus livros em ordem alfabética nas estantes." Fox encerrou a chamada e foi para casa em silêncio.

No resto do dia ele não conseguiu se concentrar em nada. As pilhas de livros ficaram intocadas. Havia partes dos jornais que nem foram tocadas. A televisão não proporcionou muito conforto e ele não tinha uma vista em sua janela, a não ser a de uma casa idêntica à sua do outro lado da rua. Então, às oito horas, alguém tocou a campainha. Ele pensou nos possíveis visitantes: Jamie, Tony Kaye, Annie Inglis...

Era Jude. O táxi que a levara estava indo embora. O braço ainda estava na tipoia, então ela só conseguira colocar o casaco sobre os ombros.

"Que bom ver você", disse ele beijando-lhe o rosto e levando-a para dentro.

"Você vai se mudar?", ela perguntou quando viu o estado da sala de estar.

Fox fez que não com a cabeça. "Já faz um tempo desde a última vez que você veio aqui", comentou ele.

"A gente nunca era convidado." Ela tinha tirado o casaco dos ombros. Fox foi até a cozinha e começou a encher uma chaleira.

"O inspetor-chefe Giles me telefonou", ela explicou na

porta. "Ele diz que o homem que veio até a minha porta na noite de segunda-feira era um amigo seu."

"Ele trabalha comigo."

"Giles acha que você o mandou."

"Não mandei."

"Mandou-o fazer o seu serviço sujo", ela continuou. "O nome dele é Kaye."

Fox se virou para ela. "Jude... esse sujeito, Giles, está fazendo tudo o que pode para ferrar as coisas para mim."

"Você contou ao Kaye onde eu morava?"

"Em algum momento devo ter contado. Mas eu não sabia que ele iria até a sua casa."

"Ele estava procurando o Vince. A única explicação para ele estar fazendo isso é você ter lhe contado o que aconteceu... ter contado a ele sobre o meu braço."

"E daí?"

Ela estava piscando muito, os olhos marejados. "O inspetor-chefe Giles acha que talvez você tenha mandado matar o Vince."

"Eu não mandei."

"Então por que mandar seu amigo até lá?"

"Eu não mandei. Ele estava procurando o Vince, lembra? Mas Vince já estava morto, Jude — e isso significa que Tony Kaye não sabia." Uma dor estava arranhando as têmporas de Fox. Ele abriu uma gaveta e pegou uma cartela com comprimidos de paracetamol, tirou dois e os tomou com água da torneira. Jude esperou até ter toda a atenção dele antes de falar.

"Giles diz que o Vince pode ter sido morto na noite de segunda-feira. Diz que os testes sempre têm uma margem de erro."

"Ele está mentindo. A patologia determinou que o Vince morreu no sábado ou no domingo."

Uma única lágrima escorria pelo lado esquerdo do rosto de Jude. "Eu só quero que isso acabe", disse ela, a voz trêmula. Fox aproximou-se e pôs as mãos de leve nos ombros dela.

"Eu sei", disse ele, enquanto ela afundava o rosto no peito dele.

Eles passaram a hora e meia seguinte conversando em voz baixa na sala de estar. Ela bebeu o chá que ele preparou para ela, mas não estava com vontade de comer. Jude lhe garantiu que tinha comido alguma coisa na hora do almoço. Prometeu-lhe que tomaria café da manhã. Ele pegou um pacote de biscoitos de trigo na cozinha e disse que era para ela levar para casa. Quando ele ofereceu leite, ela deu uma risadinha e disse para ele parar de exagerar. Mas ele teve a impressão de que ela gostou realmente do gesto.

Ele chamou um táxi para Jude e colocou uma nota de dez libras na mão dela. Então a beijou no rosto novamente e fechou a porta do táxi, acenando quando ela foi embora. Ela perguntara se ele tinha visto o pai e ele havia mentido — porque não queria que ela se sentisse excluída. Na próxima vez em que fosse visitar Mitch, ele a levaria junto. Ela tinha tanto direito de estar lá quanto ele. Ela era da família.

Malcolm Fox preparou uma última xícara de chá e foi para a cama. Ainda não eram dez horas, mas ele não conseguiu pensar em outra coisa para fazer.

SEGUNDA-FEIRA,

16 DE FEVEREIRO DE 2009

15

O despertador de Malcolm Fox o acordou às sete horas como de costume. Ele estava no chuveiro antes de perceber que não havia necessidade de ter levantado tão cedo. Também não precisava usar uma camisa limpa e uma gravata nova, ou seu paletó e suspensórios, mas isso não o impediu de vesti-los. Enquanto tomava o café da manhã, o telefone tocou. Era uma mulher chamada Stoddart, da UNP da Polícia de Grampian. Ela o estava "convidando" para uma reunião no quartel-general de Fettes.

"Pode ser às três da tarde?"

"Às três está ótimo", Fox a informou.

O dia estava frio e nublado. Pontos de neve começavam a aparecer no seu jardim da frente, e ele achava que as flores de açafrão já estavam desabrochando nos balaústres do parque Meadows e em outros parques da cidade. Tentou pensar em um trajeto que o levasse através do Meadows em seu caminho para Leith. Teria que dar muitas voltas, mas com o bônus adicional de um passeio pelo parque Holyrood. Além disso, ele não estava exatamente com pressa.

Há alguns anos, Fox e sua equipe tinham investigado um policial baseado na delegacia de polícia de Leith. Ele vinha sendo subornado para fechar os olhos. Um de seus homens tinha procurado a Divisão de Denúncias, mas apenas com uma promessa de anonimato. Algumas reuniões aconteceram em um café barato perto das docas, e aquele era o lugar para onde Fox estava indo naquele dia. O café se chamava The Marina, a pintura descascando, as paredes internas brilhantes de gordura. Havia uma meia dúzia de mesas com tampo de fórmica e uma espécie de prateleira perto da janela onde se podia comer em pé. A proprietária era uma mulher enorme, de rosto avermelhado que fazia a maior parte do trabalho da cozinha, enquanto uma garota do Leste Europeu trabalhava no caixa e atendia as mesas. Fox ficou lá sentado durante quinze minutos, tomando devagar uma caneca de chá bastante forte, quando Max Dearborn entrou. Dearborn o viu e seu corpo pareceu perder a firmeza. Ele engordara uns três quilos desde a última vez em que tinham se encontrado, e estava com uma papada. Ainda havia acne ao redor da boca, e seu cabelo era ensebado, penteado para baixo. Mais do que nunca parecia com o sobrinho escocês de Oliver Hardy.

"E aí, Max?", disse Fox.

A respiração de Dearborn era difícil enquanto ele se apertava para ocupar a cadeira na frente de Fox.

"Isto é apenas uma coincidência horrível?", o jovem fingiu adivinhar.

Fox estava fazendo que não com a cabeça. A garçonete chegou, e ele pediu um sanduíche de bacon.

"O de sempre para você, Max?", ela perguntou a Dearborn, que fez que sim com a cabeça em resposta, sem tirar os olhos de Fox. Quando ela se afastou, Fox falou em voz baixa.

"Ouvi dizer que você agora é sargento-detetive — parabéns."

Dearborn respondeu torcendo a boca. Fox lembrou-se de como ele era — um detetive iniciante com ideais e princípios ainda intactos, mas temeroso de se indispor com os colegas. Tony Kaye o chamava de "Serpico".

"O que você quer?", Dearborn perguntou. Ele deu uma boa olhada no café, procurando inimigos e ouvidos atentos.

"Você está trabalhando no afogamento de Charlie Brogan?" Fox podia sentir o suor se formando em suas costas.

Seu coração estava batendo rápido demais. O chá tinha tanino suficiente para derrubar um boi, então ele colocou a caneca de lado.

"Ainda não é afogamento", Dearborn o corrigiu. "E o que você tem a ver com isso?"

"Só estou interessado. Achei que talvez você me devesse um favor."

"Um favor?"

"Por manter seu nome em segredo."

"Isso é algum tipo de ameaça?"

Fox fez que não com a cabeça. O café de Dearborn tinha chegado e ele pôs duas colheres cheias de açúcar, mexendo-o ruidosamente.

"Como eu disse, só estou curioso. Estava esperando que alguém me mantivesse atualizado."

"E esse alguém sou eu, não é?" Dearborn olhou firmemente para ele. "Por que o interesse?"

Fox deu de ombros. "Brogan pode estar relacionado a outro caso."

"Que tem a ver com a Divisão de Denúncias?" De repente Dearborn ficou menos agressivo e mais interessado.

"Talvez. É tudo muito confidencial, mas, se alguma coisa vier à tona, eu estou totalmente disposto a dividir o crédito." Fox fez uma pausa. "Você sabe que o meu chefe teve a ver com a sua promoção?"

"Achei que sim."

"Pode acontecer de novo, Max..." Fox deixou a voz diminuir até desaparecer. Dearborn tomou um gole de café seguido de outro, e se pôs a pensar. Fox limitou-se a ficar sentado, as mãos no colo, sem querer apoiar nenhuma outra parte de seu terno contra a superfície da mesa. A garçonete estava voltando com a comida deles — o sanduíche de Fox; as frituras de Dearborn. O prato do rapaz era alto, e ele olhou na direção da cozinheira, acenou com a cabeça e deu um sorriso. Ela retribuiu o sorriso. Fox tinha aberto seu sanduíche. O bacon parecia pálido e fibroso. Ele o fechou novamente e deixou no prato. Dearborn estava colocando molho sobre a pilha de bacon, ovos fritos, salsicha, feijão e cogumelos.

"Parece bom", comentou Fox. Dearborn apenas confirmou com a cabeça e deu sua primeira garfada, os olhos sobre Fox enquanto mastigava.

"O corpo ainda não veio à superfície", disse Dearborn.

"Isso é incomum?"

"Não segundo os que sabem dessas coisas. As correntes são irregulares no canal. Ele pode ter sido arrastado para o mar do Norte. Pode ter ficado preso na hélice de algum cargueiro e sido transformado em mingau. A guarda costeira saiu de novo logo cedo. Temos patrulhas trabalhando nas duas orlas, a norte e a sul.

"Fiquei sabendo que a polícia de Fife estava reivindicando jurisdição."

Dearborn fez que não com a cabeça. Já havia restos de gema de ovo nos dois lados da boca. "Isso nunca vai acontecer. Nós pedimos a cooperação deles, mas isso é território da Divisão D, não há dúvida."

"Então onde está o barco?"

"Dalgety Bay."

"Se eu não me engano, isso fica em Fife."

"Ele vai ser rebocado hoje para Leith."

"Estou supondo que vocês já deram uma geral nele."

"O pessoal da criminalística já deu", confirmou Dearborn.

"Encontraram evidências de álcool e comprimidos", afirmou Fox.

"Você está bem informado. Nenhum bilhete de suicida. Alguém me disse que isso não é tão incomum. Ele tinha contatado o advogado alguns dias antes para rever alguns pontos de seu testamento."

Os olhos de Fox estreitaram. "Quando exatamente?"

"Na tarde de terça-feira."

"Ele quis mudar alguma coisa?"

Dearborn fez que não com a cabeça.

"E tudo irá para a viúva."

"Isso depende de encontrarmos o corpo. Se não encontrarmos, ela vai ter que lidar com uma longa espera — é uma questão legal." Dearborn concentrou-se em comer, e então resolveu partilhar algo com Fox. "Os sapatos dele foram encontrados. Chamam de sapato de velejador. Boiando na água perto da ilha Inchcolm." Ele fez uma pausa. "Supondo que isso tenha ligação com alguma coisa na qual você esteja trabalhando... como é que eu consigo a minha parte do espólio sem ninguém do meu lado sabendo que estive conversando com você?"

"Há jeitos de isso acontecer", disse Malcolm Fox. "Confie em mim."

Quando a refeição terminou, a garçonete perguntou se havia alguma coisa errada com o sanduíche de bacon.

"Só estou sem fome", Fox lhe garantiu. E então, para Dearborn: "Deixe que eu pago esta".

"O seu dinheiro não paga nada aqui."

"Como assim?"

Dearborn deu de ombros. "Há uns meses houve um arrombamento aqui. Eu fiz questão de um esforço extra para resolver..."

"Você tem certeza de que deveria contar isso para alguém da Divisão de Denúncias?"

Max Dearborn piscou e, com certa dose de esforço, ficou em pé. Ele insistiu em sair primeiro. Fox ficou observando-o ir embora e fez uma especulação sobre um futuro de pressão alta e diabetes, talvez até mesmo problemas coronários. Um ano antes, seu próprio médico lhe tinha dito a mesma coisa. Desde esse momento, ele perdera mais ou menos seis quilos, passando a se sentir um pouco melhor. Ficou parado do lado de fora do café, ouvindo as gaivotas gritando nos telhados das redondezas. Então começou a andar. O quartel-general da Divisão D ficava na rua Queen Charlotte. Assim como em Torphichen, o prédio tinha um exterior vitoriano de cor parda, mas, à diferença de Torphichen, seu interior ainda apresentava traços de certa grandiosidade já desaparecida — pisos de mármore, balaustradas de madeira entalhada, pilares decorados. Dearborn estaria lá dentro agora. Suas últimas palavras para Fox tinham consistido em uma promessa de mantê-lo informado. Fox lhe dera um cartão com o número de seu celular — "O melhor jeito de me achar", dissera. A última coisa que queria era Dearborn ligando para o escritório em Fettes e sendo informado de que o inspetor Malcolm Fox estava fora do jogo. A notícia se espalharia com bastante rapidez — Billy Giles cuidaria disso —, mas enquanto isso Dearborn poderia se mostrar útil. Ele já dera a Fox algo em que pensar.

Manhã de terça-feira — o corpo de Vince Faulkner é encontrado.

Tarde de terça-feira — Charlie Brogan entra em contato com seu advogado.

Quinta-feira — o barco dele é encontrado à deriva, o proprietário desaparecido.

Desaparecido, supostamente morto.

Sem na verdade querer fazer isso, Fox percebeu que tinha andado os quatrocentos metros até a delegacia de polícia de Leith. Caminhou até a esquina da Constitution e então virou. Tinha acabado de passar pela entrada do prédio público quando uma mulher saiu, pondo seus enormes óculos escuros. Ela não estava vestida de preto, mas de tons de marrom combinando. Ela pegou cigarros e um isqueiro em uma bolsa com padrão de pele de leopardo, mas a brisa frustrou suas tentativas de fumar.

"Permita-me", disse Fox, abrindo o paletó para criar uma proteção conta o vento. Ela conseguiu acender o cigarro e acenou com a cabeça em agradecimento. Fox retribuiu o aceno e foi embora. Assim que voltou ao carro, fez um retorno e rumou na direção da delegacia. Ela continuava parada lá, olhando de um lado para o outro da rua. Fox parou ao lado dela e abriu a janela do passageiro.

"Senhora Broughton, não é?"

Ela levou um momento para reconhecê-lo como o salvador de seu vício em nicotina, então inclinou-se um pouco na direção da janela aberta.

"Acho que estava conversando com os meus colegas, não é?", ele perguntou.

"Sim", disse ela, a voz menos rouca do que ele imaginava que seria.

"Está procurando um táxi?" Ela olhava para os dois lados da rua de novo. "Se estiver interessada, eu estou indo para a mesma direção."

"Como você sabe?"

Fox deu de ombros. "Ou para o cassino ou para Inverleith — os dois lugares são no meu caminho."

Ela o analisou por um momento. "Posso fumar dentro do carro?", ela perguntou.

"Claro", disse ele com um sorriso. "Entre."

Eles ficaram em silêncio durante os primeiros semáforos. Quando passaram no terceiro, ela percebeu que ele tinha abaixado metade do vidro da janela.

"Você não estava sendo sincero sobre eu poder fumar", disse ela, jogando o resto do cigarro pela janela.

"Onde quer que eu a deixe?", perguntou ele.

"Estou indo para casa."

"Perto do parque Inverleith?"

Ela confirmou com a cabeça. "A Mansão CB."

Fox entendeu. "As iniciais do seu marido?"

Ela fez que sim com a cabeça novamente. "De repente eu percebi uma coisa", ela começou a dizer, girando o corpo sobre o banco de maneira a ficar de frente para ele. "Eu só tenho a sua palavra de que você é de fato um policial. Eu deveria ter pedido alguma identificação."

"Eu sou inspetor. O que meus colegas queriam com você?"

"Mais perguntas", ela respondeu com um suspiro. "Por que não dá para ser por telefone..."

"É porque o rosto diz muita coisa — nós revelamos muita coisa ao falar. Estou supondo que não foi com o sargento-detetive Dearborn que você falou."

"Não."

"Isso é porque eu tive uma reunião com ele na mesma hora."

Ela assentiu com a cabeça, como se aceitando que ele tivesse provado suas credenciais. O telefone dela emitiu um som e ela o tirou da bolsa. Era uma mensagem de texto, que ela respondeu com toques rápidos e seguros de seus polegares.

"Unhas compridas ajudam", comentou Fox. "Meus dedos são atarracados demais para isso."

Ela não disse nada até ter enviado a mensagem. Então, quando ia começar a dizer alguma coisa, o telefone soou de novo. Fox percebeu que imitava o som de uma campainha antiquada na recepção de um hotel. Broughton ocupou-se apertando botões novamente.

"Mensagens de amigos?"

"E de credores", ela murmurou. "Parece que Charlie tinha mais destes."

"Você sabe que os sapatos dele apareceram?" Ele viu quando ela olhou com firmeza. "Desculpe", ele disse, "não foi uma boa escolha de palavras..."

"Eles me contaram na delegacia." Ela voltou a escrever textos. Mas então outro telefone tocou dentro de sua bolsa. Ela a revirou até achá-lo. Fox reconheceu o toque — o tema de um velho filme de caubói.

"Desculpe", Broughton lhe disse antes de atender. E então, para o telefone: "Eu não posso falar agora, Simon. Apenas me diga que tudo está bem". Ela escutou por um momento. "Eu devo estar aí lá pelas seis ou sete. Se você não puder lidar com a situação até lá, é melhor começar a escrever seu pedido de demissão." Ela encerrou a chamada e jogou o telefone dentro da bolsa.

"Problemas com empregados?", perguntou Fox.

"A culpa é minha por não ter o gerente certo."

"Você não gosta de delegar?"

Ela olhou para ele novamente. "Nós já nos encontramos alguma vez?"

"Não."

"Você me parece familiar." Ela abaixara os óculos escuros para a ponta do nariz e estava olhando para ele. Quando passou maquiagem nos olhos naquela manhã, sua mão não estava tão firme. De perto, o cabelo dela era nitidamente tingido, e tudo indicava que o bronzeado era falso. Havia um ligeiro enrugamento da pele em volta do pescoço.

"Muita gente me diz isso", Fox decidiu responder. E em seguida: "Lamento por seu marido — e não estou dizendo por dizer. Um sujeito que conheço que costumava trabalhar para ele... só tinha coisas boas a dizer sobre ele."

"Qual é o nome do seu amigo?"

"Vince Faulkner. Eu disse que ele trabalhou para seu marido, mas na verdade trabalhou no canteiro de obras em Salamander Point."

Joanna Broughton não disse nada por um momento. "Muita gente gostava de Charlie", ela acabou afirmando. "Era fácil gostar dele."

"Mas é quando a gente está com problemas que descobre quem são os amigos *de verdade.*"

"É o que dizem..." Ela se virara para ele novamente. "Eu não sei o seu nome."

Fox precisou de um segundo para decidir dizer a verdade. "Inspetor Malcolm Fox."

"Muito bem então, inspetor Malcolm Fox, você está tentando me fazer dizer alguma coisa?"

"Como assim?", disse Fox, tentando um tom de indignação.

"Eu não *sabia* que o Charlie ia fazer aquilo. Eu certamente não ajudei nem estimulei. E, apesar das aparências, eu estou despedaçada por dentro — *tudo isso* eu repeti muitas vezes para o seu pessoal...", ela olhou pela janela. "Talvez você possa me deixar aqui."

"Faltam só uns cinco minutos."

"Eu posso andar essa distância."

"Com esses saltos?" Fox expirou ruidosamente. "Desculpe, e acho que você está certa. Uma vez que se é policial, é difícil desligar o mecanismo. Sem mais perguntas, está bem? Mas pelo menos me deixe levá-la até lá."

Ela pensou sobre aquilo. "Tudo bem", disse, por fim. "Na verdade vai ser ótimo. Os seus colegas querem ver a agenda comercial de Charlie — você pode levá-la para mim e me poupar esse trabalho."

"Claro", concordou Fox. "Com prazer."

A Mansão CB era um prédio de apartamentos de cinco andares construído principalmente com aço e vidro. Ficava em um complexo de muros de tijolo e portões metálicos de segurança. Broughton tinha seu próprio controle remoto, que ela apertou, ativando o mecanismo dos portões. Havia um estacionamento subterrâneo, mas ela disse para Fox parar na entrada principal. Ele desligou o carro e a seguiu em direção ao prédio. O salão de entrada era quase tão grande quanto o andar térreo de sua casa. Havia dois elevadores em uma das paredes, mas Broughton estava caminhando na direção da parede oposta, onde havia um único elevador.

"É exclusivo da cobertura", ela explicou, entrando. De fato, quando as portas do elevador voltaram a se abrir, eles entraram diretamente em um pequeno saguão acarpetado com apenas uma porta. Broughton a destrancou, e Fox entrou atrás dela. "Chamam de tríplex", ela o informou, tirando o casaco e pondo os óculos escuros como se fossem uma tiara, "mas isso foi um engodo — um dos andares não tem nada além de algumas varandas."

"Ainda assim é incrível", disse Fox. Havia vidro em três lados, do piso ao teto, que tinha o dobro da altura normal, e vistas que iam do Jardim Botânico ao Castelo. Olhando para a esquerda, ele podia distinguir Leith e o contorno da costa. À sua direita, conseguia enxergar até Corstorphine Hill.

"É muito bom para se distrair", concordou Joanna Broughton.

"Tudo parece novo em folha."

"Uma das vantagens de não se ter filhos."

"É verdade — e também uma bênção, acho eu."

"Como assim?"

"Não ter que explicar coisas para eles..." Ela concordou com um movimento de cabeça. "O trabalhador que morreu também não tinha filhos."

"Que trabalhador?"

"Meu amigo, aquele sobre quem eu estava lhe contando — seu marido não falou sobre ele?"

Ela ignorou a pergunta e em vez de responder lhe disse para esperar enquanto ia buscar a agenda. Fox observou-a subir a escada de vidro para o próximo andar, e então voltou a atenção para a sala em que estava. Era muito semelhante ao que ele se lembrava da foto no jornal. Um plano aberto em formato de L com piso de lajotas claras e mobília moderna. A área da cozinha era ali perto. Quando olhou para cima, pôde ver uma espécie de mezanino que provavelmente levava aos quartos e ao escritório. A parede dos fundos da sala de estar — a única parede feita de algo mais sólido do que vidro — parecia ter sido privada de seus quadros. Ainda havia alguns ganchos, além de buracos de onde outros ganchos tinham sido tirados. Fox se lembrou do artigo que lera no jornal. Brogan era descrito como "colecionador". Ele deu um passo para trás e viu Joanna Broughton descendo as escadas, sem pressa, segurando no corrimão. Ela continuava de salto alto mesmo dentro de casa. Eles acrescentavam quase três centímetros à estatura dela, e ele se perguntou se esse era o motivo.

"Aqui está", disse ela, entregando uma agenda grande com capa de couro.

"Tem alguma ideia sobre o motivo de eles quererem isso?", Fox perguntou.

"Você é o detetive", disse ela, "você me diz qual é o motivo."

Tudo o que ele conseguiu foi dar de ombros. "Apenas sendo minuciosos", supôs ele. "Para ver se houve alguma atividade incomum antes da..." Ele engoliu o resto da frase.

"Você está se perguntando sobre o estado mental dele? Eu não me importo de dizer mais uma vez — ele estava absolutamente bem quando saiu daqui. Eu não tive o menor sinal de que alguma coisa iria acontecer."

"Escute, eu disse que não ia perguntar nada..."

"Mas?"

"Mas eu estava pensando se você ficou magoada porque ele não deixou um bilhete."

Ela pensou naquilo por um momento. "É claro que eu gostaria de saber o motivo, claro que sim. Preocupações com dinheiro, certo, mas mesmo assim... nós poderíamos ter dado um jeito. Se ele pedisse, tenho certeza de que poderíamos pensar juntos em uma solução."

"Talvez ele fosse orgulhoso demais para pedir ajuda."

Ela concordou com um movimento lento da cabeça, os braços caídos ao lado do corpo.

"Ele vendeu todos os quadros?", Fox perguntou, quebrando o silêncio. Ela fez que sim com a cabeça de novo, então teve um sobressalto quando o interfone tocou. Ela foi atender.

"Sim?"

"Joanna, é o Gordon. O Jack está comigo."

O rosto dela relaxou um pouco. "Podem subir", ela disse. Então, virando-se para Fox: "Obrigado mais uma vez pela carona — eu provavelmente ainda estaria esperando lá".

"Foi um prazer."

Ela estendeu a mão e ele a apertou. A agenda era muito grande para qualquer um de seus bolsos, então ele a carregou até o saguão. Quando as portas do elevador se abriram, Gordon Lovatt saiu, surpreso um instante por encontrar alguém ali. Lovatt estava muito bem-vestido no que parecia um terno risca de giz de três peças feito sob medida. Uma corrente de ouro para relógio pendurada nos bolsos do colete. A gravata de seda tinha um nó muito bem-feito e o cabelo parecia ter acabado de passar por um barbeiro. Ele cumprimentou Fox com um aceno da cabeça mas então decidiu que precisava de mais.

"Gordon Lovatt", disse ele, estendendo a mão.

Os dois homens se cumprimentaram. "Eu o conheço", Fox lhe disse, sem se importar em retribuir a apresentação. O homem ao lado de Lovatt era muito mais velho, mas vestia-se com um terno que parecia ser ainda mais caro. Ele também estendeu a mão.

"Jack Broughton", anunciou ele.

Fox apenas acenou com a cabeça e passou pelos dois homens, virando-se para encará-los assim que entrou no elevador. Ele apertou o botão para o andar térreo e esperou que as portas se fechassem. Jack Broughton parecia já ter se esquecido dele, e estava entrando na cobertura, cumprimentando a única filha com um beijo. Lovatt, por outro lado, tinha ficado no saguão para olhar para Fox, o mesmo olhar inquiridor no rosto.

"Descendo", disse a voz feminina automatizada do elevador. As portas se fecharam e Fox soltou o ar que estivera prendendo.

Não havia sinal do carro do relações-públicas do lado de fora, então ele o havia deixado no estacionamento ou fora até lá de táxi. Se estacionara o carro, então devia ter alguma maneira de acessar o complexo. Mas o mesmo valia para o caso de ter ido de táxi — ele ainda teria que passar pelos portões. Então talvez Joanna tivesse dado ao pai um dos pequenos controles remotos...

Fox entrou em seu carro e colocou a agenda de Charlie Brogan no banco do passageiro. Então olhou para ela, perguntando-se o que o pessoal da Divisão de Denúncias de Grampian iria pensar de suas recentes atividades. Ele fora cuidadoso durante toda a manhã — observando para ver se havia carros ou pessoas o seguindo. Fora fácil para eles segui-lo na semana anterior — ele não estava alerta para essa possibilidade. Mas agora que estava ciente de ter sido vigiado, isso tornava as coisas muito mais difíceis para qualquer equipe que quisesse segui-lo. Por outro lado, se ia continuar pregando peças como aquela... Levou uns três ou quatro minutos para decidir, mas por fim pegou a agenda e a abriu.

Começou com a segunda-feira da semana anterior, mas

não encontrou nada de interesse imediato. Não que Brogan usasse algum tipo de código, mas, como a maioria das pessoas, ele usava iniciais e abreviaturas. A letra J em "20 h — J — Kitchin", Fox supôs que fosse Joanna Broughton. O Kitchin era um restaurante caro em Leith, administrado por um *chef* cujo sobrenome era Kitchin. Havia anotações sobre reuniões, mas não fora exatamente uma semana cheia de atividades. Voltando para janeiro, Fox descobriu que Brogan estivera muito mais ocupado. Em fevereiro, ele estava reduzido a anotar programas de televisão a que estava planejando assistir.

Depois de uns quinze minutos, Fox fechou a agenda e deu a partida. Em seu caminho de volta para a delegacia de Leith, ele fez duas paradas. A primeira foi em uma papelaria, onde comprou um envelope acolchoado com espaço para receber a agenda. A outra parada foi em uma loja de telefones, onde comprou um celular pré-pago usando seu cartão de crédito. Se ele ainda estava sob vigilância, esse novo telefone não o manteria fora do radar por muito tempo... mas talvez por tempo suficiente.

E com certeza aborreceria o pessoal da Divisão de Denúncias quando descobrissem o que ele havia feito.

Fox estacionou o carro do lado de fora da delegacia o tempo necessário para deixar o envelope na recepção. Ele escrevera o nome de Max Dearborn na frente. Max talvez ficasse confuso, mas Fox não se importava nem um pouco com isso. De volta ao carro, seu celular antigo começou a tocar. Fox verificou a identidade de quem estava ligando, mas não atendeu. Quando o aparelho parou de tocar, ele usou seu celular novo e ligou para Tony Kaye.

"Quem é?", Kaye perguntou, não reconhecendo o número.

"É o Malcolm. É nesse número que você me acha de agora em diante."

"Você mudou de telefone?"

"Para o caso de eles estarem me rastreando."

"Você é paranoico." Kaye fez uma pausa. "Mas foi uma boa ideia — acha que eu deveria fazer a mesma coisa?"

"Eles falaram com você novamente?" *Eles:* a Divisão de Denúncias de Grampian.

"Não — e com você?"

"Hoje à tarde. Então por que você está me ligando?"

"Eu só queria me queixar. Espera um segundo..." Fox ficou ouvindo enquanto saía do escritório da Divisão de Denúncias e ia para o corredor. "Aqueles dois estão me deixando maluco", disse ele. "É como se eles se conhecessem desde o jardim de infância."

"Fora isso, como é que Gilchrist está se virando?"

"Eu não gosto do fato de ele estar usando a sua mesa."

"Então se ofereça para trocar com ele."

"Ele não vai ficar com a minha mesa."

"Então temos um impasse nas mãos. McEwan já apareceu?"

"Ele não está falando comigo."

"Nós enchemos o prato dele de merda", reconheceu Fox.

"E nem lhe amarramos um guardanapo no pescoço", acrescentou Kaye. "O seu interrogatório da tarde vai ser cortesia de uma mulher chamada Stoddart?"

"Alguma dica para lidar com ela?"

"Luvas de amianto, Malcolm."

"Ótimo, obrigado." Fox pensou por um momento. "Você pode chamar o Naysmith para mim?"

"O quê?"

"Quero dar uma palavra com ele — mas longe do Gilchrist."

"Vou buscá-lo." Foi a vez de Kaye fazer uma pausa. "Você está dando uma de durão, ou realmente esqueceu?"

Fox percebeu imediatamente o que ele queria dizer. "Você teve uma oportunidade de conversar com ela?"

"Ela não apareceu esta manhã. Gilchrist teve que ir buscar alguma coisa na mesa dele na Casa do Pai e eu fui junto e dei uma olhada. Perguntei se ela estava em alguma reunião, mas ele não sabia."

"Bom, obrigado por tentar."

"Eu ainda não desisti. Joe!" Fox percebeu que Kaye estava chamando da porta. "Ele vem vindo", disse Kaye. O telefone foi passado para Naysmith. "É o Foxy", Fox ouviu Kaye dizer.

"Malcolm", disse Naysmith.

"Bom dia, Joe. Fiquei sabendo que você e o Gilchrist estão se dando muito bem."

"Acho que sim."

"Então não há motivo para você não convidá-lo para beber alguma coisa depois do expediente."

"Não..." Naysmith estendeu a palavra muito além de seu comprimento natural.

"Você provavelmente sugeriria o Minter's, e vocês estariam lá por volta das cinco e meia."

"Certo." Mais uma vez a palavra assumiu uma forma alongada na boca de Naysmith.

"Não precisa dizer a ele que foi ideia minha."

"O que está acontecendo, Malcolm?"

"Não está acontecendo nada, Joe. Leve-o para tomar alguma coisa, e pronto." Fox encerrou a chamada. Ele tinha muito tempo para matar antes de sua reunião em Fettes. Em uma loja de conveniência, comprou o *Evening News*, um sanduíche de salada, uma garrafa de água, e então rumou na direção geral de Inverleith, estacionando perto da entrada norte do Jardim Botânico. Achou a Classic FM no rádio e comeu o sanduíche, folheando o jornal. Charlie Brogan não era mais notícia, nem Vince Faulkner. As pessoas estavam espumando de raiva em relação aos valores de aposentadoria e benefícios do antigo chefão do Banco Real da Escócia. A controvérsia sobre o bonde tinha entrado em seu momento final, com o conselho municipal dizendo aos empreiteiros que não havia mais dinheiro para colocar sobre a mesa. E agora o banco Dunfermline Building Society estava em apuros. Fox se lembrava de algo sobre o primeiro-ministro ser de Dunfermline... Não, Kirkcaldy, mas Dunfermline fazia parte de seu eleitorado.

Os pais de Fox tiveram uma conta no Dunfermline — ele se perguntou se Mitch ainda tinha dinheiro lá. O dinheiro de Fox estava no Co-op. Era o único banco sobre o qual ele ainda não ouvira falar. Fox não sabia muito bem se aquilo era tranquilizador ou não.

A peça musical terminou, e o locutor declarou que fora composta por Bach. Fox a reconhecera — ele reconhecia muitas das melodias que tocavam na Classic FM sem ser capaz de nomeá-las ou a seus compositores. Voltou a olhar para o relógio, verificando se não havia parado.

"Que se dane", disse ele, fechando o jornal e dando a partida no carro.

Ele iria aparecer mais cedo para sua crucificação.

16

O policial a serviço na recepção — um homem que Fox conhecia havia alguns anos — teve a boa vontade de se desculpar pelo fato de que ele iria ter que aguardar. Fox concordou com um movimento da cabeça.

"Você só está cumprindo ordens, Frank", disse ele. Então Fox sentou em uma das cadeiras e fingiu estar interessado em seu jornal, enquanto outros policiais iam e vinham. A maioria deles olhava para ele de relance ou o encarava — a notícia tinha se espalhado —, e um ou dois pararam para oferecer uma palavra de solidariedade.

Quando Stoddart apareceu, estava ladeada por dois homens bastante fortes. A própria Stoddart era alta e elegante, com o cabelo loiro comprido. Se alguém tivesse dito a Fox que ela era uma das diretoras de um banco ou de uma empresa, ele não teria ficado surpreso. Ela ostentava um crachá de identificação de visitante pendurado no pescoço, e ordenou a Frank que desse um igual para Fox. Fox não teve pressa para se levantar. Fechou o jornal, dobrou-o e o colocou no bolso. Stoddart não fez menção de cumprimentá-lo com um aperto de mãos. Nem mesmo se deu ao trabalho de se apresentar ou a seus escudeiros. Ela entregou o crachá para Fox e virou-se abruptamente.

"Por aqui", disse ela.

Não tiveram que andar muito. Fox não sabia de quem era a sala que eles tinham requisitado. A mesa e o quadro de avisos davam poucas pistas. Havia espaço para uma mesa de café circular e várias cadeiras, que pareciam ter sido cedidas pela cantina. Sobre a mesa havia um laptop e algumas pastas de papelão. Havia outro laptop sobre a mesa de café. Uma câmera de vídeo fora fixada a um tripé e estava focalizando a mesa.

"Sente-se", mandou Stoddart, indo para a ponta extrema da mesa. Um de seus capangas havia sentado atrás da mesa de café. O outro olhava pelo visor da câmera, certificando-se de que não precisava ser regulada. Ele avançou e deu a Fox um pequeno microfone.

"Pode prender isto na sua lapela?" Fox atendeu o pedido. Um fio ligava o microfone à câmera. O policial tinha posto um par de fones de ouvido e verificava o aparelho mais uma vez.

"Testando, testando", disse Fox para o microfone. O homem lhe mostrou o polegar para cima.

"Antes de começarmos", disse Stoddart. "Você vai gostar de ver o quanto isso é desagradável. Nós não gostamos de descobrir que uma denúncia foi feita contra um dos nossos..."

"Quem fez a denúncia?", Fox interrompeu. Ela o ignorou, os olhos na tela do laptop enquanto falava.

"Mas essas coisas têm que ser feitas da maneira adequada. Portanto não espere nenhum favor, inspetor Fox." Ela acenou com a cabeça para o policial que estava operando a câmera, que apertou um botão e anunciou que estavam gravando. Stoddart ficou em silêncio por um momento, como se organizasse seus pensamentos, então anunciou a data e a hora.

"Interrogatório preliminar", continuou ela. "Eu sou a inspetora Caroline Stoddart e estou acompanhada do sargento Mark Wilson e do policial Andrew Mason."

"Quem é quem?", Fox interrompeu de novo. Stoddart olhou furiosa para ele.

"O policial Mason está operando a câmera", ela o informou. "Agora, queira identificar-se..."

"Sou o inspetor Malcolm Fox."

"E você trabalha para a Divisão de Denúncias e Conduta da Polícia de Lothian and Borders?"

"Isso mesmo."

"Especificamente na Unidade de Normas Profissionais?"

"Sim."

"Há quanto tempo está baseado lá?"

"Quatro anos e meio."

"E antes disso?"

"Fiquei em St. Leonard's por três anos, e em Livingston antes disso."

"Essa era a época em que você bebia?"

"Estou sóbrio há cinco anos. Não sabia que meu hábito de beber tivesse sido registrado."

"Você nunca viu sua ficha pessoal?" Ela não pareceu convencida daquilo.

"Não", ele respondeu, cruzando a perna. Ao fazer isso, ele deslocou o jornal, que caiu do bolso no chão. Fox se abaixou para pegá-lo, estendendo o fio do microfone de tal forma que ele se soltou da câmera.

"Espere um pouco", disse Mason, retirando os fones de ouvido. Fox pediu desculpas e endireitou o corpo, os olhos sobre Caroline Stoddart.

"Está se divertindo?", ela perguntou.

"Nós estamos falando oficial ou extraoficialmente?"

Stoddart torceu a boca e voltou a verificar qualquer coisa na tela de seu computador. "Sua irmã também gosta de uma bebida, não é?"

"Isso não tem a ver com a minha irmã."

"Tudo pronto", anunciou Mason.

Stoddart levou um momento para organizar seus pensamentos novamente. "Vamos falar sobre Vince Faulkner", disse ela.

"Sim, vamos. Ele foi encontrado morto na manhã de terça-feira da semana passada — quando você recebeu a ordem para me manter sob vigilância?"

"Ele estava morando com sua irmã?", perguntou Stoddart, ignorando a pergunta dele.

"Isso mesmo."

"E você recentemente descobriu que tinha havido uma

discussão entre eles dois, durante a qual o braço dela foi quebrado?"

"Há uma semana, sim."

"Em que você estava trabalhando naquele momento?"

"Não muita coisa. Minha equipe tinha acabado de despender um esforço considerável montando um processo contra o inspetor Glen Heaton, da Divisão C."

Stoddart estava rolando uma página para baixo. "Havia mais alguma coisa prevista para você fazer?"

"Tinham me pedido para investigar uma pessoa..."

"Essa pessoa seria o sargento-detetive Jamie Breck?"

"Isso mesmo."

"Também lotado na Divisão C?"

"Sim."

"Quais as circunstâncias da solicitação?"

"Meu chefe, o inspetor-chefe McEwan, tinha sido procurado pela PEI. O detetive Breck tinha aparecido no radar deles e eles queriam que ele fosse investigado."

Stoddart estendeu a mão para pegar a pasta que estava por cima e a abriu. Havia fotos de vigilância lá dentro, as mesas que Giles tinha em Torphichen.

"Há certo conflito de interesses", Stoddart refletiu. "Você está investigando Breck, enquanto ele está investigando o assassinato do companheiro da sua irmã..."

"Eu estava ciente disso."

"Você não tentou se distanciar do caso?"

"Qual caso?"

"Os dois, acho eu."

Fox deu de ombros. "Como estão as coisas em Aberdeen?", perguntou ele.

A mudança de direção não pareceu ter nenhum efeito sobre Stoddart.

"Não estamos aqui para falar sobre mim", disse ela devagar, pondo o cabelo atrás das orelhas. "Parece que você se tornou amigo do detetive Breck em um espaço de tempo bastante curto."

"O relacionamento sempre foi profissional."

"Foi por isso que ele foi à sua casa na noite de quarta-feira? Vocês foram a um cassino juntos."

"Tudo tinha a ver com trabalho. Além disso, a PEI tinha pedido minha avaliação do sargento-detetive Breck."

"Sim, havia um veículo da Divisão de Denúncias parado perto da casa dele. Você os avisou que estariam perdendo tempo?"

"Ele acabou indo para casa no final."

"Mas você lhes contou sobre a ida ao cassino?"

"Não", reconheceu Fox.

"Então dois de seus colegas ficaram sentados em uma van de vigilância em uma noite fria de fevereiro..."

"É o que costumamos fazer."

Ela olhou para ele e depois para a tela novamente. Fox teve uma prazerosa fantasia momentânea de esmurrar a tela de forma que seu punho a atravessasse. Quando olhou por cima do ombro, Wilson estava ocupado estudando seu próprio laptop.

"O que você está jogando aí, paciência ou campo minado?", Fox lhe perguntou. Wilson não respondeu.

"O detetive Breck", disse Stoddart, "estava no cassino porque Vince Faulkner poderia ter ido até lá na noite em que morreu?"

"Ele foi até lá", Fox a corrigiu.

"E essa visita foi no sábado, depois de ele ter quebrado o braço da sua irmã?"

Fox fez que sim com a cabeça. "E eu não sabia o que havia acontecido ao braço dela até segunda-feira."

"O corpo do senhor Faulkner foi encontrado na manhã de terça-feira?"

"Isso mesmo."

"Sua irmã foi visitada na noite de segunda-feira por um de seus colegas?"

"O sargento Kaye."

"Você sabia que isso estava acontecendo?"

"Não."

"Você contou a ele sobre o braço quebrado?"

"Sim."

Um telefone começou a tocar. Stoddart percebeu que era o dela. Fez um sinal para que Mason interrompesse a gravação e então colocou a mão no bolso do paletó.

"Um momento", disse, ficando em pé e indo até a porta. Depois que ela saiu, Fox alongou as costas, sentindo as vértebras estalar.

"Isto é interessante", comentou ele. "Estar do outro lado para variar. Então como *estão* as coisas em Aberdeen? Estão atrás de alguém?"

Os dois policiais de Grampian se entreolharam. Foi Wilson quem falou. "Grampian anda bastante limpa ultimamente."

"Deve ser uma boa mudança então, vir aqui visitar Gomorra. Eles puseram vocês em um hotel decente?"

"Nada mau."

"Bom, então vocês vão querer estender isso o máximo possível."

Mason conseguiu dar um sorriso, mas apenas por um segundo. Stoddart estava voltando à sala. Ela recolocou o telefone no bolso e acomodou-se atrás da mesa.

"Pronto", avisou Mason. Stoddart olhou para Fox enquanto formulava sua próxima pergunta.

"O que", ela perguntou, "você estava fazendo agora há pouco na casa de uma mulher chamada Joanna Broughton?"

Fox levou um momento para se controlar. "Eu dei uma carona para ela. Ela estava na frente da delegacia de Leith e por acaso eu estava passando e a reconheci. Ela acabou de perder o marido e parecia bastante aborrecida, então me ofereci para deixá-la em algum lugar."

A sala ficou em silêncio até que Stoddart perguntou: "Você espera que eu acredite nisso?".

Fox apenas deu de ombros, enquanto, no íntimo, soltava uma corrente de xingamentos.

"Ela contratou uma empresa de relações públicas", continuou Stoddart, "e eles foram imediatamente para o telefone gritando que houve assédio."

"Posso lhe assegurar que eu não a assediei — pergunte a ela se quiser. Além do mais, isso não tem nada a ver com o nosso assunto aqui."

Ele sabia o que Stoddart iria dizer sobre aquilo — o mesmo que ele diria se estivesse no lado dela da mesa — e foi exatamente o que ela fez.

"Eu decidirei isso, inspetor." E em seguida: "Você diz que estava apenas passando pela delegacia de Leith? Aquele lugar não fica muito longe de tudo?"

"Não exatamente."

"Então, se eu for perguntar, nenhum dos policiais de lá me dirá que falou com você esta manhã?"

Ela observou Fox balançar a cabeça em negativa, e voltou a olhar para o computador.

Passaram-se mais quarenta e cinco minutos antes de ela decidir que iriam suspender o interrogatório naquele dia.

"Você não está pensando em ir para nenhum lugar, está?", ela perguntou, fechando o laptop. "Umas férias ou algo assim?"

"Não vou sair do país", ele garantiu a ela, enquanto Mason retirava o microfone. "Mesma hora amanhã?"

"Nós mandaremos avisar."

Fox fez que sim com a cabeça, agradeceu e foi na direção da porta. Ele parou com a mão na maçaneta. "Uma última coisa", ele disse. "O detetive Breck não tem a menor ideia de que está sendo investigado. Se a notícia vazar e chegar até ele, vocês três serão suspeitos..." Ele abriu a porta e fechou-a atrás de si. Visto que já estava no prédio, subiu até o próximo andar, retirando o crachá de visitante e colocando-o no bolso. Passou pela porta do escritório da Divisão de Denúncias e foi para a sala 2.24. Mas não havia ninguém lá, então voltou para sua sala, olhando para ver se Bob McEwan não estava por ali. Bateu na porta aberta para anunciar sua chegada. Gilchrist estava sentado ao lado de Naysmith na mesa deste, enquanto Naysmith lhe mostrava algo em seu computador. Kaye estava incli-

254

nado para trás em sua cadeira, as mãos cruzadas atrás da cabeça. Fox conseguiu não olhar para sua própria mesa, mas não pôde evitar ver de relance as coisas de Gilchrist espalhadas sobre ela.

Kaye levantou-se. "Você estava na sala da diretora?", ele perguntou.

"Estava."

"Ficou com o traseiro ardendo?"

"Não."

Kaye sorriu, vestindo o paletó. "Vamos até a cantina", disse ele.

No corredor, ele segurou Fox pela manga. "Gilchrist poderia matar a Escócia inteira de tédio." Ele revirou os olhos e balançou a cabeça, irritado. E então: "Como foi realmente?".

"Eles não vieram com muita coisa que eu não estivesse esperando. Pareciam saber do meu relacionamento com o diabo da bebida."

"Deve estar em algum lugar na sua ficha."

"O que significa que um dos meus chefes anteriores deve ter reparado..."

"Mas nunca disse nada?" Kaye estalou a língua. "Esperando que o problema se resolvesse."

"Bom, ele se resolveu."

"Estão tentando dizer que você é alcoólatra?"

"Não tenho certeza. Talvez tenham dito a eles para perguntar isso."

"O que você achou de Stoddart?"

"Ela é a Rainha do Gelo."

"Eu não me importaria de derretê-la."

Eles tinham chegado à cantina. Meia dúzia de pessoas estavam espalhadas pelas mesas, a maioria olhando para o nada enquanto mastigavam um lanche. "Você tem certeza de que quer ser visto comigo?", Fox perguntou.

"Quem sabe um pouco desse charme rebelde respingue em mim." Kaye colocou duas canecas em uma bandeja. "Ainda não vi o menor sinal da detetive Inglis", admitiu ele. "O que você fez a ela?"

Fox ignorou a pergunta. Seu celular antigo começou a vibrar, então ele levantou o indicador para avisar a Kaye que ia atender. Virando-se e caminhando na direção das janelas, apertou o botão para atender a chamada.

"Malcolm Fox", disse ele.

"É o Dearborn."

"Max — devo supor que você tem alguma coisa para mim?"

"Meu chefe está apoplético. Ele recebeu um telefonema de Gordon Lovatt, reclamando sobre um policial da Divisão D chamado Fox. O único Fox que qualquer um conhece é você, e, quando Lovatt recebeu a descrição, ele disse que batia completamente."

"Depois que tivemos a nossa conversinha", explicou Fox, "eu vi Joanna Broughton procurando de um lado para o outro por um táxi inexistente. Ela parecia tão abalada que eu ofereci uma carona. Ela deve ter suposto que eu estava baseado em Leith."

"Então foi para você que ela deu o diário do marido?"

"Fico feliz em ajudar, Max."

Fox ouviu Dearborn bufar do outro lado. Kaye tinha levado a bandeja para uma das mesas, acrescentando duas barras de chocolate a seu pedido. Ele já estava abrindo uma das embalagens.

"Mais alguma coisa?", Fox perguntou. "Alguma novidade em relação a Charlie Brogan?"

"Dá um tempo", Dearborn murmurou, desligando. Fox ligou para ele logo em seguida.

"Uma última coisa", disse ele, a título de aviso. "Pode ser que a Divisão de Denúncias de Grampian apareça para xeretar. É melhor não dizer a eles que nós conversamos."

"Você é encrenca, Fox."

"Nem me diga." Fox conseguiu encerrar a chamada antes de Dearborn e então foi até a mesa e sentou-se de frente para Kaye. Ele tentou descobrir se o que ele comprara era café ou chá. A aparência e o aroma não davam muitas indicações.

Kaye parara de mastigar. Estava olhando por cima do ombro de Fox. Quando virou a cabeça, Fox viu o motivo. Mason e Wilson tinham acabado de entrar na cantina.

"Bosta", disse Kaye com a boca cheia de chocolate. Fox, no entanto, acenou para os dois homens, convidando-os para ir até lá. Eles pareceram discutir a ideia por um momento e então fizeram que não com a cabeça e pegaram uma mesa o mais longe possível de Fox. Os dois tinham optado por garrafas de água e frutas frescas.

"Eles vão direto contar para a Stoddart", comentou Kaye.

"Ninguém proibiu que a gente se visse, Tony. Não é como se tivéssemos uma ordem de comportamento antissocial ou qualquer coisa assim. Você pode dizer que já estava aqui... que isso foi apenas um encontro casual."

"Ela não vai acreditar nisso."

"Mas ela vai ter que *aceitar* isso — assim como nós faríamos se estivéssemos fazendo o trabalho dela."

"Eu estou a um fio de cabelo de me juntar a você no banco dos afastados."

"Você não fez nada errado, Tony."

"Mas eu sou como você, Foxy — culpado até que se prove o contrário. E tudo porque todo mundo nos odeia."

"Quer isto?" Fox estava oferecendo a Kaye o outro chocolate. Kaye aceitou e colocou a barra no bolso. "E me responda uma coisa: que diabos estamos bebendo?"

Kaye olhou pra o conteúdo de sua caneca. "Pensei que era chá."

"Mas você não tem certeza?"

"Talvez eu tenha pedido café..."

Depois de devolver a Frank seu crachá na recepção, Fox foi para o estacionamento. Passou direto pelo Volvo e continuou andando. Havia vagas no canto extremo do complexo, perto dos campos de futebol. Eram marcadas para o uso de visitantes, e foi lá que ele encontrou o Astra preto e o Ka verde, estacionados lado a lado. Os adesivos das janelas traseiras identificavam que tinham sido comprados em revendedores em Aberdeen. Havia um arranhão com aparência de recente na pintura metálica do Ka, e Fox desejou que a culpa fosse do tráfego local.

Ele voltou para seu carro, saiu do estacionamento e subiu a longa e íngreme ladeira que levava à cidade até chegar à rua Queen. Uma casa de leilões tinha sua sede ali, e Fox parecia lembrar que eles eram especialistas em pinturas. Não teve dificuldade para encontrar uma vaga. Os motoristas estavam tentando economizar ou tinham sido dissuadidos a ir para o centro da cidade devido às obras do bonde. Fox colocou uma moeda de uma libra no parquímetro, prendeu o adesivo no para-brisa e entrou. Havia um balcão comprido na principal área de recepção, e no final dele um par de janelas que lembravam as dos caixas em um banco. Um cliente estava diante de uma das janelas, preenchendo um cheque para pagar uma compra recente.

"Posso ajudá-lo?", perguntou a mulher atrás do balcão.

"Espero que sim", disse Fox. "Sou policial." No lugar do distintivo, ele apresentou um de seus cartões de visita. Eles eram antigos, de uns três anos antes, mas eram vistosos e aparentavam legitimidade. "Estou com um problema e queria ajuda de um dos especialistas de vocês."

A mulher, depois de examinar o cartão, lhe pediu para esperar enquanto ia chamar alguém. O homem que acabou aparecendo era mais jovem do que Fox esperava. Usava uma camisa de listras finas, uma gravata amarela clara, e tinha um aperto de mão forte, apresentando-se como Alfie Rennison. Falava um inglês da Escócia culto. Ele também gostou de receber um dos cartões de visita de Fox.

"E o que posso fazer pelo senhor?", perguntou Rennison.

"É sobre alguns quadros."

"Modernos ou clássicos?"

"Modernos, acho."

Rennison abaixou a voz. "Falsificações?", sussurrou ele. "Nada disso", Fox garantiu-lhe. O jovem pareceu aliviado.

"Acontece, o senhor sabe", disse ele, Mantendo a voz baixa. "As pessoas tentam se desfazer de todo tipo de coisas conosco. Siga-me, por favor."

Ele levou Fox em direção aos fundos até chegarem a um poço de escada. Uma corda vermelha era o único obstáculo para qualquer um que quisesse descer para o próximo nível, e Rennison a soltou do gancho que a prendia por tempo suficiente para que os dois homens passassem. Fox o seguiu até as entranhas do prédio, que se mostraram bem menos nobres que as áreas públicas. Eles se encolheram ao passar por telas empilhadas contra as paredes, e desviaram de bustos, estátuas e relógios de pé.

"Vamos ter um leilão na semana que vem", explicou Rennison. "O exame das peças é na semana que vem."

Chegaram ao escritório dele, que consistia em duas salas transformadas em uma. Fox achava que estavam abaixo do nível do solo, mas havia duas janelas foscas, com grades do lado de fora.

"Aqui já foi a casa de alguém", Rennison disse. "Acho que a cozinha, área de serviço e quarto de empregada eram aqui embaixo. Quatro andares superiores cheios de elegância vitoriana, mas com a sala de máquinas escondida embaixo." Ele sorriu e fez um gesto para que Fox se sentasse. A mesa de Rennison era decepcionantemente simples. Fox deduziu que fosse do tipo "monte você mesmo", comprada na IKEA. Sobre ela havia um laptop ligado a uma impressora a laser. Havia apenas um quadro em todo o ambiente. Deveria ter uns quinze por dez centímetros e ficava na parede imediatamente atrás da cadeira de Rennison.

"Delicado, não? Uma *plage* francesa feita por Peploe. Não suporto a ideia de ter que me separar dela."

Fox não entendia quase nada de arte, mas gostou dos turbilhões densos de tinta. Lembravam-lhe sorvete derretendo. "Vai entrar no leilão?"

Rennison fez que sim com a cabeça. "Deve pegar de cinquenta a sessenta."

"Mil?" Fox olhou para o quadro com novo respeito, misturado com uma sensação de atordoamento de que aquele era um mundo que ele teria problemas em compreender.

Rennison tinha cruzado as mãos, os cotovelos sobre a mesa. "Fale-me sobre os quadros."

"Você já ouviu falar em um homem chamado Charlie Brogan?"

"Ora, claro — a última vítima de nossos tempos difíceis."

"Mas você o conhecia antes de ele se afogar?"

Rennison estava confirmando com a cabeça. "Há diversas casas de leilão na cidade, inspetor. Nós damos duro para manter a fidelidade de um cliente."

"Está dizendo que ele comprou de vocês?"

"E também de algumas das galerias da cidade", Rennison sentiu-se obrigado a dizer.

"Você viu a coleção dele?"

"A maior parte."

"Ele tinha começado a vendê-la?"

Rennison o estudou, apoiando o queixo nas pontas dos dedos. "Posso perguntar por que o senhor está interessado?"

"Estamos investigando as razões pelas quais ele pode ter se matado. Você mencionou finanças, e é apenas porque a decisão do senhor Brogan de vender seus quadros poderia se encaixar nessa teoria."

Rennison assentiu, satisfeito com a explicação.

"Algumas peças ele mandou para Londres; outras, vendeu aqui. Na verdade, umas três ou quatro estão consignadas para nosso próximo leilão. Naturalmente nós as seguraremos até saber o que os herdeiros querem que façamos."

"De quantas estamos falando, no total?"

Rennison fez um cálculo rápido. "Catorze ou quinze."

"E o valor...?", perguntou Fox.

Rennison soltou o ar com força. "Meio milhão, talvez. Antes da recessão, teria sido em torno de setecentos e cinquenta."

"Espero que ele não tenha comprado na alta do mercado."

"Infelizmente, foi o que aconteceu com a maioria. Ele estava vendendo com perda."

"O que significa que ele estava desesperado?"

"Eu diria que sim."

Fox pensou por um momento. "Você já se encontrou com a esposa do senhor Brogan?"

"Ela o acompanhou a um leilão certa vez. Não acho que foi o tipo de experiência que ela estaria ansiosa para repetir."

"Não é uma amante das artes, então?"

"Não mesmo."

Fox sorriu e começou a se levantar. "Obrigado por conversar comigo, senhor Rennison."

"Foi um prazer, inspetor."

Enquanto trocavam um aperto de mãos, Fox deu uma última olhada no Peploe.

"O senhor está pensando em sorvete?", adivinhou Rennison. Então, vendo a expressão no rosto de Fox: "O senhor não é o primeiro".

"Com cinquenta mil dá para comprar um monte de Cornettos", Fox disse ao homem.

"Talvez dê, mas qual seria o valor de revenda, inspetor?"

Ele seguiu Rennison de volta para o andar térreo.

17

Fox estava estacionado a cinquenta metros do Minter's quando Naysmith e Gilchrist chegaram. Eles tinham vindo de táxi, obviamente pretendendo tomar mais do que apenas um drinque; nenhum dos dois iria dirigir para voltar para casa. Fox esperou mais vinte minutos, tempo para que Kaye chegasse também, estacionando em uma área proibida e colocando sua placa de POLÍCIA sobre o para-brisa. Ele estava olhando mensagens em seu telefone quando entrou. Fox escutava a Radio 2, batendo com as pontas dos dedos no volante ao ritmo da música. Mas, quando um concurso foi anunciado, dois ouvintes disputando o "prêmio estelar", ele mudou de estação. Havia um noticiário local, então ele ficou escutando, mas sem prestar muita atenção. Mais mazelas associadas à economia; mais mazelas associadas aos bondes; um período de tempo bom iminente. As informações sobre tráfego avisavam sobre extensos congestionamentos na Forth Road Bridge e no sentido leste do anel viário.

"E o centro da cidade está no meio da confusão de sempre na hora do rush", concluiu o locutor. Fox sentiu-se à vontade dentro do carro estacionado, protegido do caos. Mas acabou chegando o momento de desligar o rádio e sair. Ele afinal tinha criado coragem para enviar uma mensagem de texto a Annie Inglis:

Espero que você possa me perdoar. Queria ser seu amigo.

Ele não estava muito certo sobre esse "amigo". Sentia atração por ela, mas nunca tivera muita sorte com as mulheres, com a exceção de Elaine — e mesmo isso se mostrara um erro. Talvez não fosse Annie que o intrigasse, mas sim a combinação da mulher e da carreira que ela escolhera. Durante a última meia hora ele esperara que ela mandasse uma mensagem de resposta, ou ligasse, e, quando abriu a porta do pub, seu telefone antigo vibrou. Ele o tirou do bolso e o apertou contra o ouvido.

"Alô?"

"Sou eu", disse a voz.

"Annie... obrigado por retornar." Ele voltara para a calçada, quase dando um encontrão em um pedestre. "Escute, eu só queria que você soubesse o quanto eu lamentei sobre o que aconteceu ontem. Sei que fui um idiota..."

"Bom, *eu* lamento por ter explodido com você. Talvez eu não estivesse raciocinando direito. O Duncan tinha me irritado como sempre." Fox esperou que ela falasse mais, mas ela havia parado.

"Isso não quer dizer que eu não estivesse errado", ele disse para o silêncio. "E eu realmente gostei do almoço e de estar com você e tudo mais. Posso retribuir o favor?"

"Você quer dizer, cozinhar para mim?"

"A palavra 'cozinhar' talvez seja um pouco forte..." Quando ela riu, um peso saiu das costas dele. "Mas sou especialista em lugares que entregam comida pronta."

"O.k.", disse ela. "Vamos ver."

"Qualquer noite nesta semana é boa para mim."

"Eu vou ver e depois falo com você, Malcolm." Ela fez uma pausa. "O Duncan está chegando."

"Eu fui procurar você, para me desculpar pessoalmente", Fox lhe disse.

"Em Fettes? Pensei que estivesse suspenso."

"A Divisão de Denúncias de Grampian me convidou para um bate-papo."

"Você tem muitas coisas com que se preocupar, Malcolm. Talvez a gente devesse pular esta semana."

"Você estaria me fazendo um favor, Annie — sinceramente."

"Então está bem, vou pensar. Agora preciso desligar."

"Diga olá ao Duncan por mim. Diga-lhe que quero saber que música ele comprou com o cartão."

"Acredite em mim, você não vai querer ouvir nada do que ele comprar."

O fone ficou mudo, e Fox conseguiu sorrir ao olhar para a pequena tela luminosa. Então a tela ficou escura, e ele respirou fundo, ajustando sua postura antes de entrar no pub.

Tony Kaye o viu primeiro. Kaye não estava na mesa de sempre, mas em uma ao lado, dando espaço para Naysmith e Gilchrist. Ele estava lendo o jornal da noite, mas pouco interessado. Suas sobrancelhas se ergueram quando viu Fox, mas então ele se levantou rapidamente e chegou ao bar antes dele.

"Deixa eu pagar esta", afirmou ele, pondo a mão no bolso da calça.

"Feliz por me ver?", perguntou Fox.

"Esteja certo que sim. Eu estava me sentindo o pau de reserva em uma orgia." Ele torceu a cabeça na direção da mesa do canto. "A metade das coisas sobre as quais eles falam eu não entendo, e a outra metade me mata de tédio." Ele fez uma pausa e olhou para Fox. "Estava só passando por aqui e resolveu entrar, é?"

"Na verdade, eu queria dar uma palavrinha com o Gilchrist."

Kaye pensou naquilo. "Foi isso que você conversou com Naysmith? Ele serviu de isca para você?"

Fox apenas deu de ombros e pediu um suco de tomate ao proprietário. O homem fez que sim com a cabeça e tirou uma garrafa da geladeira com porta de vidro, sacudindo com força antes de servir.

"Você viu o programa *Topa ou Não Topa?*", perguntou ele, sem esperar uma resposta. "O sujeito tinha cem mil e trocou por dezessete e meio."

Ele balançou a cabeça diante da idiotice de algumas pessoas.

"Eu adoro quando eles perdem", comentou Kaye, entregando o dinheiro e pedindo meia caneca para si.

"Lembre-se de que você está dirigindo", Fox o repreendeu.

"Só vou tomar uma caneca e meia."

"Tudo de que o escritório precisa agora é você sendo reprovado no teste do bafômetro — McEwan teria um ataque. Além disso, tem certeza de que pode confiar que o Gilchrist não vai te dedurar?"

Kaye resmungou, mas mudou seu pedido para suco de laranja com limão. Naysmith e Gilchrist observavam os dois quando se aproximaram da mesa com os copos. Kaye afastou o jornal e sentou-se. Fox pegou uma cadeira e sentou mais perto de Gilchrist.

"Tudo bem, rapazes?", perguntou ele, notando que Gilchrist estava quase terminando seu primeiro gim-tônica da noite. "E aí, já se acostumou no cargo novo?"

"Escuta, eu sei que é desagradável..."

Fox interrompeu Gilchrist com um aceno da mão. "Tudo certo para mim. Nada disso é culpa sua, não é?" Aquilo soou como uma pergunta retórica, mas os olhos de Fox diziam algo diferente. Gilchrist sustentou o olhar dele, e então balançou a cabeça lentamente.

"Não", ele acabou por dizer.

"Não", repetiu Fox. "Então está tudo certo. Mas tornou as coisas difíceis para a sargento-detetive Inglis..." Ele tomou um gole de suco de tomate.

"Sim", concordou Gilchrist.

"Também foi meio repentina a maneira como você foi tirado da Casa do Pai..."

"Eles sabiam que eu estava ansioso para tentar alguma coisa diferente." Gilchrist fez uma pausa. "Afinal, é apenas temporário."

"Claro que sim", enfatizou Kaye, enquanto Naysmith confirmou com a cabeça.

Fox sorriu diante da demonstração de apoio, mas seus olhos ainda estavam em Gilchrist. "E o que vai acontecer com Jamie Breck?", ele perguntou. Gilchrist deu de ombros. "A investigação dos australianos já começou a se desintegrar?"

"Pelo que sei, eles acham que têm o bastante."

"Então eles vão levar o principal suspeito a julgamento." Fox concordou com a cabeça. "Mas e os clientes dele?" Gilchrist deu de ombros de novo. "Posso dar uma investigada, se você quiser."

Fox estendeu a mão e deu uma palmada de leve na coxa de Gilchrist. "Não se preocupe com isso. Você está na Divisão de Denúncias agora — tem outras coisas para fazer. Querem mais?" Fox apontou para os copos sobre a mesa.

"Obrigado, Malcolm", disse Naysmith, mas Gilchrist estava balançando a cabeça.

"Eu só ia tomar um", explicou ele. Aquilo pareceu novidade para Naysmith, mas Gilchrist estava acabando de beber o que restava em seu copo. "Vou encontrar uma pessoa na cidade..." Ele já estava levantando. "Vejo vocês amanhã, né?"

"Eu não", Fox o lembrou.

"Não... Mas boa sorte."

"Você acha que eu vou precisar?"

Gilchrist não respondeu. Ele estava vestindo sua jaqueta térmica. Fox estendeu a mão e segurou-o pelo braço.

"Quem foi que suspendeu a vigilância sobre Breck? *Você* recebeu o telefonema — quem estava do outro lado da linha?"

Gilchrist soltou o braço com um safanão, a mandíbula cerrada. Ele acenou na direção de Naysmith e foi embora.

"Conseguiu o que queria?", Kaye perguntou a Fox.

"Não tenho certeza."

Naysmith estava segurando sua caneca vazia. "Kronenberg, por favor", ele disse a Fox.

"Vai lá e compra, seu colaboracionista", retrucou Malcolm Fox.

* * *

"Tudo bem se eu entrar?", perguntou Fox.

Eram nove horas da noite e ele estava parado na frente da porta de Jamie Breck. Breck tinha acabado de abrir a porta para ele e estava usando uma camisa polo aberta no pescoço e calças de brim verde, de meias mas sem sapatos.

"Se for inconveniente...", continuou Fox, a voz quase desaparecendo.

"Tudo bem", Breck acabou por concordar. "Annabel vai ficar na casa dela esta noite." Ele se virou e percorreu o curto corredor em direção à sala de estar. Quando Fox chegou lá, Breck tinha acendido alguns abajures. A televisão estava desligada e o aparelho de som também.

"Eu estava na internet", Breck pareceu sentir necessidade de explicar. "Meio entediado, para ser sincero com você."

"Jogando Quidnunc?"

"Como adivinhou? Quatro ou cinco horas hoje..." Breck fez uma pausa. "Na verdade, talvez mais..."

Fox concordou com um gesto e acomodou-se no sofá. Ele ficara em casa e tentara comer uma refeição pronta, desistindo na metade. "Tive uma conversa com a Divisão de Denúncias de Grampian", disse ele.

"E como foi?"

"Foi."

"Eles querem me ver amanhã de manhã... uma mulher chamada Stoddart."

"Vai dar tudo certo."

Breck jogou-se em uma das poltronas. "Tem certeza disso?"

"Annabel descobriu alguma coisa?"

"Você quer dizer sobre Vince Faulkner?" Breck torceu a boca. "Parece que o caso não vai a parte alguma. Em vez de seguir em frente com a investigação, Giles está revisando coisas que eles fizeram, para ver se a equipe deixou escapar algo."

"É uma estratégia de preguiçoso", comentou Fox.

"Eles conseguiram acesso às imagens do cassino..."

"E então?"

Breck deu de ombros. "Nenhum sinal de Faulkner em nenhuma delas. Mas adivinha só — havia algumas lacunas na gravação."

"Alguém andou adulterando o material?"

"Um 'defeito', segundo a gerência."

"Exatamente como você disse que aconteceria. Joanna Broughton estava lá para explicar as coisas?"

Breck fez que não com a cabeça. "Ela não pôde ser encontrada em lugar algum. Foi o sujeito que ficava no bar — obviamente foi promovido. E mais uma pessoa da Lovatt, Meikle, Meldrum."

"O que isso tem a ver com eles?"

"A cliente deles pediu que estivessem presentes. Eu te falei, Malcolm, ela não quer nenhuma mancha na reputação do Oliver." Breck interrompeu o que dizia. "Desculpe, eu devia ter perguntado se você quer uma bebida."

"Estou bem", Fox garantiu-lhe. Os dois homens ficaram sentados em silêncio por um momento.

"Pode desabafar", Breck disse com um sorriso muito tênue.

"O quê?"

"Alguma coisa está te consumindo."

Fox olhou para ele. "Como vou saber se posso confiar em você?"

Breck deu de ombros. "Eu tenho a sensação de que você precisa confiar *em alguém.*"

Fox esfregou um dedo na testa. Ele havia passado a última hora e meia pensando exatamente a mesma coisa. "Talvez eu aceite a oferta para beber alguma coisa", disse ele, ganhando tempo. "Água serve."

Breck já estava em pé e saindo da sala. Fox olhou ao redor, mal percebendo o ambiente que o cercava. Aquele fora um dia comprido. Dearborn e Broughton, Stoddart e Gilchrist... Breck estava voltando com a jarra. Fox aceitou com um movimento da cabeça. Seu estômago estava cheio de acidez. Os olhos ardiam quando ele piscava e havia um latejamento constante em suas têmporas.

"Você quer uma aspirina ou algo semelhante?", Breck perguntou. Fox fez que não com a cabeça. "Você parece perturbado. Estou achando que nem tudo foi cortesia da inspetora Stoddart."

"Eu vou lhe contar uma coisa", Fox disse sem pensar. "Mas tenho dúvidas de como você vai reagir."

Breck não tinha sentado realmente. Em vez disso, tinha apoiado o peso no braço da poltrona. "Quando quiser", instruiu ele.

Fox tomou outro gole. A água tinha um gosto final levemente doce, que o fazia lembrar o gosto da água de torneira de sua infância, em um dia quente depois de brincar do lado de fora da casa.

"Você esteve sob investigação", afirmou ele, evitando olhar nos olhos de Breck. "Incluindo vigilância."

Breck pensou por alguns segundos, e então balançou a cabeça lentamente. "Aquela van?", disse ele. "Sim, de certa forma eu sabia. E sobre você também, é claro." Os dois homens se olharam. "Você parecia saber um pouco demais sobre mim, Malcolm. Lembra-se quando eu lhe disse que meu irmão era gay? Você disse que não sabia, mas isso significa que sabia que eu tinha um irmão. Então, quando veio até aqui, você não conseguiu realmente explicar como sabia que esta era a minha rua." Ele fez uma pausa. "Eu esperava que você acabasse dizendo alguma coisa."

"E aqui estou eu..."

"Pensei que talvez vocês estivessem tentando me ligar a Glen Heaton."

"Não estávamos."

"O que era então?" Breck parecia verdadeiramente curioso.

"Seu nome apareceu em uma lista, Jamie. Assinantes de um website..."

"Que tipo de website?"

Fox virou a cabeça de forma a olhar para o teto. "Eu não devia estar fazendo isso", ele murmurou.

"Um pouco tarde para isso", Breck lhe disse. E em seguida: "Que tipo de website...?".

"Do tipo sobre o qual você não gostaria que Annabel ficasse sabendo."

"Pornografia?" O tom de voz de Breck tinha aumentado um pouco. "Sadomasoquismo? Zoofilia...?"

"Menores de idade."

Breck ficou em silêncio por um momento, até que uma risada de incredulidade explodiu em sua boca.

"Você pagou com cartão de crédito", Fox continuou. "Então a PEI pediu que a gente investigasse."

"Quando isso tudo começou?"

"No início da semana passada. Eu comecei a recuar depois que nos conhecemos pessoalmente..."

Breck tinha escorregado do braço da poltrona para dentro dela. "O meu cartão de crédito?", ele perguntou. Então saltou da poltrona e saiu da sala, voltando um minuto depois com uma pasta. Ele a segurou sobre a mesa de centro e despejou o conteúdo, agachando-se para examinar tudo. Havia extratos bancários, recibos, documentos de hipoteca e faturas com históricos de cartão de crédito. Fox não pôde deixar de reparar que a conta-poupança de Breck era um número alto de cinco algarismos. Breck estava separando as faturas de cartão de crédito.

"Dólares australianos, mais provavelmente", explicou Fox.

"Nada aqui..." Breck estava passando o indicador pelas colunas de gastos. Ele usava bastante seu cartão — supermercados, postos de gasolina, restaurantes, lojas de roupas. Além dos pacotes de televisão e internet.

"Espere um segundo", disse ele. A ponta de seu dedo estava parada em um dos lançamentos. "Dólares americanos, não australianos. Dez dólares, equivalentes a oito libras."

Fox olhou a descrição. "SEIL Ents", ele leu.

"Eu nunca prestei atenção nisso..." Breck estava quase falando consigo mesmo. "Às vezes eu compro downloads dos Estados Unidos... Você acha que pode ser este?"

"Você comprou alguma outra coisa em dólares recentemente? Este aqui é de cinco semanas atrás."

"Juro por Deus, Malcolm..." Os olhos de Breck estavam arregalados. Ele parou de olhar para a folha de papel e se levantou. "Vem cá, tem uma coisa que eu quero te mostrar." Ele saiu da sala, e Fox foi atrás. Eles entraram no que seria o segundo quarto da casa. Era o escritório de Breck. O computador estava ligado, o protetor de telas ativo. Breck mexeu no mouse. Seu papel de parede era uma foto de Annabel.

"Sente-se", ele ordenou a Fox, indicando uma cadeira giratória. "Olhe você mesmo. Eu duvido que eu tenha visitado sites pornográficos mais do que uma dúzia de vezes na vida — e nunca nada... quero dizer, só as coisas normais."

"Escuta, Jamie..."

Breck girou para encará-lo. "Eu não sei nada sobre isso!", ele gritou.

"Eu acredito em você", disse Fox em voz baixa.

Breck o encarou. "Certo, porque você tinha aquela van parada lá fora..." Ele passou a mão pelo cabelo. "Você estava ligado ao meu sistema de alguma maneira... Não, não *você*, não você pessoalmente... você estava comigo no Oliver naquela noite. Alguns dos caras que trabalham com você, certo? E alguém da pei também."

"O nome dele é Gilchrist. Ele está usando a minha mesa agora na Divisão de Denúncias."

Os olhos de Breck estreitaram enquanto ele digeria aquilo. "Temos que falar com ele, descobrir como isso pode ter acontecido."

Fox concordou com um movimento lento da cabeça. "Eu falei com ele hoje, mas ele não chegou exatamente a cooperar."

"Preciso falar com alguém sobre isso", Breck disse.

Então, os olhos cravados em Fox: "Todo esse tempo em que nós estivemos... e eu deixei você... e você achava que eu era um *pedófilo*?".

Fox não conseguia pensar em nada para dizer. Breck tinha dado alguns passos em direção à janela e olhava para fora por trás da persiana.

"Só foi naquela noite", explicou Fox. "Estávamos planejando outra, mas foi cancelada. — decisão da PEI."

Breck virou-se para olhar para ele. "Por quê?"

"Eu não sei."

"Eles perceberam que era um engano?"

Fox deu de ombros. Breck passou a mão no cabelo novamente. "Isso é um pesadelo do cacete", disse ele. "Você conheceu Annabel — eu tenho uma *namorada*."

"Às vezes esses caras também têm."

"Pedófilos, você quer dizer." Fox conseguia perceber que a mente de Breck estava funcionando em alta velocidade. "Vocês mandaram uma *van* para me vigiar! É como se fosse a Gestapo ou algo assim."

"Uma coisa que o equipamento da van captou..."

Breck olhou para ele. "O quê?"

"Você fez algumas pesquisas on-line sobre *mim*."

Breck pensou por um momento e então confirmou lentamente com a cabeça. "É verdade", disse ele. Então ele ficou em silêncio, os olhos fixos na tela do computador. "Como se chama o site?", ele acabou perguntando. Precisamos contatá-los, descobrir o que aconteceu."

"Essa é a última coisa que você quer fazer", preveniu Fox.

"Eles têm o número do meu cartão de crédito — como isso é possível?"

"É possível", argumentou Fox. "Você mesmo disse — você compra coisas on-line. Você paga uma assinatura para jogar Quidnunc? Porque se paga, os detalhes do seu cartão estão por aí..."

"Isso é um pesadelo", repetiu Breck, olhando para as paredes a seu redor. "Preciso de uma bebida..." Ele saiu rapidamente do quarto, deixando Fox em pé lá. Ele esperou um momento e então examinou os ícones na tela do computador. Não viu nada de incomum. O Quidnunc fora minimizado, e ele colocou de volta em modo de tela cheia. O avatar de Breck parecia ser um guerreiro loiro e musculoso carregando uma arma de aparência complicada. Ele estava em pé em um vale cercado de montanhas, atrás das quais estava havendo explosões, com caças a jatos ou espaçonaves voando por cima de vez em quando. O cabelo dele revoava ao vento, mas fora isso ele ficaria parado ali até que Breck voltasse para o jogo. Fox minimizou a tela de novo e saiu do quarto.

Jamie Breck estava na cozinha. Era imaculada, mas Fox teve a sensação de que era usada. Havia uma fruteira cheia de laranjas e ameixas, e uma bandeja com um pão integral. Breck tinha tirado cubos de gelo do freezer e estava colocando uísque sobre eles.

"Há ocasiões", disse ele, a voz tremendo ligeiramente, "em que só os remédios locais servem." Ele indicou a garrafa para Fox, mas Fox fez que não com a cabeça. Era Highland Park: ele experimentara diversas vezes no passado. Malte levemente defumado, borrifado pelo mar... Breck bebeu metade do copo sem pausa. Ele apertou os olhos e abriu a boca, expirando ruidosamente. As narinas de Fox dilataram. Sim, aquele era o aroma de que ele se lembrava.

"Isto não está acontecendo", disse Breck. "Eu estou subindo rapidamente na carreira, todo mundo sabe disso. Mais um ano e eu seria inspetor."

"Isso é o que seu arquivo pessoal parecia dizer."

Breck fez que sim com a cabeça. "E foi assim que você ficou sabendo tudo a meu respeito — você viu a minha ficha completa." Os olhos dele se fixaram em Fox. "Então por que confessar agora, Malcolm?"

Fox serviu-se de mais um copo de água da torneira. "Você mesmo disse, Jamie — eu preciso de alguém em quem possa confiar."

"E você acha que essa pessoa sou eu?" Breck esperou

até que Fox tivesse assentido com a cabeça. "Bom, obrigado pelo menos por isso — ou isso significa apenas que eu sou a sua última esperança?"

"A questão, Jamie, é que estão acontecendo muitas coisas que eu não estou nem perto de entender. Acho que talvez você possa ajudar."

"O que você está dizendo é que o fato de eu ser suspeito de pedofilia é a menor das suas preocupações? E que a minha namorada poderia se mostrar útil no percurso?"

Fox conseguiu sorrir. "Mais ou menos por aí."

Breck bufou enquanto sorria ao tomar sua bebida. "Bom, pelo menos nós sabemos em que pé estamos. Você acha que eu deveria contatar a empresa do meu cartão de crédito? Talvez eles consigam rastrear a transação."

Fox deu de ombros. "Vale tentar", disse ele.

"Enquanto isso posso verificar a tal de SEIL Ents."

"Cuidado — o sujeito por trás do site é um policial na Austrália. Eles o estão investigando, mas por certo não querem que ele saiba disso. Se ele descobrir e encerrar a operação toda..."

"Vai haver quem pense que eu o avisei?" Breck balançou a cabeça lentamente. "Falta muito para eles o prenderem?"

"Não sei mesmo."

"Você consegue descobrir?"

Fox fez que sim com a cabeça.

"E eu vou garantir que Annabel fique em contato com Billy Giles e tudo o que ele fizer — isso parece razoável?"

Fox fez que sim com a cabeça de novo e viu Breck levantando o indicador.

"Mas não quero que Annabel saiba disso."

"De mim ela não vai ouvir nada", prometeu Fox.

"A Stoddart sabe?", perguntou Breck.

"Sabe."

"Mas eu não quero deixar que ela saiba que *eu* sei."

"Isso é com você, Jamie."

"Eles iriam perceber que foi você que me contou. E isso seria pior ainda para nós."

"É verdade."

Breck tinha se virado de maneira que sua nuca estava apoiada na parede, no detalhe em mármore preto da cozinha. O copo continuava em sua mão, restando um centímetro e meio de líquido dentro dele.

"Olhe para nós dois", disse ele com outro sorriso cansado. E, então, erguendo o copo em um brinde: "Mas obrigado por passar a confiar em mim, Malcolm — antes tarde do que nunca". Ele levou o copo à boca, terminando o uísque e jogando o gelo dentro da pia. "Então", disse ele estalando os lábios, "você tem algum plano de ação específico em mente?"

"Eu sou o cara que pensa que as coisas simplesmente acontecem conosco, lembra? É *você* que acha que controlamos o nosso destino."

"Parece-me que você está em um processo de mudança."

"Por falar em mudança..." Fox tirou um cartão do bolso e entregou-o a Breck. "Comprei um celular novo."

"Você acha que eu deveria fazer o mesmo?" Breck analisou o cartão. O número antigo do celular de Fox tinha sido riscado e o novo anotado com caneta esferográfica. "A Divisão de Denúncias pode grampear o meu telefone?"

"Não é tão fácil. Mas eles podem acessar os registros de todas as chamadas, recebidas ou enviadas."

"Você disse 'eles' em vez de 'nós'..." Fox não comentou isso, e Breck ficou pensativo por mais alguns segundos. "Por que armaram para cima de mim, Malcolm?", ele perguntou em voz baixa. "Quem faria isso? Um site pornô australiano?" Ele balançou a cabeça devagar. "Não faz o menor sentido."

"Vai fazer", afirmou Fox, endireitando os ombros. "A gente só precisa investigar."

TERÇA-FEIRA,
17 DE FEVEREIRO DE 2009

18

Na manhã de terça-feira, Fox estava esperando Annie Inglis do lado de fora de seu prédio. Duncan apareceu primeiro, andando curvado para a escola sob o peso da mochila. Dez minutos depois foi a vez de Inglis. Fox, sentado em seu carro do outro lado da rua, deu um toque na buzina e acenou para ela. O tráfego estava intenso — pessoas indo para o trabalho ou deixando crianças diante dos portões das escolas. Um guarda tinha parado sua motoneta ao lado do carro de Fox, mas foi embora quando viu que o pisca-alerta estava ligado e que havia uma pessoa ao volante. Annie Inglis esperou um pouco na calçada e, quando atravessou a rua, não entrou no carro. Em vez disso, inclinou-se de forma que seu rosto estivesse na altura da janela do passageiro. Fox abaixou a janela.

"O que está fazendo aqui?", ela perguntou. Ele entregou a ela um de seus cartões, com o número de seu novo celular anotado no verso.

"Para o caso de você precisar falar comigo", explicou. "Mas não conte para ninguém." E em seguida: "Preciso de um favor, Annie".

"Escute, Malcolm..."

"Seria mais fácil conversar se você entrasse. Eu posso até lhe dar uma carona."

"Eu não preciso de carona." Uma vez que ele não disse mais nada, ela suspirou e abriu a porta. Ele tinha tirado os papéis de bala do banco do passageiro. Havia um mapa de ruas no piso, que ela entregou a ele. Ele o atirou no banco de trás.

"Tem a ver com Jamie Breck?", ela perguntou.

"Gilchrist está sendo obstrutor."

"Você está suspenso, Malcolm! Não é função dele te ajudar."

"Mesmo assim..."

Ela deu outro suspiro profundo. "O que você quer?"

"Um contato do lado australiano — alguém da equipe de lá. Nome, número de telefone, e-mail... qualquer coisa mesmo."

"Posso perguntar por quê?"

"Ainda não."

Ela olhou para ele. O rosto que ela usava quando trabalhava era diferente daquele que usava em casa — havia um pouco mais de maquiagem. Aquilo endurecia os traços dela.

"Eles vão saber que fui eu", afirmou. Ela não se referia aos policiais na Austrália. Estava falando de Fettes.

"Eu vou dizer que não foi."

"Então está tudo bem — afinal, não há motivo pra eles não acreditarem em você, não é?"

"Motivo nenhum", disse ele com um sorriso.

Annie Inglis abriu a porta do carro e começou a sair. Ela ainda segurava o cartão dele. "O que aconteceu com seu telefone antigo?", perguntou ela. E em seguida: "Não... pensando bem, eu realmente não quero saber". Ela fechou a porta do carro e atravessou a rua de novo, destrancando seu próprio carro.

Fox levou cinco minutos para chegar ao café na rua Morningside, porém mais cinco tentando encontrar um lugar para estacionar. Pôs no parquímetro moedas suficientes para uma hora, e caminhou a curta distância até seu destino. Jamie Breck já estava lá, ligando seu laptop em uma das tomadas ao lado da mesa de canto em que se encontrava.

"Acabei de chegar", disse ele a Fox, enquanto trocaram um aperto de mão.

"Como está?"

"Não dormi muito, graças à sua confissão."

A boca de Fox retorceu diante daquela palavra. Ele se livrou do casaco e perguntou o que Breck queria beber.

"Um café americano com uma gota de leite."

Fox fez o pedido, acrescentando um *capuccino* para si. "Alguma coisa para comer?", ele perguntou a Breck.

"Talvez um croissant."

"Traga dois", disse Fox ao atendente. Quando ele voltou para a mesa, Breck tinha regulado a posição do laptop de forma que o sol baixo não atingisse a tela. Fox colocou uma cadeira ao lado de Breck. Aquilo fora ideia de Fox, e, olhando para os outros fregueses, ele sentiu que acertara na escolha. Mesmo se alguém estivesse lá fora em uma van de vigilância — e ele dera uma boa olhada, sem localizar nenhum candidato óbvio — havia uma meia dúzia de pessoas no café conectadas à internet, cortesia do acesso *wi-fi* gratuito. A maioria seriam estudantes, o restante, executivos. Naysmith lhe dissera certa vez como era difícil discernir um usuário do outro em um agrupamento desses.

"Então, o que é que estamos procurando?", Breck perguntou. Ele agia como um profissional, o choque da noite anterior fora assimilado e guardado em algum compartimento de sua mente.

"Uma coisa que você disse há tempos", começou Fox, inclinando-se para a frente na cadeira. "Você já teve um contato com a empresa de relações públicas antes."

Breck fez que sim com a cabeça. "Lovatt, Meikle, Meldrum têm um braço lobista." Ele deu uma busca pelo nome da empresa, indo para a página inicial do website deles. Alguns cliques depois, ele mostrava a Fox uma fotografia. O homem era careca, tinha uma cabeça oval e estava sorrindo. "Paul Meldrum — o 'Senhor Conserta-Tudo' político da LMM. Eu lhe contei sobre o conselheiro municipal — o Paul aqui encheu a minha orelha. Disse que estava representando o conselho municipal."

"Quem era o conselheiro?"

"Ernie Wishaw."

"Nunca ouvi falar nele."

"Ele tem um negócio de caminhões perto do shopping Gyle."

"E o que ele fez?"

"Um de seus motoristas estava entregando pacotes demais..."

"Drogas?"

Breck fez que sim com a cabeça. "A Entorpecentes o pegou, e ele vai cumprir uns cinco anos. Mas eles se perguntaram até onde as coisas tinham ido. Wishaw teve uma reunião no Oliver com o cunhado do motorista. O pessoal da Entorpecentes achou que talvez fosse para dar um dinheiro para a mulher dele, para comprar o silêncio dela. Se ela ficasse boazinha, o motorista não iria tagarelar."

"E como você se envolveu?"

"A Entorpecentes queria informações locais. O chefe deles é muito próximo do Billy Giles, então eles nos usaram."

Fox franziu a testa. "Glen Heaton fazia parte da equipe?"

Breck fez que sim com a cabeça. "Até aquele momento, eu não tinha dúvidas sobre ele."

"Alguma coisa fez você mudar de ideia?"

Breck deu de ombros. "Eu acho que eles estavam de olho em nós desde o início — não me pergunte o porquê, tudo o que tenho é uma impressão."

"Então você não ficou surpreso quando não apareceu nada nas câmeras do Oliver?"

"Não", concordou Breck.

Fox tomou um gole de café. "Há quanto tempo foi isso?"

"Há quase seis meses."

"Isso nunca veio à tona." A expressão de Breck era de quem não estava entendendo. Fox esclareceu: "Estivemos investigando Glen Heaton durante quase um ano, e esta é a primeira vez em que ouço falar nisso."

Breck voltou a dar de ombros. "Ele não fez nada errado."

"Você poderia ter expressado suas suspeitas."

"A mim me pareceu que vocês estavam indo bem sozinhos. E como eu disse, eu não tenho nada para corroborar essas suspeitas." Breck estendeu a mão para pegar a xícara, mas mudou de ideia e mordeu o croissant em vez disso, limpando as migalhas que caíram em seu colo. Fox olhou para a foto de Paul Meldrum.

"O transporte de drogas não teve nada a ver com o conselho municipal", afirmou Fox. "Como é que a LMM se envolveu?"

"Boa pergunta."

"Você a fez naquela época?"

"Ernie Wishaw tinha comprado uma empresa rival alguns anos antes. A situação ficou ruim e ele usou a LMM para conquistar a mídia."

Os dois homens levantaram os olhos quando uma nova freguesa entrou no café. Mas ela estava empurrando um carrinho de bebê, então eles não se preocuparam. Quando se olharam, sorriram. Melhor prevenir que remediar...

"Então talvez eles estivessem trabalhando pessoalmente para ele, e não para o conselho?", perguntou Fox.

Jamie Breck só conseguiu dar de ombros mais uma vez. "De qualquer forma, a coisa toda acabou dando em nada. A Entorpecentes deu o caso por encerrado e nos agradeceu pela ajuda."

Fox se concentrou no que estava comendo, até que pensou em outra coisa para dizer.

"Você não é o único que estava sob vigilância, Jamie. O subchefe de Polícia deixou escapar que eu tinha sido vigiado durante toda a semana passada, mas o corpo de Vince não foi encontrado até a manhã de terça-feira — leva algum tempo para que se decida que um policial pode estar quebrando as regras e que precisa ser vigiado."

"Quanto tempo você levou para decidir que eu merecia a van?"

"Não muito tempo", admitiu Fox. "Mas a questão não é essa. Eu estava sendo vigiado *antes* de começar a me comportar mal."

"Então existe alguma coisa que você obviamente está escondendo de todo mundo."

"Eu sou tão honesto quanto o dia é longo, detetive Breck."

"Nós estamos no inverno, inspetor Fox — os dias são bastante curtos."

Fox ignorou o comentário. "Na sala de interrogatório em Torphichen, quando Traynor estava fazendo seu discurso e Billy Giles se esforçava para não sair dançando ao redor da mesa, o meu chefe olhou para mim de um jeito..."

"McEwan?"

Fox fez que sim com a cabeça. "Eu não acho que ele soubesse. Quero dizer, ele *sabia*, mas não fazia muito tempo. Ele estava se perguntando o que estava acontecendo ali."

"Talvez ele possa descobrir para você."

"Talvez."

"Você não confia nele?"

"Difícil saber. Mas há uma coisa: a vigilância sobre mim coincide com a nova missão que tinham me dado."

"Por 'missão', você está se referindo a mim?"

"Sim." A cafeína estava começando a afetar Fox. Ele podia senti-la irradiando-se em seu corpo. Quando seu celular começou a tocar, ele não reconheceu o tom. Era a primeira vez que alguém ligava para ele no telefone novo.

"Alô?"

"Tenho algo para você", disse Annie Inglis. Ela estava falando tão baixo que ele mal conseguia ouvi-la. Ele segurou o telefone com mais firmeza sobre o ouvido e apertou um dedo contra o outro.

"Tem mais alguém aí?", ele perguntou.

"Não."

"Então por que você está sussurrando?"

"Você quer a informação ou não?", ela perguntou, parecendo irritada. Então, sem esperar uma resposta, ela lhe deu um número de telefone.

"Espere um pouco", disse ele, pegando uma caneta e

tirando migalhas de croissant do guardanapo que estava em cima de seu prato. Enquanto ela repetia o número, Fox anotava rapidamente.

"O nome dela é Dawlish. Cecilia Dawlish." Inglis encerrou a chamada antes que Fox pudesse agradecer.

"Qual é o código para ligar para a Austrália?", ele perguntou a Breck. Breck precisou de trinta segundos e alguma digitação para descobrir a resposta.

"Zero-zero-seis-um", disse ele. "Estão oito a dez horas na nossa frente."

Fox olhou pra o relógio. "O que significa que lá já é noite — e caro demais." Ele ergueu seu telefone novo. "Este é um pré-pago", explicou ele.

"Faço questão", disse Breck, entregando-lhe seu próprio Motorola.

"Talvez eles consigam rastrear o número até você", Fox o avisou, mas Breck apenas deu de ombros.

"Não sou eu quem está fazendo a chamada, sou?", ele contra-argumentou.

Acontece que o número que Inglis dera a Fox era o número de um celular. Dawlish estava em seu carro quando do atendeu.

"Aqui é o detetive Constable Gilchrist", explicou Fox, concentrando sua atenção no mundo do lado de fora da janela do café.

"Sim?"

"PEI de Edimburgo. Vocês pediram que ficássemos de olho em um policial daqui chamado Breck."

"Sim."

"Dá para falar agora?"

"Estou indo para casa, detetive Gilchrist. De que você precisa?"

"Eles me encarregaram da papelada."

"É só pensar no que lhes dissemos no início — quanto mais pessoas souberem disso, mais difícil manter discreto."

"Entendido." Fox fez uma pausa "Então vocês ainda não o prenderam?"

"Nós informaremos assim que acontecer."

"Certo", disse Fox, voltando sua atenção para o atento Breck. "Então o que vocês querem com o Breck?"

"Apenas consigam o que puderem sobre ele. Agora me fale sobre esses malditos formulários que você está preenchendo."

"Eu estava me perguntando se não haveria problema de colocá-lo como nosso contato principal."

"Claro."

"E esse número de telefone?"

"Pelo jeito, é o que você tem."

"Acho que sim, é." Fox pensou em algo. "Nós conseguimos entrar na casa de Breck."

"Ah é?"

"O computador dele estava limpo, mas nós demos uma olhada na última fatura de cartão de crédito dele — SEIL Ents."

"É esse mesmo."

"O que são essas letras?"

"As iniciais do desgraçado — Simeon Edward Ian Latham. Sim, para seus colegas."

"O pagamento foi em dólares americanos..."

"Ele tem uma conta no Caribe. Latham vem administrando esse negócio há anos sem que saibamos — ele aprendeu todos os truques antigos e inventou alguns próprios." Dawlish fez uma pausa. "Esta é uma linha segura, certo, Gilchrist?"

"Sem dúvida", Fox garantiu a ela. "E obrigado por sua ajuda."

"A burocracia está acabando com esse trabalho", comentou Dawlish, encerrando a chamada.

Fox encarou Jamie Breck. "No que diz respeito aos australianos, você ainda está no jogo."

"Obrigado por não limpar a minha barra."

"Acontece, Jamie, que nós fizemos uma noite de vigilância em você, e a segunda noite foi cancelada. O raciocínio parecia ser de que os australianos não precisavam mais de você, ou que eles tinham riscado seu nome da lista deles. Quando falei com Gilchrist na noite passada, ele disse a mesma coisa — Sim Latham estava indo a julgamento."

"E ele não está?"

"A investigação está em andamento, segundo Dawlish."

"Então por que Gilchrist contou uma coisa diferente para você?"

"Talvez devamos perguntar a ele."

"Eu posso fazer isso sozinho", disse Breck, "se você preferir ficar de fora."

Mas Fox fez que não com a cabeça antes de atacar o pedaço final do croissant.

"Ficamos por aqui?", perguntou Breck, batendo na borda da tela do laptop. Fox olhou para o relógio: ainda tinha quinze minutos no parquímetro.

"Há uma última coisa", disse ele. "E esse seu computador pode vir bem a calhar." Ele limpou as migalhas da boca. "Uma coisa que eu perguntei a você quando estávamos no salão de bilhar."

"O quê?"

"Eu perguntei se Charlie Brogan poderia ter sido um dos empreiteiros."

"Podemos dar uma olhada", disse Breck, recomeçando a digitar. Em poucos minutos ele tinha encontrado informações suficientes para confirmar que a CBBJ de fato fazia parte do consórcio.

"CB significa Charlie Brogan", comentou Fox, "mas e BJ?"

"Broughton, Joanna?", sugeriu Breck.

"Acho que isso faz sentido." Fox estava olhando para a tela. "Sabe, eu dei uma olhada na agenda dele..."

"O quê?"

"A agenda de Brogan. Joanna Broughton pediu que eu a deixasse na delegacia de Leith." Fox fez uma pausa. "É uma longa história."

Breck cruzou os braços. "Eu tenho tempo, parceiro."

"Eu a reconheci quando ela estava parada na frente da delegacia. Ofereci uma carona."

"Até a cobertura?"

Fox confirmou com a cabeça. "Na verdade, é um tríplex."

"Você entrou? Ela sabia que você era policial?"

Fox continuou confirmando. "Leith queria ver as anotações na agenda de Brogan. Ela me pediu para levá-la até lá."

Breck estava rindo sem parar. "A gente tem sempre é que ficar de olho nos quietinhos. Não acredito que você tenha conseguido fazer isso sem nenhum problema."

"E não consegui. Na saída eu trombei com Gordon Lovatt. Ela contou a ele quem eu era, e ele entrou em contato com Leith, que entrou em contato com a inspetora Stoddart e seus capangas."

Breck deu um assobio baixo, então ficou pensativo por um momento. "A agenda valeu o esforço?", ele acabou perguntando.

"Na verdade não. Os trabalhos estavam começando a diminuir para Charlie Brogan. Ele passava mais tempo planejando quais programas de televisão assistir do que agendando reuniões." Fox fez uma pausa para ordenar seus pensamentos. "Mas vamos pensar direito. Vince Faulkner trabalha em um dos projetos de Brogan. Ele foi visto pela última vez em um cassino cuja dona é a cara-metade de Brogan. Ele aparece morto e o corpo é jogado em outro canteiro de obras da companhia de Brogan. Então, só para colocar a cereja em cima do bolo, Brogan sai para nadar no Forth e não se importa em voltar à superfície para respirar."

Breck estava coçando a barba rala sob seu queixo. "Você deveria levar essa ideia para Billy Giles."

"Ah, claro", replicou Fox. "Eu tenho toda a certeza do mundo de que o inspetor-chefe Giles iria me levar a sério." Breck tinha aberto a boca para falar, mas Fox o silenciou com um gesto da mão. "E *você* menos ainda pode levar isso para ele, porque você é o pequeno Judas dele. Então onde exatamente isso nos coloca?" Como Breck não respondeu, Fox olhou o relógio novamente. "Preciso colocar mais dinheiro no parquímetro", disse ele.

"Vamos encerrar aqui e eu vou com você." Breck já começara a desligar o laptop. Fox reparou que ele não tinha tomado nem metade de seu café.

"Aonde nós vamos?", ele perguntou.

"Voltar a Salamander Point."

Eles usaram o mesmo escritório improvisado que tinham usado antes. Breck tinha perguntado ao mestre de obras o que iria acontecer agora que o empreiteiro tinha morrido.

"A gente continua trabalhando até que mandem parar — ou que os salários parem de vir", o homem tinha respondido.

Mas Malcolm Fox havia reparado em algumas mudanças. O escritório de vendas estava trancado, sem sinal de vida lá dentro. E, assim que subiram a escada até os escritórios temporários, ele pôde ver que em um dos lados do canteiro de obras estava havendo um jogo de futebol improvisado, com pilhas de tijolos servindo de traves dos gols. Quando Ronnie Hendry chegou, ele estava suando e ofegante.

"Estamos esperando uma entrega de cimento", explicou ele, retirando o capacete e enxugando o rosto com a manga.

Breck fez um gesto para que ele se sentasse. Os três homens estavam posicionados da mesma maneira que antes, Fox em silêncio.

"Só mais umas perguntas de acompanhamento", Breck disse a Hendry. "Como estão as coisas desde que Charlie Brogan abandonou o barco?"

Hendry olhou fixamente para ele, hesitando sobre como reagir ao jogo de palavras, mas Breck continuou impassível.

"Os homens estão preocupados com o pagamento."

"O mestre de obras acabou de dizer a mesma coisa."

"Ele tem mais em risco, tem o dinheiro que ele ganha por ficar o dia inteiro coçando o saco e sem ter a mínima noção do que está acontecendo."

"Você parece irritado."

Hendry se torceu na cadeira. "Não estou, não." Mas ele cruzou os braços sobre o peito — um gesto de defensiva, na opinião de Fox. "Vocês estão perto de descobrir quem matou o Vince?"

"Nós achamos que o 'porquê' pode ajudar a responder essa pergunta. Mas enquanto isso queríamos perguntar sobre o senhor Brogan."

"O que ele tem a ver com isso?"

"Bom, agora que ele se foi do mesmo jeito que Vince Faulkner...", o tom da voz de Breck foi diminuindo.

"Mas não tem ligação", afirmou Hendry, os olhos indo de um detetive para o outro. "Tem?"

"Não temos certeza a esse respeito. Eu suponho que o senhor Brogan visitasse Salamander Point."

"Ele era bem assíduo", concordou Hendry.

"Com que frequência você o via?"

"Talvez uma vez por semana, às vezes duas. O mestre de obras deve saber com certeza."

"Mas eu estou perguntando para *você*. Ele se limitava a sentar aqui com uma caneca de chá e a planta aberta em cima da mesa?"

Hendry fez que não com a cabeça. "Ele gostava de dar uma boa olhada em todo o canteiro de obras."

"Então você o conheceu pessoalmente?"

"Falei com ele algumas vezes. Ele sempre tinha algumas perguntas. Parecia um bom sujeito — nem todos os empreiteiros são."

"Como assim?"

Hendry mudou de posição na cadeira de novo. "Alguns serviços que eu peguei, eles apareciam usando terno de risca de giz e sapatos engraxados — um ou dois da CBBJ eram assim. Mas o senhor Brogan... com ele era bota de trabalho e calça jeans. E ele sempre apertava a nossa mão sem limpar a sujeira depois." Hendry confirmava com a cabeça diante da lembrança. "Como eu disse, um bom sujeito."

"Vince Faulkner também achava isso?"

"Nunca disse nada diferente, pelo menos não para mim."

"Ele conheceu o Brogan também?"

Hendry fez que sim com a cabeça de novo. "O senhor Brogan conhecia a maioria dos caras pelo nome. E ele se lembrava de quem você era. Sempre havia um detalhe ou outro que ele jogava na conversa."

"Recolhido das fichas pessoais?", interrompeu Fox. Hendry virou a cabeça na direção dele.

"Talvez", disse ele.

"Com que frequência os dois se encontravam?", Breck perguntou, atraindo a atenção de Hendry para si.

O homem levou alguns segundos para responder. "Não sei", ele acabou afirmando.

"Você entende aonde queremos chegar?", insistiu Breck.

"Não."

"Se os dois se conheciam... bom, você acrescenta a morte de Vince Faulkner a todas as outras coisas que estavam acontecendo na vida do senhor Brogan..."

"E ele vai e se mata?" Hendry pareceu pensar sobre aquilo. Ele deu de ombros, os braços ainda cruzados.

"Na última vez em que conversamos", Breck continuou, "você disse que às vezes saía à noite — para comer e tomar uns drinques no cassino Oliver."

"Certo."

"Você sabia que a dona era a esposa do senhor Brogan?"

"Claro."

"Chegou a vê-lo lá?"

"Provavelmente."

"Você não tem certeza?"

Hendry tinha descruzado os braços e apertava as palmas das mãos nas coxas, preparando-se para se levantar.

291

"Tenho que voltar para o trabalho", disse ele.

"Por que a pressa?"

"Não há nada que eu possa lhe contar sobre Charlie Brogan ou por que ele decidiu dar cabo de tudo." Ele estava em pé agora, e preparando-se para colocar o capacete amarelo. Breck também se levantou.

"Talvez a gente não tenha terminado", disse ele.

"Vocês estão no desespero", afirmou Hendry. "Chegaram a uma rua sem saída com Vince, e então passaram a investigar o Brogan. Mas não existe ligação entre os dois."

"Você tem certeza disso?"

"Absoluta."

"E o que o torna um especialista, senhor Hendry?"

Hendry olhou furioso para ele. Ele pareceu pensar em meia dúzia de respostas, mas descartou todas. Com um sorriso frio, ele abriu a porta e saiu. Fox fechou a porta e apoiou seu peso contra ela, os olhos em Breck.

"E então?", Breck lhe perguntou.

"Quase conseguiu..."

Breck estava concordando com a cabeça. "Ele já tinha sido bastante cauteloso antes."

"Mas começou a se conter. Por que será?"

"Talvez fosse diferente se estivéssemos conversando com ele em Torphichen. Talvez tendo intimado com antecedência... Mas não podemos fazer isso, não é?"

Fox deu de ombros, concordando. Eles saíram do escritório e foram para a passarela de madeira. Hendry estava atravessando com certo esforço as fundações, os canos e os montes de areia, voltando para o jogo de futebol. O sol tinha saído, e alguns dos homens agora estavam sem camisa.

"É de dar orgulho", comentou Fox. "A temperatura está uns cinco graus acima de zero, mas ao menor vislumbre do sol..."

"O homem escocês no auge de sua existência", Breck concordou, começando a descer a escada.

Eles estavam saindo do canteiro quando um carro apareceu, e dois homens desceram dele. Breck praguejou em voz baixa.

"Dickson e Hall", ele murmurou.

"Eu os conheço", Fox confirmou. Eles eram do DIC de Torphichen, homens de Billy Giles. Os dois estavam sorrindo, sem parecer que estivessem achando que havia algo engraçado.

"Ora, ora", disse Dickson. Ele era o mais velho e o mais pesado dos dois. O parceiro dele, como diria o pai de Fox, era "um magriço", mas com a cabeça raspada e óculos escuros ray-ban.

"O que vocês vieram fazer aqui?", Breck perguntou, dando a dica para Fox sobre qual seria a estratégia naquele momento — ou seja, enfrentamento sem restrições.

Dickson conseguiu rir enquanto colocava as mãos nos bolsos das calças. "Isso é mais do que engraçado, Jamie. Mas já que você perguntou..."

Hall pegou a deixa. "Billy Giles mandou que a gente refizesse os seus passos. Ele receia que você talvez tenha deixado lacunas na papelada ou talvez tenha distorcido alguma coisa nos relatórios." Ele inclinou levemente a cabeça para olhar para Malcolm Fox. "Com alguma ajuda do inspetor Fox aqui..."

"Vocês estão perdendo seu tempo", afirmou Breck.

"E, no entanto, você está aqui, Jamie — os dois estão", Dickson disse, inclinando a parte de cima do corpo um pouco para a frente, fazendo Fox pensar em um daqueles brinquedos de crianças pequenas que se podia mover para a frente e para trás sem que tombasse.

"E vocês, é claro, vão relatar tudo isso", Breck disse.

"Você acha que não deveríamos?", perguntou Hall, fingindo surpresa. "Que eu saiba, vocês dois estavam suspensos."

"E daí?"

"E daí que a pergunta é inevitável: o que vocês dois podem estar fazendo *aqui*?"

"Eu estou querendo comprar um apartamento", Fox

interrompeu. "E se vocês já viram aqueles programas sobre imóveis na televisão, sabem que é aconselhável levar um amigo junto na hora de ver o imóvel — ele pode ver coisas que você não percebe."

"Billy Giles nos contou que você era metido a esperto."

Dickson inclinou-se um pouco mais para a frente sem sair do lugar. "Você se lembra de mim, Fox? Você me fez umas perguntas sobre Glen Heaton..."

"E você achou que estava fazendo um favor para ele ao não respondê-las."

Um sorriso malicioso apareceu no rosto de Dickson. "Isso mesmo", disse ele.

"Mas a questão", disse Fox como se contasse um segredo, "é que no momento em que percebemos que ele tinha amigos como você, nós soubemos que ele só podia estar sujo." Ele se virou para Breck. "Vamos embora." Mas, quando ele se moveu para passar por Dickson, o homem colocou a mão contra seu peito. Fox agarrou a mão e torceu-a para baixo com força, e o resto do corpo indo atrás. Ele ficou olhando Dickson cair no chão. A lama estava seca na superfície, mas úmida logo abaixo. Hall ajudou o colega a ficar em pé, Dickson xingando, falando atabalhoadamente e limpando o rosto.

"Vamos embora", repetiu Fox. Sem se preocupar em olhar para Breck, sabendo que ele viria atrás, andou na direção do carro.

19

Eles andaram no carro em silêncio durante mais ou menos um quilômetro. Fox estava dirigindo, Breck no banco ao lado. Por fim, Breck encontrou as palavras corretas para o que queria dizer.

"O que foi aquilo?"

"O quê?"

"Lá atrás — você e Dickson?"

"Eu só quis verificar como estava o centro de gravidade dele, Jamie. Não achei que iria cair com tanta facilidade." Fox o encarou e então piscou um olho.

Breck sorriu, mas estava balançando a cabeça. "Essa não era a maneira de lidar com Dickson e Hall. Ganhamos dois inimigos para a vida inteira ali."

"Valeu a pena", afirmou Fox.

"De repente você virou o Action Man..."

"Alguns de nós não têm avatares para usar."

Breck voltou sua atenção para o mundo exterior ao carro. "Aonde estamos indo?"

"Para a casa da minha irmã."

"Ela mora em um bunker subterrâneo?"

"Ela mora em Saughtonhall."

"Não vai ser proteção suficiente. Billy Giles vai querer falar conosco."

"Você quer dizer que ele vai falar e a gente vai só escutar."

"O.k., mas ele vai mandar nos buscar se a gente não for até ele primeiro."

"Você é o cara que gosta de se arriscar e mostrar iniciativa..."

"E é isso o que você fez lá atrás?"

"Eu fui muito passivo?"

"Na verdade, não." Breck conseguiu rir um pouco. "Bom, e por que estamos indo ver a sua irmã?"

"Você vai ver."

Mas, quando chegaram lá, Jude não estava em casa. Fox tocou a campainha na casa ao lado, e Alison Pettifer atendeu. Ela estava com um avental de cozinha e enxugava as mãos em uma toalha.

"Desculpe incomodar", disse Fox. "Jude está com a senhora?"

"Ela foi fazer compras." Pettifer olhou de um lado para o outro na rua. "Lá vem ela..."

Jude tinha visto os dois, mas não podia acenar, com um braço ainda no gesso e o outro segurando uma sacola de compras cheia. Fox agradeceu a Pettifer e foi encontrar a irmã, pegando a sacola.

"O que você tem aqui dentro?", perguntou ele. "Carvão?"

"Só comida." Ela sorriu para ele. "Achei que já era tempo de eu aprender a ir buscar sozinha."

Fox pensou em algo. "Como é que você está de dinheiro?"

Ela olhou para ele. "Você já está pagando as despesas do papai..."

"Tenho algum sobrando se você precisar."

"Eu estou bem por enquanto." Mas ela inclinou a cabeça na direção do ombro dele, sua maneira de agradecer. E disse: "Parece que eu conheço aquele...". Eles estavam chegando perto da porta da frente dela, onde Jamie Breck esperava.

"Detetive Breck", explicou Fox. "Ele estava na equipe de investigação."

"Estava?"

"É uma longa história."

Breck cumprimentou Jude com uma leve inclinação da cabeça enquanto ela destrancava a porta. "Que sorte que eu tenho um pouco de café", ela disse aos dois homens. "Entrem então."

Fox lhe disse que ajudaria a guardar as compras, mas ela o enxotou. "Eu me viro." E ela conseguiu: encheu a chaleira e ligou o fogo; colocou as compras na geladeira e no armário. Então pôs café em três canecas e derramou a água quente, acrescentando leite.

Quando os três estavam sentados na arrumada sala de estar, Fox perguntou como ela estava.

"Vou levando, Malcolm — como você pode ver."

Fox concordou com um movimento lento da cabeça. Ele sabia que as pessoas tinham maneiras de lidar com a dor e a perda. Mas manter-se ocupado podia conduzir a problemas mais tarde, se significasse que a pessoa estava fugindo da realidade. Ainda assim, a falta de bagunça e de garrafas era um bom sinal.

"Você não se importa de falar um pouco sobre Vince?", ele perguntou a Jude.

"Depende", ela respondeu, começando a acender um cigarro. "Houve algum progresso?"

"Muito pouco", admitiu Breck. Ela voltou a atenção para ele.

"Eu me lembro de você", disse ela, soltando fumaça pelas narinas. "Você estava aqui naquele dia em que eles cavaram no meu jardim."

Breck inclinou a cabeça novamente, admitindo o fato. Fox pigarreou até que ela se virou para ele de novo.

"Você ouviu falar sobre Charlie Brogan?", perguntou ele.

"Saiu no jornal. Ele caiu do iate."

"Você sabe que ele era casado com Joanna Broughton?"

"É o que o jornal dizia."

"Você sabia que ela é dona do Oliver?"

Jude fez que sim com a cabeça e tirou um pedacinho de fumo da língua. "Eles puseram uma fotografia — eu a reconheci."

"Das suas noites no cassino."

"Às vezes ela estava lá. Sempre muito deslumbrante."

"E o marido dela? Você o viu?"

Jude estava confirmando com a cabeça. "Uma ou duas vezes. Ele nos mandou uma garrafa de champanhe."

"Charlie Brogan comprou champanhe para vocês?", perguntou Breck, buscando confirmação.

"Não foi o que eu acabei de dizer?" Jude tomou um gole grande de café. "Vou tirar o gesso na semana que vem", ela informou ao irmão.

"Por quê?", perguntou ele.

"Típica confusão do sistema público de saúde. Acontece que é uma fissura — é menos sério do que se estivesse quebrado."

"Eu quis dizer por que Charlie Brogan mandou uma garrafa de champanhe para vocês?"

Ela olhou para ele. "Bom, o Ronnie e o Vince trabalhavam para ele, não é?"

"Não exatamente."

Ela pensou sobre aquilo. "O.k.", concordou, "não exatamente. Mas ele os conheceu lá no canteiro de obras; ele sabia quem eles eram."

"O champanhe era bom?"

Breck tinha feito a pergunta, e Jude virou a cabeça na direção dele. "Era Moët... ou algo assim. Trinta libras mais ou menos no Asda, foi o que a Sandra disse."

"No cassino deve custar umas cem libras."

"Bom, o lugar é da mulher dele, né? Duvido que ele estivesse pagando o valor total."

Fox decidiu interferir. "Foi um gesto simpático, mesmo assim. Ele foi até a mesa e falou com vocês?"

Jude fez que não com a cabeça. "Não naquele dia."

"Mas em outra ocasião sim?"

Ela confirmou com a cabeça. *E o amigo de Vince, Ronnie, não quis que soubéssemos*, pensou Fox. "Ele deu, para mim e para a Sandra, umas vinte libras em fichas — para cada uma." Ela fez uma pausa. "Acho que ele estava se exibindo."

"Isso foi o que o Vince achou?"

"Vince achava que ele tinha *estilo*. Quando o champanhe chegou, Vince teve que ir cumprimentá-lo. Brogan deu uma palmadinha no ombro do Vince, como se aquilo não fosse nada." Ela deu de ombros. "Talvez não fosse."

Um telefone tocou. Era o celular de Breck. Ele se desculpou ao tirar o aparelho do bolso e verificar a tela. Seu olhar para Fox confirmou o que Fox já estava pensando: Billy Giles.

"Não atenda", Fox disse, mas Breck já havia colocado o aparelho no ouvido.

"Boa tarde, senhor", disse ele. Então, depois de ouvir por um momento: "Sim, ele está comigo". E alguns segundos depois: "Certo... sim... entendido... Sim, eu estava lá quando aconteceu, mas realmente não passou de um mal-entend—", Breck parou de falar e ficou ouvindo mais um pouco. Fox não conseguia ouvir o que Giles estava dizendo, mas seu tom de voz era furioso. Na verdade, Breck afastou o telefone do ouvido enquanto a diatribe continuava.

"Parece que está bravo", cochichou Jude para o irmão. Fox confirmou com a cabeça. Quando a ligação terminou, o sangue tinha subido ao pescoço e às maçãs do rosto de Breck.

"E então?", perguntou Fox.

"Nossa presença está sendo requisitada", explicou Breck, "em Torphichen, em meia hora. Se passarmos disso, vai haver carros-patrulha procurando por nós."

Jude olhou para o irmão. "O que você fez? Tem a ver com Vince?"

"Não é nada", ele garantiu a ela, travando os olhos em Jamie Breck.

"Você sempre foi um péssimo mentiroso, Malcolm", observou a irmã.

Torphichen: não em uma sala de interrogatório dessa

vez, mas na própria sala de Bad Billy Giles. Aquele escritório não tinha um único traço de personalidade. Não havia retratos de família sobre a mesa; nenhum diploma ou placa de honra ao mérito nas paredes. Alguns gostavam de acrescentar colorido a um ambiente monótono, mas Giles não era um deles. Nada podia ser dito sobre o habitante daquele espaço a não ser que ele estava atrasado com seus arquivos. Havia caixas prontas para serem guardadas, e uma pilha de quase um metro de papelada se equilibrando precariamente sobre o único armário para arquivamento existente.

"Aconchegante", disse Fox, entrando. O lugar estava cheio. Giles estava atrás de sua mesa e segurava uma caneta como se fosse uma adaga. Bob McEwan estava sentado ao lado do arquivo, as mãos entrelaçadas no colo e com Caroline Stoddart ao lado. Ela estava em pé, com os braços cruzados. E lá estavam Hall e Dickson. Dickson tinha se lavado e vestido outras roupas, que pareciam o resultado de uma coleta entre os colegas da delegacia. As calças de algodão marrom, curtas demais para ele, não combinavam com a camisa polo cor-de-rosa, que, por sua vez, destoava completamente do blusão verde. Ele também estava usando tênis, e seus olhos furiosos não deixaram Fox nem por um segundo.

Breck tinha conseguido entrar apertado na sala atrás de Fox, mas desistiu de fechar a porta. Giles jogou a caneta sobre a mesa e olhou na direção de McEwan.

"Com a sua permissão, Bob..." A permissão foi concedida com o mais breve dos acenos de cabeça, e Giles voltou sua atenção para Fox e Breck.

"Um dos meus policiais quer registrar uma queixa", ele lhes disse. "Parece que ele foi atirado ao chão."

"Aquilo foi um mal-entendido, senhor", explicou Breck. "E lamentamos muito. Vamos pagar os custos de lavanderia ou quaisquer outros gastos no limite do razoável."

"Cala a boca, Breck", disse Giles rispidamente. "Não é você quem precisa se rebaixar."

Fox endireitou os ombros. "Dickson veio para cima de mim primeiro", ele afirmou. "Eu não lamento o que fiz." Ele fez uma breve pausa. "Eu só não esperava que ele caísse como um saco de batatas."

"Seu idiota", rosnou Dickson, dando meio passo para a frente.

"Dickson!", advertiu Giles. "Na minha sala, as regras são as minhas!" E em seguida para Fox: "O que eu quero saber, em primeiro lugar, é o que você e o Garoto Maravilha estavam fazendo lá".

"Eu disse isso ao Dickson e ao Hall", Fox respondeu calmamente. "Eu já tinha feito uma visita a Salamander Point e gostei do que vi. Havia um escritório de vendas lá, e, uma vez que eu não tinha muito o que fazer, decidi ver se podia conseguir uma barganha nesta época de dificuldades financeiras."

"Levando o detetive Breck junto?"

"Acontece", interrompeu Hall, "que não foi isso que aconteceu. Vocês pediram para falar com o senhor Ronald Hendry. Ele não ficou feliz por ter sido arrancado de seu jogo de futebol, e menos ainda quando pedi para falar com ele de novo menos de dez minutos depois." Ele deu um sorriso frio para Fox. Giles deixou que o silêncio se mantivesse no ar, e então pegou a caneta e apontou-a na direção de Stoddart.

"Acho que talvez fosse aconselhável", disse ela imediatamente, "se eu adiantasse a minha entrevista com o detetive Breck."

"Para quando?", Breck perguntou.

"Logo depois desta reunião."

Ele deu de ombros. "Por mim, está bem."

"Não faria a menor diferença se não estivesse", retrucou Giles. "E depois eu vou enviar uma ordem para que vocês parem de se comunicar."

"E como pretende fazer cumprir isso?", Fox perguntou. "Vai nos grampear, talvez? Ou manter sob vigilância?" Ao dizer isso, ele olhou na direção de McEwan.

"Vou usar quaisquer métodos que julgar necessários", rosnou Giles. E então, para Breck: "Você não está fazendo muito bem para a sua carreira, filho — já é hora de criar juízo!".

"Sim, senhor", respondeu Jamie Breck. "Obrigado, senhor." Fox olhou para ele, mas Breck não ia fazer contato visual. Ele estava em pé com as mãos atrás das costas, os pés ligeiramente afastados, a cabeça inclinada em sinal de contrição. "E só para reiterar, senhor", Breck continuou, "eu teria muito prazer em pagar para compensar o detetive Dickson por seu incômodo." Ele então passou à frente de Fox, a mão estendida na direção de Dickson. Dickson olhou para mão como se ela pudesse conter uma armadilha.

"Bom sujeito", disse Giles como incentivo, levando Dickson a aceitar o aperto de mão, mas com um olhar de raiva dirigido a Fox.

"Muito bem então..." Giles estava se levantando. "A menos que o inspetor-chefe McEwan tenha algo a acrescentar."

Mas McEwan não tinha nada a acrescentar, nem Stoddart. Ela disse a Breck que estava com um carro lá fora. A conversinha que teriam se daria em Fettes. Giles já tinha mandado Dickson e Hall voltarem para o trabalho. "Temos um caso para resolver."

Fox esperou para ver se haveria mais alguma repreensão, mas Giles estava retirando uns papéis de uma das gavetas da mesa. *Você não é tão importante*, ele parecia estar dizendo a Fox. Jamie Breck deu um breve aceno com a cabeça quando saiu.

Fox se moveu rapidamente pela delegacia, sem saber se Dickson e Hall poderiam estar prestes a saltar sobre ele. Quando chegou à rua, Bob McEwan estava em pé ali, acertando o nó do cachecol cor de café ao redor do pescoço.

"Você é um tremendo idiota", McEwan lhe disse.

"Difícil negar isso", comentou Fox, colocando as mãos dentro dos bolsos do casaco. "Mas há alguma coisa por trás de tudo isso — não me diga que o senhor também não percebe."

McEwan olhou para ele, e então concordou com um único e lento movimento da cabeça.

"Aquela vez na sala de interrogatório", Fox insistiu, apontando para a delegacia, "houve um momento em que nós percebemos isso. O subchefe disse que eu estive sob vigilância durante a maior parte da semana. Mas isso significa que tinha começado *antes* de qualquer uma dessas outras coisas. Então estou lhe perguntando..." Fox ficou plantado na frente de seu chefe. "O quanto você sabe?"

McEwan olhou para ele. "Não muito", ele acabou por admitir, ajustando o nó do cachecol.

"Não aperte demais, Bob", Fox o aconselhou. "Se você acabar se estrangulando, é provável que eles achem um jeito de me culpar por isso."

"Você não se ajudou muito, Malcolm. Olhe para a situação do ponto de vista *deles*. Você interferiu em uma investigação, e, quando mandaram você parar, você enfiou o pé no acelerador com mais força ainda."

"A Divisão de Denúncias de Grampian já estava de olho em mim", salientou Fox. "O senhor pode dar uma olhada nisso de alguma maneira?" Ele fez uma pausa. "Eu sei que, nessas circunstâncias, estou pedindo muito..."

"Não vou deixar a peteca cair."

Fox olhou para ele. "Esqueci", disse ele, "que o senhor tem amigos no DIC de Grampian."

"Tenho a impressão de ter dito a você que não tenho amigos em lugar nenhum."

Fox pensou por um momento. "Digamos que *haja* algo podre em Aberdeen. Será que eles estariam tentando ter alguma prerrogativa sobre nós?"

"Duvido. O cargo sobre o qual eu falei foi para Strathclyde, e não para nós. E além disso — por que atormentar você? Se eu fosse eles, teria ido para cima de Tony Kaye. É *ele* que está diretamente envolvido." McEwan fez uma pausa. "Você vai atender o aviso e se manter longe de Breck?"

"Eu preferiria não responder isso, senhor." Fox viu a expressão no rosto de seu chefe revelar preocupação.

"Eu acho que estão armando para cima dele, Bob. Não há um fio sequer de evidência de que ele tenha aquelas tendências."

"Então como é que o nome dele foi parar naquela lista?"

"Alguém conseguiu o número do cartão de crédito dele", disse Fox, dando de ombros. "Talvez você possa perguntar à detetive Inglis se isso é possível. Alguém poderia ter assinado em nome de Breck sem o conhecimento dele?" Fox se interrompeu e levantou a mão. "Mas é melhor se Gilchrist não souber."

McEwan apertou os olhos. "Por quê?"

"Quanto menos gente, melhor", disse Fox.

McEwan mexeu os pés. "Me dê uma única boa razão pela qual eu deva me meter em uma posição vulnerável por você."

Fox pensou naquilo e deu de ombros de novo. "Para ser honesto, senhor, eu não consigo pensar em nenhuma."

McEwan assentiu com a cabeça lentamente. "Essa é a palavra que eu estava procurando."

"Qual palavra, senhor?"

"Honesto", disse Bob McEwan enquanto marchava na direção de seu carro.

Estar em casa era como estar em uma jaula. Fox fez tudo, menos desmontar os rodapés para procurar escutas. O fato é que esse tipo de coisa fazia parte dos velhos livros de espionagem. Hoje em dia, existem outros métodos para bisbilhotar. Há alguns meses, a Divisão de Denúncias tinha comparecido a uma série de seminários na Escola da Polícia em Tulliallan. Mostraram-lhes várias peças de tecnologia recente. Um suspeito podia fazer uma chamada, mas quem estaria ouvindo é um software, e o programa só começaria a gravar se determinadas palavras-chave pré-programadas fossem ditas. O mesmo valia para os computadores — as engenhocas na van podiam isolar um laptop ou o disco rígido de alguém e extrair informações deles. Fox ia a toda hora para a janela dar uma espiada. Se ouvia o motor de um carro, voltava para a janela. Estava com o celular novo na mão, perguntando-se quem poderia ligar. Fez torradas, mas as fatias ficaram intocadas no prato. Quando comera alguma coisa pela última vez? No café da manhã? Ele ainda estava sem apetite. Tentara recolocar os livros nas prateleiras da sala, mas desistira depois de alguns minutos. Até mesmo o canal de cantos de pássaros começara a aborrecê-lo, e ele havia desligado o rádio. Quando a noite caiu, as luzes de sua casa permaneceram apagadas. Havia um carro estacionado do outro lado da rua, mas era apenas um pai que viera buscar o filho na casa de um amigo. A mesma coisa acontecera antes, então ele julgou que poderia relaxar. Mas por outro lado... Tentou lembrar se alguma das casas da vizinhança estava no mercado imobiliário. Será que as placas de "Vende-se" ou "Aluga-se" tinham aparecido e desaparecido? Será que uma equipe de vigilância estava sentada em sua própria sala de estar às escuras, cercada pelos mesmos equipamentos que ele vira em Tulliallan?

"Não seja tão idiota", repreendeu-se.

Ao fazer uma caneca de chá na cozinha escura, ele pôs leite demais, e acabou despejando a bebida na pia. Bebida... isso sim. O supermercado ficava aberto até mais tarde. Ele podia recitar de cor as marcas de uísque expostas: Bowmore, Talisker, Highland Park... Macallan, Glenmorangie, Glenlivet... Laphroaig, Lagavulin, Glenfiddich...

Às oito e meia, seu telefone deu um breve sinal. Ele olhou para o aparelho. Não era uma chamada, mas uma mensagem. Tentou se concentrar no que estava escrito.

Hunters Tryst 10 min.

Hunters Tryst era um pub ali perto. Fox verificou a identidade do remetente: Anônimo. Só algumas pessoas tinham seu número novo. O pub ficava a dez minutos de caminhada, mas havia lugar para estacionar. Seria bom chegar mais cedo: para fazer um reconhecimento e tal. E por que ele estava indo, em primeiro lugar?

"Bom, e o que mais ele iria fazer?

Mas por fim, quando foi pegar o Volvo, ele olhou de um lado para o outro na rua, e já dentro do carro deu a volta no quarteirão, diminuindo a velocidade nas esquinas e cruzamentos, até ter certeza de que ninguém o seguia.

Uma noite de semana em fevereiro: o Tryst estava tranquilo. Ele entrou e deu uma boa olhada ao redor. Havia três fregueses no lugar: um casal de meia-idade com jeito de quem tinha brigado há uma década, cada um ainda esperando que o outro pedisse desculpas; e um senhor idoso cujo rosto era conhecido de Fox. Aquele homem tinha um cachorro, costumava andar com ele três vezes por dia. Como ele parou de aparecer, Fox tinha suposto que ele havia morrido, mas agora parecia que a vítima tinha sido o cachorro, não ele. Havia uma jovem atrás do balcão. Ela conseguiu dar um sorriso para Fox e perguntou o que ele ia tomar.

"Suco de tomate", disse ele. Os olhos dele pousaram na fileira de garrafas de bebidas alcoólicas enquanto ela sacudia a garrafa de suco e tirava a tampa.

"Gelo?"

"Não, obrigado."

"Está um pouco morno", ela o avisou.

"Tudo bem." Ele estava colocando a mão no bolso para pegar moedas quando a porta voltou a abrir. O casal que entrou estava abraçado um ao outro na altura da cintura. O casal de meia-idade lançou um olhar desaprovador.

"Olha quem está aqui", disse a metade masculina do casal. Breck estendeu a mão para cumprimentar Fox.

"Que coincidência", acrescentou Annabel Cartwright. Ela não era boa atriz, mas talvez pensasse que aquela representação era desnecessária.

"O que vocês vão tomar?", perguntou Fox.

"Vinho tinto para mim, branco para Annabel", disse Breck. A moça do bar havia se empertigado com a chegada de fregueses com um mínimo de vida. Ela serviu doses que, aos olhos de Fox, foram bastante generosas.

"Vamos para uma mesa", disse Breck, como se sentar nos banquinhos do balcão fosse muito caro. Foram para um canto mais afastado e se acomodaram, tirando casacos e paletós. "Saúde", disse Breck, tocando os copos de Fox e Annabel com o seu.

"Como foi?", perguntou Fox sem preâmbulos.

Breck sabia sobre o que ele estava falando, e fingiu pensar um pouco. "A inspetora Stoddart é uma figura", ele contou a Fox, mantendo a voz baixa, "mas não achei muita coisa daqueles dois sujeitos que ela levou — e acho que ela se *policia* para levar os dois a sério... se você me perdoa o trocadilho."

Fox concordou com a cabeça e tomou um gole do suco. A moça do bar estava certa: era como uma sopa que fora deixada para esfriar por alguns minutos. "Por que você me mandou uma mensagem?", perguntou ele. "Mudou de telefone?"

"Telefone novo", explicou Breck, balançando o aparelho na frente do rosto. "De aluguel, acredite se quiser. Visitantes americanos e de toda parte usam esse tipo o tempo todo. Eu não tinha ideia sobre isso até que comecei a procurar..."

"O que ele quer dizer é que ele me perguntou e *eu* contei a ele." Annabel Cartwright deu um murro de leve no braço de Breck.

"E por que esta reunião?", perguntou Fox.

"Mais uma vez, foi ideia da Annabel", disse Breck.

Ela olhou para ele. "Eu não iria tão longe..."

Breck virou-se para encará-la. "Talvez não, mas é você quem tem as novidades."

"Que novidades?", Fox perguntou.

Cartwright olhou de Fox para Breck e vice-versa. "Eu posso me encrencar muito por isso."

"Isso é verdade", disse Fox. E então, para Breck: "Então por que *você* não me conta, Jamie? Assim, podemos jurar de pés juntos que a única pessoa para quem Annabel contou foi o namorado dela".

Breck pensou por um momento e então concordou com um movimento de cabeça. Ele perguntou a Cartwright se ela queria sair enquanto eles conversavam, mas ela fez que não com a cabeça e disse que ficaria sentada ali e ia terminar sua bebida. Breck inclinou-se um pouco mais sobre a mesa, o copo de vinho entre seus cotovelos apoiados.

"Para começar", disse ele, "há novas informações sobre Vince. Apareceu um outro taxista. Esse estava esperando fregueses do lado de fora do Oliver. Ele acha que pegou Vince por volta de uma da manhã."

"Ele tem certeza de que era o Vince?"

Breck fez que sim com a cabeça. "A equipe lhe mostrou fotos. Além disso, ele identificou as roupas de Vince."

"Então para onde ele o levou?"

"Para Cowgate. Para onde mais você vai se quer continuar bebendo àquela hora da noite?"

"É um pouco..."

"Lugar de estudantes?", Breck se adiantou. "Na moda demais?"

Mas Fox tinha pensado em outra coisa. "Cowgate não fica fechado para tráfego à noite?"

"O motorista conhecia todos os atalhos e ruas laterais. Deixou-o na frente de uma boate chamada Rondo — você conhece?"

"Eu tenho jeito de quem vai a esses lugares?"

Breck sorriu. "Annabel me arrastou para lá uma vez." Ela reclamou, esmurrando-o nas costelas, e Breck se contorceu um pouco. "Música ao vivo nos fundos, carpetes grudentos e copos de plástico na frente."

"Ele foi para lá?"

"O motorista não tinha certeza. Mas foi lá que ele desceu."

"O que significa que ainda estava vivo nas primeiras horas da madrugada do domingo."

Breck confirmou com a cabeça. "Então agora a equipe de investigação vai passar o pente-fino em Cowgate — deve haver uma dúzia de pubs e boates; mais, se eles ampliarem a busca até Grassmarket. Eles estão imprimindo folhetos para distribuir entre a confraria de frequentadores da área."

"Os porteiros talvez se lembrem dele", Fox refletiu. "Ele provavelmente não era o tipo de clientela que eles têm. Por acaso o taxista comentou alguma coisa sobre em que estado Vince estava?"

"Estava engolindo as palavras e um pouco agitado. E também não deixou gorjeta."

"Por que ele estava agitado?"

"Talvez estivesse pensando no que o aguardava em casa", sugeriu Breck. "Talvez fosse o tipo que fica assim depois de uma briga."

"Eu gostaria de ouvir a entrevista com esse motorista de táxi..."

"Eu poderia conseguir uma transcrição", ofereceu Cartwright.

Fox agradeceu com um movimento da cabeça. "O primeiro táxi deve ter deixado Vince na frente do Oliver por volta das dez — o que significa que ele ficou lá dentro por três horas."

"É um tempo razoável", concordou Breck.

"Bom, já é um progresso, acho eu. A sua saúde, Annabel."

Cartwright deu de ombros. "Conta o resto para ele", ela ordenou a Breck.

"Bom, isso é apenas algo que a Annabel ficou sabendo quando estava conversando com um colega baseado na Divisão D..."

"Que significa Leith e Charlie Brogan?", adivinhou Fox.

"A equipe de investigação está começando a se perguntar por que nenhum corpo apareceu ainda. Estão mergulhando ainda mais fundo nos porquês e nos motivos."

"E então?"

"Brogan tinha vendido recentemente uma boa parte de sua coleção de arte."

Fox confirmou com a cabeça de novo. "Que valia meio milhão."

Annabel Cartwright continuou a história. "Ninguém parece saber onde esse dinheiro está. E Joanna Broughton não está exatamente cooperando muito. Ela tem os advogados ao redor dela para protegê-la. Ela também tem Gordon Lovatt lembrando a todos os envolvidos que não cai bem começar a atormentar uma 'viúva fotogênica' — nas palavras dele."

"Leith acha que o suicídio foi encenado?"

"Como o Jamie disse, não resta dúvida de que eles estão começando a se perguntar."

"Algum outro dinheiro desapareceu?"

"Difícil saber até que os advogados parem de negar o acesso. Precisaríamos que um juiz emitisse um mandado, e isso significa convencê-lo de que seria a coisa certa e adequada a fazer."

"Não há uma maneira de saber se alguma conta ou cartão de crédito de Brogan ainda está sendo usado?" Fox não esperava uma resposta. Ele ergueu o copo, mas parou com ele a meio caminho. "Quando eu estava no apartamento dela, vi os vazios nas paredes onde os quadros estavam pendurados."

"Você esteve na casa dela?", perguntou Cartwright.

"Não havia nenhum tipo de papelada à vista por ali, mas ela teve que ir buscar a agenda de Brogan em outro lugar. Deve ser um quarto que ele usa como escritório."

"Ele sempre pode ter desviado algum dinheiro da CBBJ", acrescentou Breck. "Nós temos contadores especialistas para fazer esse tipo de investigação."

"Mas ainda assim precisa da assinatura do juiz", alertou Cartwright.

Fox deu de ombros. "Se Joanna Broughton começar a obstruir a investigação", ele argumentou, "eu acho que deve haver um bom motivo para isso."

"Tenho certeza de que eles vão defender o que é deles", disse Breck, correndo o dedo pelo pé do copo.

"Mais alguma revelação?" Os olhos de Fox estavam sobre Annabel.

"Não", respondeu ela.

"Muito obrigado por tudo isso." Fox se levantou. "Fiquei tão satisfeito que vou comprar mais uma bebida para vocês."

"A próxima é nossa", disse Breck, mas Fox não aceitou. Quando fez o pedido, a atendente sorriu e fez um gesto na direção da mesa.

"É legal quando a gente encontra amigos sem esperar, né?'

"Sim", respondeu Malcolm Fox. "É mesmo."

20

À meia-noite ele estava parado no começo da rua Blair, olhando na direção da entrada iluminada da Rondo. Só havia um porteiro. Eles costumavam trabalhar em duplas, então o parceiro estava lá dentro ou em algum tipo de intervalo. A rua estava quase deserta, mas não estaria assim naquela mesma hora em um sábado. Além disso, os torcedores galeses de rúgbi se encontravam na cidade quando Vince morreu, preparando-se para o jogo de domingo — alguns certamente sabiam que Cowgate era o bairro em que os bares tinham licença para ficar abertos até mais tarde.

Fox ficou na esquina, as mãos nos bolsos. Aquele era o lugar onde Vince tinha sido largado. O acesso à via pública era proibido entre dez da noite e cinco da manhã. Fox sabia que isso se devia ao fato de Cowgate ter calçadas estreitas. Bêbados cambaleavam para fora delas bem na frente do tráfego. Os carros haviam sido banidos porque as pessoas eram estúpidas. Mas o fato é que ninguém iria passar por ali sóbrio no meio da noite. Era um corredor desagradável e escuro. Havia albergues para os sem-teto e vielas repletas de lixo. O lugar fedia a urina de rato e vômito. Mas havia muitos pequenos oásis como a boate Rondo. Iluminada por neon e irradiando calor (graças aos aquecedores colocados acima das porta), esses lugares atraíam os incautos para seu interior. Quando Fox atravessou a rua, o porteiro o avaliou, relaxando os ombros sob o casaco preto de lã que ia até seus joelhos.

"Boa noite, senhor Fox", disse o homem. Fox olhou

para ele. Havia um sorriso nos cantos da boca. Um tufo de barba no queixo. A cabeça raspada e olhos azuis penetrantes.

"Pete Scott", o homem acabou por dizer, percebendo que Fox precisava de ajuda para lembrar.

"Você raspou a cabeça", comentou Fox.

Scott passou a mão pela cabeça. "Eu já estava começando a perder o pouco que tinha. Há quanto tempo!" Ele estendeu a mão para cumprimentar Fox.

"Quanto tempo faz que você saiu, Pete?" Agora Fox se lembrava de Scott. Seis anos antes, em sua vida anterior à Divisão de Denúncias, ele ajudara a prendê-lo. Arrombamento e uma série de condenações que remontavam à adolescência.

"Quase dois anos."

"Você cumpriu quatro?"

"Levei um tempo para ver o erro das minhas escolhas."

"Você bateu em alguém?"

"Outro preso."

"Mas agora está indo bem?"

Scott raspou os pés no chão e olhou ostensivamente de um lado para o outro da rua. Havia um Bluetooth conectado a seu ouvido esquerdo. "Eu me mantenho longe de encrenca", ele acabou por dizer.

"Você tem uma boa memória para nomes e rostos."

Scott apenas fez que sim com a cabeça. "Está passeando?", perguntou ele.

"Trabalhando", Fox o corrigiu. "Houve um assassinato no outro fim de semana."

"Eles já estiveram por aqui." Scott colocou a mão no bolso do casaco e tirou uma folha de papel. Fox a abriu e viu que era uma foto de Vince, cabeça e ombros, com alguns detalhes evidentes e um número de telefone. "Eles deixaram outras nas mesas lá dentro, e outra pilha no balcão do bar. Não vai adiantar nada."

Fox devolveu a folha de papel. "Por que diz isso?"

"O sujeito não entrou aqui. Eu estava na porta naquele sábado. Eu saberia."

"Você o viu descendo do táxi?"

"Talvez sim — táxis deixam gente aqui o tempo todo."

"Você viu alguém parecido com ele?"

Scott apenas deu de ombros. O rapaz esquelético de dezenove anos que Fox interrogara tinha engordado, mas os olhos haviam sem dúvida amansado.

"Teve um sujeito que foi naquela direção." Scott indicou com o queixo a direção leste. "Não estava muito bom das pernas, então fiquei satisfeito por não ter tentado entrar aqui."

"Você o teria impedido?"

Scott assentiu. "Mas havia alguma coisa com ele... não me pergunte o quê. Aquilo me fez pensar que ele teria gostado."

"Gostado de ser impedido de entrar?"

"É."

"Por quê?"

"Porque lhe teria dado uma desculpa."

"Para uma briga, você quer dizer?"

"O sujeito estava muito tenso, senhor Fox. Acho que é isso que eu quero dizer."

"Você contou isso aos outros policiais, Pete?" Fox viu Scott fazer que não com a cabeça. "Por que não?"

"Eles nunca perguntaram." Scott ficou distraído com a chegada de duas adolescentes. Elas usavam saltos muito altos, minissaias e muito perfume. Uma era alta e magra, a outra baixa e rechonchuda. Fox podia perceber que elas estavam com frio mas tentavam não demonstrar isso.

"Oi, Pete", a menor disse. "Tem algum talento tocando esta noite?"

"Um monte."

"Isso é o que você sempre diz." Ela deu um tapinha no rosto de Scott enquanto ele segurava a porta aberta para elas.

"O trabalho tem suas compensações, senhor Fox", Pete Scott disse ao detetive.

Enquanto caminhava na direção leste em Cowgate, Fox

pensou em como havia se tornado invisível. Nenhuma das duas garotas tinha prestado a menor atenção nele. Por outro lado, foi bom que Scott não tivesse guardado rancor. Também era bom o fato de ele ter um emprego — qualquer emprego. Antes de Fox ir embora, ele confessara que agora era pai de uma menina de dezoito meses chamada Chloe. Ele ainda se relacionava com a mãe de Chloe, mas a vida em comum não tinha dado certo. Fox acenou com a cabeça e os dois trocaram um aperto de mãos novamente. O encontro fizera Fox se sentir melhor, embora ele não soubesse dizer exatamente por quê.

Ele sabia que se continuasse andando chegaria ao cruzamento com a rua St. Mary. Para além daquele ponto, em pouco tempo estaria em Dynamic Earth e perto do Parlamento Escocês. Ele estava chegando ao fim da área com bares e clubes noturnos. Havia lojas, mas as vitrines estavam vazias ou cobertas por papelão. O necrotério municipal ficava por ali, mas ele não estava com vontade de fazer uma visita. Supôs que o corpo de Vince ainda estaria em uma das geladeiras de lá. Do outro lado da rua, uma igreja tinha percebido que a melhor maneira de arrecadar fundos era construir um hotel em seu terreno. O hotel parecia estar indo bem; Fox não sabia se o mesmo poderia ser dito da igreja. Decidiu voltar e refazer seu trajeto. Havia muitos caminhos que Vince poderia ter seguido: travessas estreitas e lances de degraus. Ele poderia ter ido na direção da rua Chambers ou para Royal Mile. Pelo que Fox sabia, talvez tivesse arrumado um quarto no hotel e dormido para se esquecer de tudo. Ele estava tentando perceber a atração que a área teria para Vince. Sim, ela era cheia de bares, mas Lothian Road também era. Vince teria pago um bom dinheiro para um táxi levá-lo até ali vindo de Leith. No caminho, teria passado por uma dúzia de lugares ainda abertos àquela hora. Precisaria ter um destino em mente. Quem sabe Fox pudesse conversar com o taxista; talvez Annabel descobrisse os detalhes do homem para ele.

"Talvez", murmurou para si mesmo.

A temperatura estava caindo ainda mais. Ele ergueu a gola do casaco, tentando proteger as orelhas. Havia um vendedor de peixe e batatas fritas no Grassmarket, mas de repente a distância pareceu muito grande. Além disso, será que estaria aberto? A restrição de tráfego já estava em vigor, o que significava que todo movimento de veículos tinha cessado. Seu próprio carro estava parado na parte de cima da rua Blair. Mais cinco minutos e ele estaria seguro — não havia mais nada para ele ali.

Mas então ele viu outra luz de neon. Estava no final de uma viela estreita — na verdade, uma rua sem saída. Ele não a tinha visto antes, mas agora, olhando, havia uma placa na parede de tijolos apontando para uma porta iluminada. Apenas uma palavra acima da seta indicativa — SAUNA. Ele se perguntou se alguém da equipe de investigação tinha deixado fotos de Vince naquele estabelecimento em especial. Avançou alguns passos viela adentro para ver melhor a porta. Era de madeira maciça, pintada de preto brilhante, com uma maçaneta de metal manchado e várias pichações. Havia um interfone com vídeo em um dos lados da entrada. A indústria do sexo de Edimburgo gostava de se manter discreta, o que era aceito pela polícia.

Fox estava se preparando para virar e voltar para o carro quando uma força enorme detonou no meio de seus ombros, fazendo-o quase voar para a frente. Ele bateu de rosto no chão. Teve tempo apenas para virar metade da cabeça, de forma que seu nariz escapou ao pior do contato. O peso caiu sobre ele — alguém estava ajoelhando sobre suas costas, tirando o ar de seus pulmões. Confuso, Fox tentou lutar para se soltar, mas um pé entrou em contato com seu queixo. Um sapato preto, sem nada de sofisticado ou especial, fez sua cabeça ir violentamente para trás e ele se sentiu entrando numa espiral em direção à escuridão...

Quando piscou para abrir os olhos, o sapato tinha voltado. Estava batendo sem parar em seu flanco. Ele estendeu rapidamente uma das mãos para segurá-lo.

"Acorda", uma voz estava dizendo. "Você não pode dormir aqui."

Fox se ajoelhou com dificuldade e depois ficou em pé. Sua coluna doía. E também seu pescoço e seu maxilar. O homem que estava em pé na frente dele era velho, e Fox pensou por um segundo que o conhecia.

"Bebida demais", dizia o homem. Ele dera um passo para trás, afastando-se de Fox. Fox estava se examinando à procura de mais danos. Não havia sangue, e nenhum dente estava mole ou fora do lugar.

"O que aconteceu?", perguntou ele.

"É melhor você ir para sua casa, ir para a cama."

"Eu não estou bêbado — eu não bebo."

"Então você está doente?"

Fox tentava afastar a dor. O mundo parecia desequilibrado, e ele percebeu que era o sangue latejando em seus ouvidos. Sua visão estava embaçada."

"Você o viu?", ele perguntou.

"Quem?"

"Me empurrou no chão e me chutou..." Ele esfregou o queixo novamente.

"Levaram alguma coisa?"

Fox verificou os bolsos. Quando balançou a cabeça em negativa, sentiu vontade de vomitar.

"Esta área da cidade é ruim."

Fox tentou se concentrar no homem. Devia ter uns setenta e poucos anos — cabelo bem curto prateado, pele manchada... "Você é Jack Broughton."

"Os olhos do homem estreitaram. "Eu te conheço?"

"Não."

Broughton colocou as mãos nos bolsos e aproximou-se até seu rosto estar a poucos centímetros do rosto de Fox. "Melhor assim", disse ele. Então ele se virou para ir embora. "É melhor você dar uma passada num hospital para ver se está tudo bem", foi seu conselho final.

Fox descansou por um momento, depois voltou para a rua principal arrastando os pés. Ele colocou o relógio na direção de um poste de iluminação. Meia-noite e quarenta. Ele deve ter ficado apagado apenas alguns minutos. Apoiou-se nas paredes de uns prédios enquanto voltava para a Rondo. Suas costas pareciam pegar fogo toda vez que ele inspirava. Pete Scott o avistou e endureceu o corpo, confundindo-o com algum encrenqueiro. Fox levantou a mão em cumprimento, e Scott aproximou-se dele.

"Você tropeçou ou algo assim?", perguntou ele.

"Você viu alguém, Pete? Algum sujeito grande..."

"Apareceram alguns", adimitiu Scott.

"Desde aquela hora em que eu falei com você?"

Scott fez que sim com a cabeça. "Alguns estão lá dentro."

Fox fez um gesto em direção à porta. "Vou dar uma olhada", ele disse.

"Fique à vontade..."

O bar estava lotado, com um sistema de som capaz de soltar obturações de dente. A fila para pegar bebidas era enorme. Os rapazes em camisas de manga curta; as garotas bebericando coquetéis com canudos fluorescentes. A cabeça de Fox levou outra pancada do som que vinha das caixas com enormes alto-falantes enquanto tentava passar pela multidão. Na sala dos fundos, o palco estava iluminado, mas não havia uma banda tocando. Mais gente bebendo, mais barulho, mais luzes estroboscópicas. Fox não reconheceu ninguém. Ele achou o banheiro masculino e entrou, ganhando algum alívio da barulheira. Havia toalhas de papel espalhadas pelo chão e nenhuma no toalheiro. Ele deixou água correr pelas mãos e jogou um pouco no rosto, olhando para seu reflexo no espelho manchado. O queixo estava esfolado e uma das maçãs do rosto estava inchada. A marca da contusão logo iria aparecer. As palmas das mãos ardiam no lugar onde tinham batido no chão, e uma de suas lapelas estava rasgada na costura. Ele tirou o casaco e o examinou em busca de um sinal da força que tinha se lançado contra ele, mas nada encontrou.

Seu agressor não tinha levado nada — cartões de crédito, dinheiro, os dois celulares, tudo estava lá. E assim que ele ficou inconsciente, não parecia que tivessem continuado a bater. Ele deu uma boa olhada nos dentes e mexeu no maxilar.

"Você está bem", ele disse para o reflexo. Então reparou que estava faltando um botão na cintura da calça. Precisaria ser trocado, ou os suspensórios não ficariam firmes. Respirou fundo algumas vezes, deixou a água correr pelas mãos novamente e secou-se com seu lenço. Uma das pessoas que estavam bebendo no bar entrou, quase sem prestar atenção nele, e foi direto para um dos mictórios. Fox vestiu o casaco de novo e saiu. Lá fora, foi ao encontro do porteiro. Pete Scott estava ocupado conversando com as mesmas duas garotas de antes. Elas tinham saído para fumar e reclamavam da falta de "homens gostosos". Se Fox estivera invisível para elas antes, agora parecia ainda mais. Scott perguntou se ele estava realmente bem, e Fox apenas fez que sim com a cabeça de novo, atravessando a rua para ir ao local onde estava o carro. Alguém tinha deixado um resto de *kebab* sobre o tampo do motor do Volvo. Ele jogou tudo no chão, destrancou a porta e entrou.

A volta para casa foi lenta, os faróis fechados para ele em cada cruzamento. Táxis tentavam conseguir fregueses, mas a maioria das pessoas parecia preferir andar. Fox sintonizou o rádio na Classic FM e concluiu que Jack Broughton não o reconhecera. E por que teria reconhecido? Eles se encontraram durante aproximadamente dez segundos na cobertura tríplex. Broughton só ficou sabendo que o homem que esperava o elevador era um policial alguns minutos mais tarde. Será que o próprio Broughton o atacara? Era duvidoso — e por que teria ficado por lá? Além disso, os sapatos dele eram marrons, totalmente diferentes do que Fox viu entrando em contato com seu queixo.

Por outro lado, Pete Scott... os sapatos de Pete eram pretos, e Pete era bastante forte... Mas Fox achava que não. Pete teria desertado de seu posto para conseguir alguma vingança mesquinha? Bom, talvez sim, mas Fox o classificou como "possível" e não como "provável" agressor.

Assim que chegou em casa, ele tirou as roupas e tomou um banho quente de chuveiro, deixando a água cair nas costas por uns bons nove ou dez minutos. Doeu quando tentou se secar, e ele conseguiu se ver no espelho do banheiro — nenhum dano visível. Talvez isso mudasse na manhã seguinte. Devagar, vestiu o pijama e desceu até a cozinha. Encontrando um saco fechado de ervilhas no freezer, ele o embrulhou em um pano de prato e encostou-o no queixo, enquanto fervia água para fazer chá. Havia uma caixa de aspirinas dentro de uma das gavetas e ele engoliu três comprimidos com um copo de água da torneira.

Eram quase duas da manhã quando se acomodou na mesa. Depois de ficar olhando para a parede por alguns minutos, levantou-se e atravessou a sala de jantar. Seu computador estava numa mesinha em um dos cantos. Ele ligou e deu uma busca para três nomes: Joanna Broughton, Charlie Brogan e Jack Broughton. Não havia muita coisa sobre este último — o apogeu dele fora antes do advento da internet e dos noticiários de vinte e quatro horas. Fox não tinha pensado em perguntar-lhe o que estava fazendo em Cowgate àquela hora da noite. Mas Jack Broughton não era um homem de setenta e um anos qualquer. Provavelmente ainda achava que tinha chances contra a maioria dos bêbados e oportunistas.

Fox não conseguia realmente se sentir bem. Se inclinava o corpo para a frente, sentia dor; se recostava, a dor era maior ainda. Ele deu graças pela falta de álcool na casa — impediu que fosse buscar o mais rápido dos analgésicos. Em vez disso, segurou o saco de ervilhas sobre o rosto e concentrou-se em Charlie Brogan, encontrando diversas entrevistas extraídas de revistas e das páginas dos cadernos de negócios nos jornais. Um jornalista perguntara a Brogan por que ele havia se tornado empreiteiro.

Nós criamos monumentos, Brogan tinha respondido. *Nós criamos uma marca que vai sobreviver a nós.*

E isso é importante para você?

Todos querem mudar o mundo, não é? E, no entanto, tudo que a maioria de nós deixa para trás é um obituário e talvez alguns filhos.

O senhor quer ser lembrado pelas pessoas?

Eu preferia que elas reparassem em mim enquanto estou aqui! O meu negócio é causar uma impressão.

Fox se perguntou: uma impressão em quem? Joanna Broughton? Ou talvez em seu bem-sucedido sogro? Os homens não querem sempre se mostrar para os parentes? Fox se lembrou de que tinha ficado nervoso quando conheceu os pais de Elaine, muito embora ele os tivesse conhecido quando era colegial. Ele comparecera a festas de aniversário na casa deles. Mas avance duas décadas no tempo, e ele os estava cumprimentando como o namorado da filha deles.

"A Elaine nos contou que você está na polícia", dissera a mãe. "Eu não tinha ideia de que você tinha essa vocação..." O tom de voz dizia tudo: nossa adorável e talentosa filha poderia ter conseguido alguém muito melhor. Muito melhor...

Fox conseguia imaginar muito bem o primeiro encontro de Brogan com papai Broughton. Os dois filhos estavam mortos, o que significava que Joanna tinha muito o que provar. Ela deixara para se casar mais tarde. Fox imaginou que o pai protetor e apaixonado pela filha teria afugentado muitos pretendentes anteriores. Mas Charlie Brogan sabia o que queria — ele queria Joanna. Ela era deslumbrante e a família tinha dinheiro. Mais do que isso, o pai dela tinha a seu redor uma aura de poder. Ao se ligar à filha, ele guardaria o nome do pai dela no bolso, como um número para acessar serviços de emergência. Se alguém tentasse derrubá-lo, o nome apareceria na conversa.

Não que Fox conseguisse imaginar que Jack Broughton gostasse disso.

Então, quando a CBBJ começou a afundar, não havia apólice de seguros. Talvez Brogan tivesse abordado o velho discretamente — *de modo algum* ele iria querer que

Joanna soubesse disso —, mas, se o fez, ele tinha dado a Jack a oportunidade perfeita para dizer ao genro o quanto o considerava um inútil. *Você diz que perdeu todo o seu dinheiro na crise? Ora, Charlie, eu não sabia que você tinha essa vocação.*

E, a propósito, minha adorável e talentosa filha poderia ter conseguido alguém muito melhor.

"Pobre idiota", disse Fox para si mesmo.

Meia hora depois, ele terminou a pesquisa. Descobriu um link para Quidnunc, mas não conseguiu entrar no jogo sem o programa de acesso. Em vez disso, ficou olhando a página inicial do website com sua arte colorida. Algum tipo de monstro estava sendo aniquiliado por meia dúzia de sujeitos musculosos.

"O Guerreiro Está em Você", dizia o subtítulo. Fox pensou em Jamie Breck. Ele não fora um grande guerreiro no escritório de Billy Giles. Breck: perdendo-se naquela ficção enquanto uma vida verdadeira com Annabel era mantida em modo pausa. Fox se perguntou que tipo de papel ele próprio tivera no decorrer de sua vida. Será que havia usado o álcool da mesma maneira que Breck usava o jogo on-line — para afundar em um mundo virtual como forma de fugir da realidade? Também se perguntou se *realmente* confiava em Jamie Breck. Ele achava que sim, mas o próprio Breck dissera: *isso significa que eu sou sua última esperança?* Sem conseguir responder essa pergunta, ele colocou o computador no modo "dormir" e foi para a cama. Deitou de lado, o único jeito de poder descansar sem sentir dor. As cortinas estavam iluminadas pelo brilho da lâmpada de sódio da rua. As ervilhas estavam descongelando dentro da embalagem. Cantos de pássaros no rádio...

QUARTA-FEIRA,
18 DE FEVEREIRO DE 2009

21

Às sete da manhã do dia seguinte, seu celular — o antigo — apitou para informá-lo de que recebera uma mensagem. Era da inspetora Caroline Stoddart. Ela o queria na Fettes às nove para outra entrevista. Fox lhe mandou uma mensagem: indisposto, desculpe — podemos adiar?

Mas será que "indisposto" expressava exatamente o que estava acontecendo com ele? Ele tivera gripes e resfriados, dores de cabeça e de ouvido, mas nunca nada como aquilo. Será que tinha lutado três rounds com um urso-pardo? Ele levou mais de um minuto para ir de sua cama até o banheiro. O rosto estava bem inchado e o esfolado no queixo já bem melhor, mas ainda doendo muito quando tocado. E, pelo que podia ver de suas costas, contusões dos dois lados da coluna no formato perfeito de duas patas humanas. Depois de vinte minutos no chuveiro, encontrou outra mensagem esperando por ele no quarto. Era de Stoddart.

Amanhã então, dizia o texto.

Fox decidiu que ficaria em casa o resto do dia. Tinha leite e pão, comida suficiente para se manter. Por volta de nove horas, estava deitado no sofá com sua segunda caneca de café e com o canal de notícias da BBC na televisão. Quando a campainha tocou, ele pensou em não atender. Talvez fosse Stoddart, verificando a veracidade de sua história. Mas a curiosidade foi mais forte, e ele foi até a janela. Jamie Breck se afastara alguns passos da porta e olhava diretamente para Fox. Ele ergueu um saco de compras e deu um sorriso. Fox foi abrir a porta.

"Comprei croissants no supermercado", Breck disse. Mas então viu de perto o rosto machucado de Fox. "Porra! O que aconteceu com você?"

Fox entrou na frente. Ele ainda estava de pijama, com um roupão por cima. "Alguém me atacou", explicou.

"Na noite passada? No caminho entre Hunters Tryst e aqui?" Breck parecia incrédulo.

"Em Cowgate", Fox o corrigiu. Ele pôs a água para ferver na chaleira e encontrou uma caneca limpa para a visita. "Café ou chá?", perguntou.

"Porque Vince pegou um táxi ali?" Breck fazia sinal afirmativo com a cabeça para si mesmo. "Depois de Hunters Tryst você foi fazer um reconhecimento? E quem é que fez isso com você?"

"Eles me atacaram por trás; eu não vi nada. Mas quando acordei, Jack Broughton estava em pé ao meu lado."

"Como é que é?"

"Você ouviu o que eu disse. Chá ou café?"

"Pode ser chá. O que Jack Broughton estava fazendo lá?"

"Ele não disse."

"Foi ele quem..."

"Acho que não." Os dois homens ficaram em silêncio por mais ou menos um minuto enquanto a água fervia. Quando o chá ficou pronto, foram para a sala de estar. Fox pegou um prato para cada um, e eles dividiram os croissants. Breck estava sentado na beirada da poltrona, bastante inclinado para a frente.

"E eu que pensei que a gente podia tomar um café da manhã sossegado."

"E ainda podemos."

"Você está fazendo faxina geral?" Breck apontou para as pilhas de livros.

"Se você gostar de alguma coisa, pode pegar." Fox ergueu seu prato da mesa, tentando não gemer de dor enquanto alongava o corpo. "Tem uma coisa que eu queria lhe perguntar..." Ele mordeu o croissant.

"Manda."

"Por que você não quer que Annabel saiba?"

Breck mastigou pensativamente e então engoliu. "Você quer dizer, a respeito de SEIL Ents e meu cartão de crédito? Eu ainda estou avaliando os prós e contras."

"Se ela descobrir do pior jeito, não vai ficar muito feliz", disse Fox. "E nós precisamos de fato dela em nossa equipe..."

"Então você não está pensando só nos meus melhores interesses?"

"Nem pense nisso."

Breck recolheu migalhas dos joelhos da calça. "No entanto, ela continua perguntando por que eu não fui à Federação e pedi um advogado."

"É uma pergunta razoável — por que não foi?"

Breck decidiu não responder. Em vez disso, ele tinha uma pergunta para Fox. "O que diabos você esperava encontrar em Cowgate?"

"Torphichen já esteve por lá, entregando uns folhetos."

"Então pelo menos você sabe que eles estão fazendo o trabalho deles. Onde estava quando foi atacado?"

"Tem uma viela com uma sauna no final..." Fox reparou uma mudança no rosto de Jamie Breck. "Você conhece?", ele adivinhou.

"Tem uma placa, escrito apenas 'Sauna'? Uma viela estreita?"

"Continua."

Mas antes Breck precisou de um pouco de chá. Ele colocou seu prato em cima de uma pilha de livros que estavam na mesa do café, com a metade de um croissant. "Eu fui lá uma vez, com Glen Heaton", ele admitiu.

"O quê?"

"Não lá dentro", Breck corrigiu-se rapidamente. "Tínhamos ido a Jack's Lodge... para falar com uma testemunha. No caminho de volta, Heaton mandou pegar o trajeto passando por Cowgate. Então ele mandou uma mensagem do celular e pediu para eu parar quando chegássemos a essa viela. Ele saiu do carro e uma mulher saiu do prédio. Ela estava usando uma capa de chuva, mas tenho a impressão de que não tinha muito mais por baixo. Os dois conversaram um pouco. No final, ela deu um beijo no rosto dele. Eu acho que ele pode até ter dado algum dinheiro para ela." O rosto de Breck estava franzido, mostrando sua concentração. "Ela era baixinha — teve que ficar na ponta dos pés para beijá-lo." Mais jovem que ele; talvez pouco menos de trinta. De qualquer forma, ela entrou novamente e ele voltou para o carro." Breck deu de ombros.

"Ele disse o nome dela?"

"Não. Eu perguntei do que se tratava aquilo e ele apenas piscou e deu a entender que ela era algum tipo de contato."

"Uma informante?"

Breck voltou a dar de ombros. "Havia coisas que eu sabia que era melhor não perguntar. O Glen tinha a maneira dele de fazer a gente ficar sabendo..."

"Há quanto tempo foi isso?"

"No outono passado."

Fox pensou por um momento. "Ela era baixinha, você disse?"

"Menos de um metro e meio."

"Cabelo loiro encaracolado?" Breck olhou para ele, e Fox decidiu explicar. "Nós tivemos Heaton vigiado durante meses — verificamos os e-mails dele, gravamos os telefonemas, seguimos o sujeito. Havia uma mulher com quem ele andava traindo a esposa. Trabalhava como dançarina em Lothian Road. Uma coisinha chamada..." Mas Fox não conseguia lembrar o nome dela.

"Pelo jeito, parece que ela tem dois empregos", Breck comentou. Então, fixando o olhar em Fox: "Você não está achando...?".

Foi a vez de Fox dar de ombros. "Fosse quem fosse, eles só queriam distribuir uma punição leve — nada muito pesado, só o suficiente."

"Glen Heaton teria o motivo", concordou Breck. Fox já estava digitando o número de Tony Kaye em seu celular.

"Eu estava me perguntando quando é que você iria ligar", disse Kaye ao atender. "Espera um segundo, o.k.?" Fox ficou escutando enquanto Kaye saía de trás de sua mesa e ia para o corredor. "Suponho que Gilchrist está trabalhando."

"McEwan o mantém ocupado com umas coisinhas", disse Kaye. "Estou supondo que esse telefonema seja puramente social."

"Preciso que você procure uma coisa para mim, Tony — talvez signifique dar um pulo no escritório do promotor, se eles estiverem com a papelada."

"Ou eu posso apenas ligar para eles..."

"Quanto menos gente souber, melhor", Fox contra-argumentou.

"Tudo bem — e do que você precisa?"

"Informação sobre a mulher que é caso do Glen Heaton."

"A dançarina?"

"Você se lembra do nome dela?"

"Nós nunca nos demos ao trabalho de entrevistá-la. Ela ia ser uma carta na manga, lembra? Se precisássemos que o Heaton confessasse."

"Veja o que consegue para mim, Tony."

"Você se importa de me contar o motivo?"

"Mais tarde." Fox encerrou a chamada e começou o gesto de bater o telefone contra o queixo, antes de se lembrar que iria doer.

"O que Jack Broughton estava fazendo lá?", Breck estava se perguntando.

"Talvez fosse cliente — a mulher morreu e o velho desgraçado provavelmente ainda tem energia." Fox fez uma pausa. "Ou será que ele é o proprietário?"

"Você quer dizer um cafetão?"

Fox fez que não com a cabeça. "Mas talvez ele seja proprietário do imóvel... talvez seja o senhorio ou locador." Ele olhou para Breck. "Será que a Annabel poderia investigar isso?"

329

"Sob qual pretexto?"

"A equipe de investigação ainda não terminou em Cowgate — ela poderia estar procurando informações adicionais..."

Breck encheu a boca de ar e soltou com alguma força. "Acho que sim", disse ele. "Você quer que eu telefone para ela?" Ele já estava com o celular na mão.

"Por que não?", disse Malcolm Fox.

Breck começou a fazer a chamada. "Eu só estava pensando..."

"O quê?"

"Agora que estou pensando, por que Heaton fez aquilo? Por que me levar com ele quando ele foi visitar a amante?"

"Ele estava se exibindo", concluiu Fox. "Pura e simplesmente."

Breck pensou naquilo e assentiu com a cabeça. Sua chamada fora atendida. "Oi, Annabel", disse ele, o rosto se transformando em um sorriso. "Você não vai adivinhar qual é a informação que eu estou querendo..."

No meio da tarde, Fox sabia diversas coisas.

Por cortesia de Tony Kaye, ele agora sabia que a dançarina se chamava Sonya Michie e que morava em um bloco de apartamentos em Sighthill. Era mãe solteira, com dois filhos na escola primária local. Não havia menção na ficha dela a nenhum emprego em uma sauna, e ela não possuía antecedentes.

A informação que veio de Annabel Cartwright era ainda mais intrigante. O imóvel que abrigava a sauna era de propriedade de uma empresa baseada em Dundee chamada Wauchope Leisure Holdings Limited. A Wauchope Leisure era dona de todos os tipos de propriedades interessantes na cidade, a maioria delas saunas e clubes de striptease. A lista incluía o bar de dançarinas onde Sonya Michie trabalhava. Cartwright tinha conseguido o registro dos diretores, incluindo um certo J. Broughton. Só para garantir, Jamie Breck tinha lhe pedido para verificar o primeiro nome. Uma hora mais tarde chegou a confirmação: John Edward Alan Broughton.

"Mais conhecido como Jack", comentou Fox.

"Então pelo menos ele tinha um motivo para estar lá", Breck tinha acrescentado. "Quero dizer, a negócios, e não a prazer."

"Àquela hora da noite?"

Mas Cartwright ainda não terminara. Wauchope derivava seu nome de Bruce Wauchope, que havia quinze anos estava ao serviço de Sua Majestade, por seu papel em um esquema de tráfico de drogas no nordeste.

"Barcos pesqueiros atuando em Aberdeen", explicou. Ela chegara à casa de Fox com um maço de páginas fotocopiadas — a maioria recortes de jornal sobre Wauchope, mas também a transcrição da entrevista com o taxista que deixara Vince em Cowgate. Não acrescentara muita coisa.

Ele precisou de quase um minuto inteiro para decidir que ia sair, declarara o taxista. *Pensei que fosse mudar de ideia...*

Perguntaram se Cartwright queria beber alguma coisa, e ela optou por água. Breck lhe dera um beijo. As maçãs do rosto dela estavam coradas, e ela parecia energizada por ter completado suas tarefas. Ela notara os machucados de Fox, mas não perguntou nada, sabendo que lhe contariam, se necessário. Muito menos mencionou as pilhas de livros, que tinham sido tiradas da mesa do café e agora estavam sobre o chão, ameaçando cair a qualquer momento.

"Ninguém notou o que você estava fazendo?", Fox lembrou-se de verificar, recebendo um gesto negativo como resposta.

"As traineiras se encontravam com outros barcos no mar do Norte", explicou ela entre goles de água. "As drogas eram desembarcadas e encontravam um mercado pronto com os pescadores e petroleiros..."

Fox estava estudando uma fotografia granulada de um Bruce Wauchope fazendo cara feia. O homem devia ter cinquenta e poucos anos.

"Ele realmente tem cara de assassino", comentou Breck.
"Espere até ver o filho dele." Cartwright remexeu a papelada. A foto que encontrou era pequena e acompanhava uma notícia de jornal sobre o julgamento de Bruce Wauchope. "O nome dele também é Bruce — acho que é Bruce Júnior — mas ele atende pelo apelido de 'Touro'."

Fox e Breck estudaram o artigo enquanto Cartwright acrescentava alguns detalhes.

"Ele tem má fama em Dundee. Foi expulso de meia dúzia de escolas antes de completar quinze anos. Liderou uma gangue local. Sem dúvida devia deixar o pai orgulhoso. Com o Wauchope pai fora de ação, é o Touro quem cuida de tudo."

"Cuida do quê, exatamente?"

"Para isso eu provavelmente teria que bater um papo com o DIC de Tayside — algum de vocês tem contatos lá?'

"Eu acho que conheço uma pessoa", admitiu Breck.

"Wauchope é dono de mais alguma coisa em Edimburgo?", perguntou Fox, ainda concentrado na leitura.

"Isso também precisaria de mais um pouco de investigação." Cartwright fez uma pausa. "Por que é tão importante?" A pergunta fora dirigida a Breck, mas ele fixara sua atenção em Fox, que apenas deu de ombros. A sala ficou em silêncio enquanto Fox continuou a examinar as fotocópias. Breck estava diante da janela.

"Eu não estou vendo seu carro", comentou ele.

"Eu deixei na próxima travessa", explicou Cartwright. "Não quis que ninguém o visse aqui."

"Provavelmente foi uma decisão sábia." Fox levantou os olhos da leitura.

Ela estava olhando o relógio. "Tenho que voltar. Geralmente não levo tanto tempo para comprar um sanduíche."

"Obrigado por tudo", disse Fox.

"Eu espero que ajude." Ela colocou a bolsa no ombro. Jamie já tinha saído da sala e aberto a porta da frente para ela. Fox não conseguiu entender o que foi dito, mas ele ouviu o som final de um beijo molhado antes que a porta se fechasse. Breck voltou para a sala e observou-a da janela.

"Ela é boa demais para você", disse-lhe Fox.

"E eu não sei disso?" Breck virou-se e voltou para sua poltrona.

"Tenho certeza de que ela apoiaria você", Fox continuou. "Se você contasse para ela, quero dizer. Ela não iria acreditar em nada daquilo."

"Eu farei isso em meu próprio tempo, se você não se importar inspetor." Fox entendeu a indireta e ergueu as mãos em um gesto de rendição. Breck esfregou as próprias mãos.

"E então", perguntou ele, sentando-se no braço da poltrona, "o que exatamente nós temos?"

"O seu palpite é tão bom quanto o meu." Fox fez uma pausa. "Você entrou em contato com a sua companhia de cartão de crédito para falar sobre aquele débito?"

Breck o encarou. "Por que você está perguntando isso de repente?"

"Lembrei agora."

"Eu falei com eles. O pagamento para SEIL foi uma transação on-line, então não há muito que eles possam dizer."

"Qualquer um com os dados do seu cartão poderia ter feito aquilo?"

"Contanto que soubessem o código de segurança, além, talvez, do meu endereço e código postal."

"Então o fato é que não avançamos muito?"

"Eu não posso provar que não fui eu, se é isso que está sugerindo." Breck se levantou novamente. "Ainda está com alguma dúvida incômoda, Malcolm?"

"Não."

"Tente parecer um pouco mais convincente."

Antes que ele pudesse responder, o telefone de Fox tocou. Era Annie Inglis. "Oi, Annie", disse Fox, "o que posso fazer por você?"

"Na verdade, nada."

Breck tinha feito um gesto indicando que ia sair da sala.

Sem esperar, ele já estava saindo. Fox recostou na poltrona com o telefone no ouvido, e então se torceu de dor. As costas latejaram uma nova reclamação.

"Como estão as coisas na Casa do Pai?", perguntou ele, rangendo os dentes. "Já lhe deram um substituto para o Gilchrist?"

"Ainda estou trabalhando sozinha."

"Isso não pode ser bom."

"Não é."

"Como está o Duncan?"

"Ele está bem. E você, Malcolm?"

"Estou com os pés para cima."

"É mesmo?"

"Bom, mais ou menos." Ele a ouviu rindo.

"Quando é que você vai voltar ao trabalho?"

"Isso depende de Grampian."

"Eu conheci a inspetora Stoddart. Ela me pareceu bastante... eficiente."

"Ela te perguntou sobre mim?"

"De passagem."

"Eu deveria ter aparecido hoje para outra sessão de perguntas."

"Foi o que ela disse."

"Eu disse a ela que estava doente."

"Mas você está bem, não é?"

"Na verdade, eu estou com umas dores."

"Nesta época do ano, quem não está?"

"Um pouco mais de compaixão não seria nada mau."

Ela riu de novo. "Quer que eu dê uma passada por aí depois do trabalho? Posso levar umas uvas e um energético?"

Fox estava tocando o rosto machucado com as pontas dos dedos. "É uma oferta tentadora, mas não, obrigado."

"Não diga que eu não ofereci."

"Eu vou ficar bom daqui a alguns dias, Annie. Escute, tem uma coisa que eu queria perguntar a você. Um tempo atrás, você me avisou que a polícia australiana estava pronta para pegar o Simeon Latham. Quando falei com o Gilchrist sobre isso, ele me disse a mesma coisa."

"Sim?"

"Bom, a policial com quem você me pôs em contato em Melbourne parece ter outras ideias."

"Você sabe que não posso falar sobre isso, Malcolm." A voz de Inglis tinha endurecido.

"Eu só estou me perguntando quem é que está mentindo para mim, Annie." Breck tinha posto a cabeça na porta e fazia sinal de que estava indo embora. Fox fez que não com a cabeça e escutou o som em seu ouvido que indicava que Inglis tinha desligado. Ele fechou o aparelho e acenou para que Breck voltasse para a sala.

"A inspetora Stoddart", disse ele, "andou querendo tirar informações de Annie Inglis."

"Ela é, no mínimo, minuciosa", comentou Breck.

Fox ficou pensativo enquanto deixava seus dedos passear pelo rosto inchado. "Você não deveria estar metido nisso, Jamie. O que você devia estar fazendo é limpando seu nome."

"E como é que eu faço isso sem que eles percebam que foi *você* quem me deu a dica?" Breck balançou a cabeça lentamente. "Você tem que limpar o seu nome antes de eu limpar o meu — então o que mais temos na agenda de hoje?"

Fox olhou para o visor do celular — passava das três da tarde. "Almoço?", sugeriu ele.

"Outra corrida até o supermercado?", adivinhou Breck. Fox fez que sim com a cabeça, colocando a mão no bolso à procura de dinheiro.

"Minha vez", disse ele. "Você pagou o café da manhã..."

Breck pegou a nota de dez libras, mas não se mexeu. "E depois?"

"Dundee é uma opção — mas, volto a dizer, é algo que posso fazer sozinho."

Breck apontou para o rosto de Fox. "Eu já vi os resultados dos seus esforços trabalhando sozinho. Então você não vai se importar se eu for junto?"

335

Depois de Breck sair, Fox levantou e foi até a janela. Olhou para a rua, a mente confusa. Então foi à cozinha e se serviu de mais alguns analgésicos. O copo que Annabel usara estava sem lavar. Havia uma mancha descorada de batom cor-de-rosa na borda. O namorado dela seria bom demais para ser verdade? Por outro lado, e *ela*, era? Será que estava fornecendo presentinhos à investigação? Entregando Malcolm Fox a Billy Giles por entender que, por isso, Giles pegaria leve com o amante? A lista de pessoas em quem Fox achava que podia confiar era curta, as margens cheias de incertezas, restrições e pontos de interrogação.

Voltando para a mesa de café, ele pegou um maço de folhas fotocopiadas — a transcrição da entrevista do taxista. Ocorreu-lhe que Vince pode ter tido um bom motivo para hesitar antes de sair do táxi. Ele estava agitado. Tinha um local em mente, mas demonstrou alguma relutância. No Marooned ele arranjou uma briga, depois na parada de ônibus houve um segundo confronto. Os porteiros no Oliver não deveriam tê-lo deixado entrar, mas deixaram. Por que isso? Jamie Breck dissera que Joanna Broughton não queria o lugar adquirisse má fama, no entanto foi permitido que Vince Faulkner bebesse quase até cair. Durante duas ou três horas ele esteve lá... Quando o corpo de Vince foi encontrado, ele tinha apenas algumas notas e moedas nos bolsos. Teria ido a Cowgate para pedir dinheiro emprestado, ou porque, de repente, tinha ganhado algum?

Folheando todo o material, ocorreu a Fox que ali estava outro enorme favor que Annabel Cartwright lhe fizera, sem ao menos conhecê-lo. Ela estava ajudando porque ele era amigo de Jamie...

"Eu confio em *você*, Annabel", disse ele para si mesmo. E então, depois de um momento: "Tudo bem, talvez oitenta por cento".

Voltou à cozinha, colocando mais água no copo, quando percebeu que seu celular velho estava tocando, e correu de volta para a sala de estar para encontrá-lo. Mas seja lá quem estivesse telefonando desistiu antes que ele encontrasse o aparelho. Fox verificou o número — outro celular — e retornou a chamada.

"Recebi uma chamada sua", disse ele quando o telefone do outro lado foi atendido.

"É o Max Dearborn."

"Como estão as coisas, Max?"

"Trabalhando duro."

"Algum sinal do empreiteiro perdido?"

"Não."

"Mas foi isso o que ele se tornou, certo? Perdido e não desaparecido."

"É uma possibilidade entre muitas."

"Eu só consigo pensar em cinco, Max. Ele está morto e foi um acidente; ou ele se matou; ou alguém cuidou dele."

"Aí são três..."

"E se ele está vivo, ou ele fingiu o suicídio ou alguma outra pessoa fez isso por ele, o que significa que ele foi sequestrado."

"E a essa altura a mulher não teria recebido um bilhete de solicitação de resgate?

"Talvez ela apenas não esteja contando para vocês, Max. Pelo que conheço de Joanna Broughton, ela iria querer lidar com uma situação dessas do jeito dela."

"Esse é o problema", admitiu Dearborn. "E por falar nisso, o sujeito de RP dela está em pé de guerra novamente."

"Eu nem cheguei perto dela..."

"O alvo agora é uma jornalista." Pela voz, Dearborn parecia cansado. Fox achou que sabia por que ele tinha ligado — não havia uma intenção oculta, mas sim a necessidade de conversar, de desabafar um pouco, de fofocar com alguém fora do círculo dele. Fox imaginou Dearborn em um escritório do DIC com poucas pessoas, todo mundo desanimado depois dos primeiros dias de trabalho duro. Esperando por alguma novidade no caso, e ficando letárgicos de tantos sanduíches e barras de chocolate. Talvez Dearborn estivesse com a cadeira empurrada para trás, a gravata afrouxada, os pés sobre a mesa...

"O que a jornalista fez?"

"Ela ficou sabendo sobre um boato de que Brogan estava envolvido em alguma coisa."

"Envolvido em quê?"

"Tentando subornar um representante municipal. É algo que tem a ver com todos esses prédios de apartamentos que Brogan andou levantando. De repente ninguém mais está comprando. Ele estava esperando que o conselho municipal pudesse vir a fazer isso."

"Por que o conselho iria querer esses imóveis?"

"Moradias populares — a cidade está precisando de milhares delas, ou você ainda não percebeu?"

"Dá a impressão de que Brogan conseguiu uma solução."

"Se o preço fosse justo..."

"E como um solitário conselheiro iria adoçar o negócio?"

"Ajuda quando esse conselheiro faz parte do Conselho de Habitação."

"Ah", disse Fox. Então, depois de uma pausa: "Eu ainda não vejo o que haveria de tão errado nisso".

"Para ser franco, eu também não."

"E quem foi que te contou tudo isso? Gordon Lovatt?"

"A jornalista."

"E por que você está me contando?"

"Porque você tem um jeito todo especial para irritar as pessoas. Na próxima vez em que você vir Joanna Broughton ou Gordon Lovatt, você pode tocar nesse assunto."

"Na esperança de que eles façam exatamente o quê?"

"Talvez nada... talvez alguma coisa."

"A mim me parece que você deve um favor a essa jornalista, mas não está querendo se expor demais. Já eu, se me expuser..."

"Foi só uma ideia. A propósito, o nome da repórter é Linda Dearborn."

"Que bela coincidência, Max."

"Seria, se ela não fosse minha irmã caçula. Deixe-me

passar o telefone dela..." Ele fez isso, e Fox o anotou rapidamente. Ele conseguiu ouvir outro telefone tocando perto de onde Max Dearborn estava. "Tenho que desligar."

"Você me informa sobre qualquer notícia do Brogan?", Fox pediu. Mas Dearborn já tinha encerrado a chamada. Fox coçou a cabeça e tentou ordenar seus pensamentos. Havia algo que deveria ter perguntado, então ele mandou uma mensagem para Dearborn.

Nome do representante municipal?

Passaram-se cinco minutos antes que ele recebesse uma resposta:

Ernie Wishaw.

Fox ainda estava olhando para o nome no visor do celular quando Breck voltou com a comida. Breck não pareceu ter notado nenhuma mudança nele. Ele esvaziou os pacotes com sanduíches e batatas fritas sobre a mesa de café, junto com algumas garrafas de limonada. Ele estava quase perguntando a Fox se ele preferia o sanduíche de salada de camarão ou o de presunto e mostarda quando se interrompeu.

"Alguém morreu?", ele perguntou.

Fox fez que não com a cabeça lentamente. "O seu representante municipal..."

"Qual?"

"Aquele que tem o negócio de caminhões."

"O que tem ele?" O rosto de Breck demonstrava perplexidade.

"Talvez ele esteja ligado a Charlie Brogan."

Breck pensou por um momento. "Por causa do cassino?"

"Tem uma jornalista tentando provar que Brogan estava dando um pequeno suborno a Ernie Wishaw."

Breck desembrulhou lentamente um sanduíche, colocando-o sobre o mesmo prato em que antes havia seu croissant.

"Brogan", Fox continuou a explicar, "queria se desfazer de alguns de seus elefantes brancos com o Conselho.

Wishaw iria garantir que o Conselho não conseguisse uma pechincha."

Breck deu de ombros. "Parece plausível. Quem é a jornalista?"

"A irmã de Max Dearborn."

"E quem é Max Dearborn?"

"Um detetive de Leith. Ele está na equipe de investigação do pequeno truque de desaparecimento de Brogan."

Breck olhou para Fox. "Não foi suicídio?"

Fox apenas deu de ombros. "Se a jornalista estiver certa, vocês finalmente poderiam pegar o Ernie Wishaw." Fox fez uma pausa. "Se você fosse Brogan e quisesse pressioná-lo, talvez antes você lhe concedesse alguns benefícios."

"No cassino da esposa?"

"Dando-lhe uma boa pilha de fichas para jogar..."

"Não sei muito bem se Wishaw é tão crédulo assim."

"Depende da oferta que Brogan estivesse fazendo."

Breck ainda estava olhando para ele. Havia um sanduíche em sua mão, mas ele se esquecera disso. Os camarões estavam se soltando e caindo sobre o prato. "Isso é um boato, certo? Até agora, é só um boato, certo?"

Fox deu de ombros de novo. Ele abriu um sanduíche de presunto, olhando para o recheio, mas seu apetite tinha desaparecido. Em vez de comer, quis experimentar a limonada. Quando abriu a garrafa, o gás fez o líquido subir e formar uma poça ao redor da garrafa sobre a mesa. Ele se levantou e foi buscar um pano na cozinha. Breck ainda não começara a comer seu sanduíche.

"Não devem ter sobrado muitos camarões aí", Fox o avisou. Breck percebeu o que tinha acontecido e começou a recolocar os camarões entre os dois triângulos de pão integral.

"Linda Dearborn", disse ele por fim. "Esse é o nome dela?"

"Você a conhece?", perguntou Fox, ocupado em limpar a mesa.

"Eu me lembro dela agora. Quando o motorista traficante de Wishaw foi preso, ela apareceu para xeretar. Acho que o argumento básico dela era o de que Wishaw tinha que saber."

"Acho que lembro que esse também era *o seu* argumento básico."

Breck sorriu diante daquilo. "Eu só falei com ela naquela ocasião..." A voz dele foi sumindo aos poucos.

"Parece que ela manteve o conselheiro no radar dela."

"Parece mesmo, não? Você acha que vale a pena conversar com ela?"

"Se pudermos manter nosso nome fora da história. O problema é, se ela conseguir alguma declaração nossa, nós seríamos as 'fontes policiais anônimas'."

"O que há de errado nisso?"

"O irmão dela faz parte da investigação de Brogan."

Breck fez sinal de positivo com a cabeça. "Todo mundo iria supor que era ele."

"Por isso duvido que ela nos deixasse 'anônimos'."

"Então por que Dearborn contou a você?"

"Acho que ele quer que eu leve isso a Joanna Broughton."

"Por quê?"

"Na esperança de que ela fique desesperada e cometa algum deslize."

"Isso não vai acontecer."

"E quanto a Ernie Wishaw?"

"Dificilmente ele irá incriminar a si mesmo, não é?"

"Você o vigiou por um tempo... onde ele é mais vulnerável?"

"Vou ter que pensar nisso."

"Enquanto isso, que tal fazermos o seguinte: dizemos a ele que esqueceremos o dinheiro que ele mandou para a mulher do motorista, contanto que nos fale sobre o negócio que Charlie Brogan estava oferecendo."

"Está falando sério? Nem sequer temos nossos distintivos."

"Você está certo." O silêncio preencheu a sala por alguns instantes, até que Jamie Breck o interrompeu.

"Você vai fazer isso mesmo assim", afirmou ele.

"Provavelmente", admitiu Fox.

"Por quê?"

"Porque Brogan é a chave para tudo."

"Você tem certeza disso?"

Fox pensou por um segundo. "Não", concluiu ele. "Eu não tenho a menor certeza a esse respeito."

Naquela noite, Fox se viu novamente em Cowgate. Ficou dentro do carro, observando os passantes, alerta para rostos que conhecesse. Apareceram apenas dois: Annabel Cartwright e Billy Giles. Fox se abaixou o máximo que pôde no banco do carro, embora isso lançasse espasmos de dor por toda a sua coluna. Cartwright foi a primeira — conversando com outra pessoa da equipe de investigação. O homem parecia estar seguindo as ordens dela. Ele tinha um novo maço de folhetos consigo. Os dois seguiram pela rua e Fox os perdeu de vista. Então, dez minutos mais tarde, foi a vez de Billy Giles, passeando por ali como se fosse o dono do lugar. Ele mascava um toco de charuto e tinha as mãos enfiadas nos bolsos. A noite estava nublada e a temperatura, moderada, quase sem brisa. Como Giles seguiu na mesma direção que Cartwright e seu colega, Fox saiu de seu esconderijo. Quarenta e cinco minutos depois, um carro passou por ali — o motorista fora buscar os três detetives. Giles estava falando animadamente, gesticulando com os braços, os outros ouvindo com uma expressão de cansaço no rosto. Fox esperou mais uns trinta minutos, saiu do carro e o trancou. Pete Scott não estava trabalhando na porta da Rondo. Havia dois porteiros naquela noite, um branco e um negro. Eles não prestaram a menor atenção em Fox. Um deles mostrava alguma coisa divertida para o outro na tela de seu telefone celular.

"Isso é terrível!", Fox ouviu um deles dizer, mas em um tom que sugeria o oposto. Ele continuou andando. Ainda não eram dez horas, e ele não sabia por que estava se dando ao trabalho. Se quisesse fazer aquilo da maneira certa — um cenário de reconstituição —, deveria ter vindo depois da meia-noite. A viela estava deserta. O cartaz de neon ainda dizia SAUNA. Fox estudou o território a seu redor e julgou que estava protegido de um ataque. Mesmo assim, manteve a cabeça parcialmente virada para trás enquanto andava pela viela, parando diante da porta. Ele apertou a campainha e olhou para a lente da câmera. Como nada aconteceu, ele a apertou novamente. Não conseguia ouvir nenhum som lá de dentro. Não havia vidro; nada além do olho brilhante da câmera. Ele balançou os dedos na frente dela, aproximou-se ainda mais, até mesmo deu uma pancada de leve para ver se estava funcionando. Então tentou a maçaneta, que não se mexeu. Ele fechou o punho e bateu três vezes, depois mais três. Nada.

Por fim se virou para ir embora, parando em seguida no local onde estivera inconsciente menos de vinte e quatro horas antes. Abaixou-se e recolheu um objeto circular do chão. Era o botão que tinha caído da cintura de sua calça. Colocou-o no bolso, levantou-se e rumou para casa.

No entanto, havia um desvio a fazer e era bem longo. Durante o dia, a A198 que saía da cidade era uma estrada costeira sinuosa com vistas que atraíam o olhar. Fox lembrou-se de que era um dos lugares favoritos para ir nos fins de semana com a ex-mulher. Eles parariam em Aberlady para almoçar, ou Gullane para passear nos limites do campo de golfe. Havia áreas de estacionamento em frente à praia e, para os aventureiros, a elevação de Berwick Law para escalar. O castelo Tantallon, do outro lado de North Berwick, foi o local mais distante ao qual eles tinham ido antes de atravessar o país. Eles comeriam um sanduíche de bacon no Museu da Aviação, ou peixe com batatas fritas em Haddington. Mas North Berwick era o lugar favorito de Elaine. Ela gostava de olhar em um dos telescópios do Centro de Vida Marinha ou passear pela praia, incentivando-o a alcançá-la (ele sempre andara devagar, ela sempre tivera passos largos). North Berwick era o destino de Fox naquela noite. Ele conhecia o caminho, mas andou devagar: a estrada tinha muitas curvas e era imprevisível. Carros passavam em alta velocidade por ele, os canos de escapamento modificados rugindo, os motoristas arriscando-se em curvas muito fechadas, acendendo e apagando seus faróis. Esses motoristas eram jovens, os outros bancos cheios de amigos que gritavam. Talvez eles fossem da cidade, mas Fox achava mais provável que fossem da região. Àquela hora da noite, o que mais haveria para fazer em East Lothian?

Quando chegou a North Berwick, ele se dirigiu a uma rua estreita não muito longe da praia. Havia uma casa ali na frente da qual ele havia estacionado antes, mas nunca com seu próprio carro. A casa era térrea, mas tinha uma extensão na altura do telhado, uma espécie de mirante que dava vista para várias ilhas e afloramentos — Fidra, Craigleith, Bass Rock — não que algum deles fosse visível à noite. O vento aumentara, mas a temperatura se mantinha alguns graus acima de zero. Elaine sempre quis morar na costa. A objeção de Fox fora puramente egoísta: ele não queria viajar todos os dias para ir ao trabalho. Mas aquilo era o tipo de coisa que não parecia incomodar Glen Heaton. Heaton tinha morado naquela cidade durante oito anos. A Divisão de Denúncias havia investigado a compra da casa. Hoje em dia ela valeria um pouco mais do que meio milhão de libras. Não havia como ele ser capaz de comprá-la, e isso lhe foi dito nas diversas entrevistas. O homem lhes dissera que olhassem a papelada.

"Nada de errado", declarou ele.

E: "Vocês estão é com inveja".

E: "Vocês se mordem quando alguém se dá melhor do que vocês".

Essa era a casa na frente da qual Fox estava parado agora, tendo desligado o motor ao perceber que poderia fazer com que algumas cortinas se entreabrissem. A próxima casa era uma pensão, o jardim da frente convertido para uma entrada de veículos onde havia três carros. Naquela época do ano, Fox desconfiava que nenhum deles pertencia a turistas. O próprio carro de Heaton — um Alfa — ficava guardado em uma garagem no fundo da propriedade. O carro tinha dois anos de idade e havia custado pouco menos de vinte mil. Heaton gastara quase a mesma quantia em férias nos doze meses até o final do inquérito — excursões para Barbados, Miami e as Seychelles. Numa dessas viagens, ele e a esposa optaram pela primeira classe, enquanto as outras foram em classe econômica. Hotéis de quatro e cinco estrelas à espera deles. Infelizmente, o orçamento da Divisão de Denúncias não pôde cobrir a vigilância dessas viagens. No caminho até lá, Fox ouvira algumas manchetes pelo rádio. Perguntas eram feitas sobre as dotações dos parlamentares. Não que alguém estivesse sendo corrupto, ao que parece, mas eles estavam testando o sistema ao máximo. Fox imaginou que aquilo se ligava à exaltação de ânimos relacionada aos bônus e pensões dos banqueiros. As pessoas queriam protestar, dizendo que era injusto, mas, havendo pouco que pudessem fazer a respeito, a atenção deles se voltara para os políticos enlameados.

Estão é com inveja...

A acusação de Heaton tinha causado ressentimentos porque era verdadeira. Tony Kaye, em especial, ficava furioso ao listar os passeios e as aquisições.

"Como ele consegue fazer isso com o salário que ganha?", ele perguntava a quem quisesse escutar. A resposta era: ele não conseguia. Muitas das transações foram pagas em dinheiro, e Heaton não conseguiu explicar a razão. Fox olhou para a casa e imaginou Glen Heaton na cama com a mulher. Então ele pensou no filho sobre o qual ela ainda não sabia — a menos que Heaton tivesse confessado. O filho tinha dezoito anos e morava em Glasgow com a mãe. E, além disso, havia Sonya Michie, que também era mantida em segredo da esposa. Mas, na experiência de Fox, com frequência as esposas não queriam saber. Elas desconfiavam... elas meio que sabiam... mas ficavam feliz por fingir ignorância e continuar tocando a vida.

"O que está fazendo aqui, Malcolm?", Fox murmurou para si mesmo. Em parte ele esperava que Heaton pudesse aparecer na porta vestido com seu roupão. Ele iria até o carro e entraria. Então eles poderiam conversar. Fox dissera a Breck que Charlie Brogan estava no centro de tudo, mas alguma coisa o incomodou no momento em que disse aquilo. Glen Heaton era mais do que um assunto inacabado. Havia um veneno naquele homem que, na cabeça de Fox, tinha infectado mais portadores do que os que já haviam aparecido. Eles ainda estavam à solta por aí, alguns vagamente conscientes do contágio. Sonya Michie era uma dessas pessoas, com certeza. Mas agora Fox também estava pensando em Jack Broughton e Bull Wauchope. Ele tinha aberto a janela do carro. Podia sentir o cheiro do mar e ouvi-lo. Não havia mais nenhuma alma por ali. Ele se perguntou: será que o incomodava o fato de o mundo não ser inteiramente justo? E a justiça quase nunca ser suficiente? Sempre haveria pessoas prontas a embolsar um punhado de dinheiro em troca de um favor. Sempre pessoas que enganariam o sistema, arrancando cada centavo que pudessem. Algumas pessoas — muitas pessoas — conseguiriam sair impunes disso.

"Mas você não é uma delas", ele disse para si mesmo.

E então viu algo — movimento na porta da casa de Heaton. A porta estava se abrindo, o perfil de um homem apareceu contra a luz do corredor. Estava de pijama e — sim — fechando o cinto do roupão de banho branco. Glen Heaton olhava atentamente para a escuridão, seu foco direcionado para o Volvo. Fox sussurrou um xingamento e deu a partida. O espaço em que ele estava estacionado não era grande e ele precisou fazer um pouco de manobra para não bater nos veículos na frente e atrás ao tirar o carro de lá. Não que aquilo importasse — Glen Heaton parecia satisfeito por apenas ficar em pé ali, as mãos nos bolsos. Fox olhou firme para a frente enquanto saía, o farol alto ligado em uma tentativa de confundir o homem de roupão. Virou à direita, e à direita de novo e estava no caminho de volta para Edimburgo, as imagens permaneceram com ele por todo o trajeto.

Glen Heaton estava plantado ali, como se estivesse à sua disposição.

E ele, Malcolm Fox, perdera a coragem.

QUINTA-FEIRA,

19 DE FEVEREIRO DE 2009

22

Na manhã de quinta-feira, Fox acordou com uma mensagem de Caroline Stoddart.

Está melhor?

Na verdade, ele estava. O inchaço começara a desaparecer, e as palmas das mãos só ardiam quando ele as esfregava. O queixo estava bem, contanto que não fosse tocado. Pensou que poderia ficar sem barbear aquele ponto específico por mais um dia ou dois. Quanto às costas, doía quando torcia o corpo ou se inclinava demais em uma direção, mas era suportável, então ele mandou uma mensagem de resposta.

Sim.

A mensagem seguinte dela lhe dizia para estar em Fettes às dez. Fox mandou uma mensagem para Jamie Breck, informando-o que estaria ocupado até a hora do almoço. Breck ligou imediatamente.

"É a Stoddart?"

"A inigualável."

"Você sabe o que vai dizer?"

"Vou reiterar que não tive nada a ver com a morte de Vince e que nada do que aconteceu é culpa sua."

"Acho que é um plano. E depois?"

"Pensei em ir falar com Ernie Wishaw."

"Por quê?"

"Ele é um representante municipal, não é? Talvez ele possa me dar uma ajuda num problema." Fox fez uma pausa. Não há motivo para você ir, Jamie."

Breck bufou. "Tente me impedir."

"Você não tem que jogar Quidnunc?"

"Sou eu quem *sabe* sobre Wishaw — se esqueceu disso?"

"Mas você nunca o encontrou pessoalmente?"

"Não."

"É arriscado, Jamie — se a Stoddart ficar sabendo ou o Giles..."

"Se você vai, eu vou", afirmou Breck. "Fim de papo."

Mas primeiro havia a conversa em Fettes com a Divisão de Denúncias de Grampian. Os três policiais — Stoddart, Wilson e Mason — assumiram as mesmas posições de antes. Quando Stoddart viu o estado do rosto de Fox, ela parou o que estava fazendo.

"O que aconteceu com você?"

"Eu caí da escada."

Os olhos dela estreitaram. "Essa não é a desculpa que a sua irmã sempre usou?"

"Pelo menos significa que eu não estava enganando você ontem." Fox aceitou o microfone de Mason e prendeu-o na camisa antes de sentar.

"Acho que não", Stoddart disse em resposta à observação de Fox. "Mas eu estava prestes a dar os parabéns a você..."

"Por quê?"

"Por não se meter mais em encrencas nesse ínterim." Ela fez uma pausa. "Agora não tenho muita certeza."

Fox inclinou o corpo um pouco para a frente, embora o esforço tenha lhe custado uma pontada de dor. "Está me chamando de mentiroso, inspetora Stoddart?", ele perguntou acusadoramente.

"Não", ela respondeu, remexendo a papelada que tinha diante de si. Fox correu os dedos pelo crachá de identificação de visitantes que estava pendurado em seu pescoço.

"Alguma novidade sobre a investigação de Faulkner?", ele perguntou com inocência.

"Eu não sei." Ela levantou os olhos dos papéis. "Por que você atacou o detetive Dickson?"

"Eu estava emocionalmente frágil."

"Importa-se de repetir isso?"

"Minha irmã tinha acabado de perder seu companheiro", ele explicou prontamente. "Aquilo teve um efeito sobre mim que eu não tinha percebido. Foi só mais tarde que percebi que a corporação tinha cometido um erro."

"A corporação?"

"Por não cancelar meus afazeres e por não me dar alguns dias de dispensa por luto."

Stoddart recostou-se na cadeira. "Você está invertendo a culpa?"

Fox deu de ombros. "Só estou dizendo. Mas como é que você estava me vigiando, inspetora? Quem ordenou a vigilância e que história eles usaram?"

Stoddart deu um sorriso frio. "Isso é informação confidencial."

"Fico feliz em ouvir isso — tem havido vazamentos de informação demais para o meu gosto..." Ele se recostou, imitando a postura dela.

"Vamos começar?", ela perguntou.

"Quando quiser", Fox respondeu.

Uma hora e meia depois ele estava devolvendo o crachá de visitante para Frank na recepção, contente por não ter encontrado ninguém que conhecesse — isso teria significado mentir sobre seus machucados. Por outro lado, Tony Kaye, Annie Inglis e os outros provavelmente ficariam sabendo mesmo assim. Fettes era assim. A caminho do carro, Fox atendeu uma chamada em seu celular antigo. Era Jude, querendo apenas conversar.

"Como vai, mana?", ele perguntou.

"Estou bem."

"Suas amigas ainda estão dando uma força?"

"Todas têm sido ótimas."

"Isso é muito bom."

"E quanto ao papai — você o tem visto?"

"Eu provavelmente estou na lista negra dele também..."

"Eu não disse que você estava na minha lista negra", ela ralhou com ele.

353

"Vou tentar visitá-lo no fim de semana. Talvez possamos levar o papai para passear em algum lugar." Fox já estava atrás do volante. "Alguma notícia sobre a liberação do corpo?"

"Ninguém me disse nada — será que você não poderia perguntar?"

"Não vejo por que não — todo mundo daquela equipe me adora."

"Você está sendo sarcástico, Malcolm?"

"Talvez um pouquinho." Ele deu a partida. "Você tem certeza de que está bem?"

"Para falar a verdade, acho que eu estou melhor que você."

"Provavelmente você está certa. Eu ligo amanhã, se puder."

Fox encerrou a chamada e engatou a primeira. Estava começando a soltar o pé da embreagem quando seu celular novo tocou. Ele bufou e atendeu.

"Onde você está?" A voz parecia ofegante.

"Tony, é você?"

"Onde diabos você está?", rosnou Tony Kaye.

"Estou na Lothian Road." O carro estava saindo da vaga do estacionamento.

"Você é muito ruim nesse jogo, Foxy. Eu minto para a minha mulher desde a manhã seguinte à nossa lua de mel..."

"Não sei bem do que você está falando." Fox quase deixou o telefone cair quando um corpo se lançou na frente do Volvo. Pisou com força no freio. "Desgraçado!"

Tony Kaye tinha endireitado o corpo e estava parado com as mãos no peito, tentando controlar a respiração novamente. Seu celular estava apertado na mão direita, a língua para fora da boca. Fox deixou o carro ligado e saiu.

"Não me lembro da última vez em que corri tanto", seu amigo estava dizendo com dificuldade. "Corrida de ovo na colher provavelmente... último ano do primário." Kaye tentou cuspir, mas o longo fio de saliva ficou pendurado na boca até que ele o limpou com um lenço. Encheu os pulmões de ar mais algumas vezes. "Eu trapaceava, sabe — usava chiclete para prender o ovo na colher."

"Não é possível que você já soubesse", Fox disse.

"Já espalhou como fogo no mato", Kaye conseguiu dizer. "Então, quem foi e por que você não me contou?"

"Primeiro me explique como você sabe."

"Topei com os meninos da Stoddart no banheiro." Kaye fez uma pausa, e Fox sabia o que ele queria.

"Eu fui atacado", explicou Fox.

"Quando isso aconteceu?"

"Anteontem à noite."

"Obrigado por avisar." Kaye parecia verdadeiramente alguém deixado de lado. "Onde foi?"

"Na frente de uma sauna em Cowgate. A equipe de investigação ficou sabendo que um táxi tinha deixado Vince por ali. Eu estava refazendo os passos dele."

Kaye estava estudando os machucados de Fox. "Seja lá quem tenha sido, eles pegaram leve com você."

Fox assentiu com a cabeça. "De qualquer forma... estou tocado por sua demonstração de interesse."

"Eu estava esperando alguma coisa um pouco mais repulsiva." Kaye tentou parecer aborrecido. "Sabe como é... alguma coisa que eu pudesse colocar no YouTube..."

"Você é muito amável, sargento Kaye. Aconteceu alguma coisa que eu devesse saber?"

Kaye deu de ombros. "McEwan parece pensar que pode haver um trabalho para nós na área nordeste..."

"Ele falou sobre isso para mim há algumas semanas. Foi dado para Strathclyde, certo?"

Kaye o encarou. "Como é que você sabe disso?"

"McEwan me contou. Uma pena também — eu adoraria ter um pouco de munição para poder atormentar a Stoddart e seus rapazes..." Fox interrompeu o que dizia. Kaye percebeu que ele estava pensando em alguma coisa.

"O que foi?", perguntou.

"Nada", garantiu-lhe Fox.

"Não venha com essa..."

355

"Por que você está ofendido por Strathclyde ter pego o serviço?"

"Porque eles são péssimos, Foxy! Todo mundo sabe disso. Na última vez que eu verifiquei, a nossa taxa de sucesso era duas vezes maior que a deles."

Fox fez que sim com a cabeça lentamente. "Isso é verdade", disse.

Os dois homens ficaram em silêncio por um momento. Kaye apoiou-se de costas no para-lama da frente do Volvo. "Será que foi apenas uma coincidência?", ele perguntou.

"O ataque?" Fox viu Kaye assentir. "Não foi um assalto; não levaram nada."

"Alguém pode ter interrompido..."

Fox mordeu o lábio inferior. Estava se lembrando de Jack Broughton. Broughton não dissera muita coisa sobre o que vira ou não. "Essas coisas acontecem", ele acabou dizendo.

"Lembra aquela noite em que estávamos no bar e algum babaca veio para cima da gente com um spray de pimenta?" Kaye riu baixinho.

"Você chegou a ir atrás dele?"

O rosto de Kaye endureceu um pouco. "É melhor você não saber."

"Foi isso o que você fez com Vince Faulkner — arrebentou ele de pancada?"

"O mundo teria perdido alguma coisa?"

Fox sabia como queria responder — queria dizer "sim". Mas então Kaye iria perguntar: "O quê, exatamente?", e Fox não tinha uma resposta para isso...

"Tenho que ir embora", disse ele em vez de responder.

"Mais alguma coisa que eu deva saber?"

Fox fez que não com a cabeça, mas então pensou em uma pergunta. "Você disse que mentiu para a sua mulher na manhã depois da lua de mel?"

"Sim."

"Qual foi a mentira?"

"Eu disse que ela era muito boa de cama..."

* * *

Gyle não existia quando Malcolm Fox era garoto. O terreno devia estar lá, é claro, mas com nenhuma construção ou rua que levasse ao lugar. Ele se lembrava de andar certo dia até o aeroporto com seus amigos, para ver os aviões. E andava de bicicleta pelo canal, chegando até Wester Hailes e além. Talvez houvesse campos ou terrenos baldios no que hoje é a área de Gyle, lugares que não mereciam um espaço em suas lembranças. Hoje em dia, mais parecia uma cidade dentro da cidade, com sua própria estação ferroviária e enormes prédios corporativos e um shopping center. A transportadora de Ernie Wishaw tinha sua sede em uma propriedade industrial, ao lado de uma empresa de entregas. Caminhões-baú estavam parados em fila sobre uma área de concreto. Reboques vazios tinham sido desatrelados e alinhados de maneira semelhante. Havia também empilhadeiras e algumas bombas de gasolina, e sacos de lixo aguardando a coleta. A cerca do perímetro, diferente das propriedades vizinhas, não tinha pedaços de plástico ou de polietileno jogados pelo vento. Havia uma garagem bem equipada onde dois mecânicos enfrentavam o que pareceu a Fox ser um problema de freio a ar comprimido. Havia um rádio ligado e um deles cantava junto com os sons do aparelho.

Jamie Breck tinha chegado primeiro, não se importando de esperar em seu carro do lado de fora da cerca até Fox aparecer. Eles atravessaram os portões abertos como um comboio de dois carros, e estacionaram na frente da garagem. Havia uma porta à direita com uma placa que dizia ESCRITÓRIO. Os dois homens se cumprimentaram com um aceno da cabeça.

"Como é que você quer fazer isso?", Breck perguntou, alongando os músculos do pescoço.

"Que tal se eu fizer o papel do policial ruim?", sugeriu Fox. "E você faz o papel do policial ruim também." Então ele sorriu e piscou um olho. "Vamos só ver o que ele tem a

357

dizer." Abriu a porta, esperando encontrar um lugar apertado, mas o escritório era amplo, iluminado e arejado. Havia quatro mulheres e dois homens trabalhando em telefones e computadores em mesas individuais. Uma fotocopiadora zumbia, uma impressora a laser imprimia, e um fax estava no meio do processo de enviar um documento. Havia duas outras salas menores na lateral. Uma delas estava vazia; na outra havia uma mulher sentada que retirou os óculos quando Fox e Breck entraram, para avaliar melhor os recém-chegados. Ela se levantou, alisando a saia antes de sair da sala para recebê-los.

"Eu sou o inspetor Fox", disse, entregando-lhe um de seus cartões. "Poderíamos falar com o senhor Wishaw?"

Os óculos da mulher estavam pendurados em seu pescoço por um cordão. Ela os recolocou para ler o cartão.

"Qual seria o assunto?", ela perguntou.

"É só uma coisinha que gostaríamos de discutir com o senhor Wishaw."

"Eu sou a *senhora* Wishaw. Seja lá o que for, tenho certeza de que posso ajudá-los."

"Para falar a verdade, acho que não", Fox a informou, olhando ao redor. "Meu colega ligou faz uns quinze minutos e lhe disseram que o senhor Wishaw estava aqui."

A mulher voltou a atenção para Breck.

"Aquela Maserati lá fora não é dele?", Breck resolveu perguntar.

A sra. Wishaw olhou de um detetive para o outro. "Ele está muito ocupado", ela disse. "Vocês provavelmente sabem que ele é conselheiro municipal, além de comandar um negócio muito bem-sucedido."

"Nós só precisamos de cinco minutos", disse Fox, erguendo a mão direita, os dedos abertos para indicar o número.

A sra. Wishaw reparou que as mesas ficaram em silêncio. Os funcionários seguravam os telefones perto do rosto, mas não estavam mais falando. Os dedos tinham parado de teclar.

"Ele está aí ao lado."

"Na garagem?"

A sra. Wishaw fez que sim com a cabeça: na garagem.

Enquanto saíam do escritório, Breck acrescentou algumas informações para Fox. "Ela é a segunda mulher dele, era uma funcionária comum..."

"Certo", disse Fox.

Os dois mecânicos estavam terminando o serviço. Um deles era alto, musculoso e jovem. Estava juntando todas as ferramentas que tinham usado. O outro era muito mais velho, com um cabelo grisalho ondulado com grandes entradas nas têmporas. Devia ter pouco mais de um metro e meio e a região da cintura de seu macacão azul era bastante saliente. Estava concentrado em limpar as mãos cheias de óleo em um trapo ainda mais sujo.

"Senhor Wishaw", disse Breck, depois de reconhecê-lo.

"Vocês dois parecem policiais", afirmou Wishaw.

"Porque nós somos", Fox lhe disse.

Wishaw olhou furioso para ele sob um par de sobrancelhas escuras e espessas, e então se voltou para o mecânico.

"Aly, vai tomar um café."

Os três homens esperaram que Aly fizesse o que lhe fora mandado. Wishaw enfiou o trapo no bolso do macacão e andou na direção de uma bancada de trabalho. Havia uma caixa de ferramentas tipo sanfona ali e ele a abriu.

"Repararam em alguma coisa?", perguntou.

"Está tudo no lugar certo", afirmou Fox depois de alguns segundos.

"Isso mesmo. Sabe por quê?"

"Porque você é obsessivo?", sugeriu Breck. Wishaw olhou furioso para ele também, mas tinha se convencido de que Fox era o homem com quem valia a pena falar.

"Todo negócio gira em torno de confiança — o motivo pelo qual os bancos começaram a ter problemas é porque as pessoas estão perdendo a confiança. Se alguém quer trabalhar comigo, talvez me oferecer um contrato, eu sempre trago essas pessoas aqui. Elas percebem duas coisas — um patrão que não tem medo de pegar no pesado, e um patrão que garante que tudo funcione como um relógio."

"É por isso que todos os caminhões estão alinhados lá fora?"

"E é por isso que eles estão bem lavados também. O mesmo se aplica aos meus motoristas..."

"Você dá o sabão a eles pessoalmente?", Breck não conseguiu evitar a pergunta. Wishaw o ignorou.

"Se eles vão se atrasar para uma coleta ou uma entrega, eles ligam antes e explicam o motivo. E é melhor que a explicação seja excelente, porque *eu* sou a próxima pessoa para quem eles ligam. Sabem o que eu faço então?"

"Liga para o cliente e se desculpa?", adivinhou Fox. Wishaw fez que sim com a cabeça bruscamente.

"É assim que as coisas são feitas."

"Não parece ser uma tendência no funcionamento do conselho", argumentou Fox.

Wishaw jogou a cabeça para trás e fez um som de vaia. "Eu sei *disso*. A quantidade de burocracia de que tive que me livrar... As noites que fiquei na câmera e apresentei argumentos até ficar azul de raiva."

"O senhor faz parte do comitê de habitação", disse Fox. "É isso?"

Wishaw ficou em silêncio por um momento. "O que vocês querem?", perguntou ele.

"Queremos lhe perguntar sobre um homem chamado Charlie Brogan."

"Charlie." Wishaw inclinou a cabeça para baixo, balançando-a lentamente. "Que droga aquilo."

"O senhor o conhecia bem?"

"Eu o encontrei algumas vezes — assuntos do conselho e coisas desse tipo. Nós éramos convidados para os mesmos tipos de festas e atividades."

"Então o conhecia muito bem?"

"Eu conversava com ele."

"Quando foi a última vez que falou com ele?"

Os olhos de Wishaw encontraram os de Fox. "Vocês provavelmente olharam a conta telefônica dele — me digam isso vocês."

Fox engoliu em seco e tentou parecer indiferente. "Eu preferia que o senhor falasse."

Wishaw pensou naquilo. "Alguns dias antes de ele morrer", ele afinal admitiu. "Apenas uns cinco minutos, mais ou menos."

"Eu queria perguntar... a sua empresa chegou a fazer algum trabalho para a CBBJ?" Fox observou Wishaw balançar a cabeça em negativa. "Então vocês não tinham dinheiro a receber?"

"Por sorte." Wishaw tinha tirado o trapo do bolso e estava limpando os dedos com mais cuidado, fazendo pouca ou nenhuma diferença.

"Mas o telefonema foi sobre negócios?", Fox insistiu calmamente.

"Acho que sim."

"Ele estava lhe oferecendo outra propina?", interrompeu Breck. "Provavelmente *implorando* para você..."

"*O que* foi que você disse?", foi impressionante a rapidez com que o fluxo de sangue inundou o rosto de Wishaw. "Você gostaria de repetir isso na frente de um advogado?"

"Tudo o que o meu colega quis dizer é que..." Fox tinha levantado a mão em um gesto de súplica.

"Eu sei muito bem o que ele quis dizer!" O rosto do homem estava da cor de uma beterraba cozida; havia pontos brancos nos cantos de sua boca.

"Fale a verdade sobre Brogan", Breck disse, "e talvez a gente esqueça tudo sobre a propina que *você* passou para a família do seu motorista. Lembra-se dele? Com a droga enfiada no tanque de combustível?"

Fox deu as costas ao furioso Wishaw e empurrou Jamie Breck para trás em direção à entrada da garagem. Quando estavam longe o suficiente, Breck deu uma piscadela rápida para Fox.

"Foi bom fazer isso", sussurrou.

"Ligeira mudança de planos", Fox sussurrou de volta.

"Você fica aqui. Eu vou ser o policial bonzinho..." Ele retirou a mão do peito de Breck e voltou-se para Wishaw, alcançando-o com passadas largas.

"Desculpe por aquilo", disse. "Policiais mais jovens nem sempre têm..." Ele fingiu buscar a palavra certa. "O decoro", disse. Wishaw estava esfregando o trapo nas palmas das mãos com força.

"Ultrajante", disse ele. "Uma acusação dessas... totalmente infundada..."

"Ah, infundada não é, certo?", disse Fox com amabilidade. "O senhor *de fato* deu uma soma em dinheiro para a família do homem — o que vem depois disso é interpretação. Esse foi o erro que meu colega cometeu, não é?"

O silêncio de Wishaw pareceu reconhecer aquilo como verdade. "Ultrajante", ele repetiu, mas com apenas metade da intensidade de antes.

"É sobre Charlie Brogan que estamos falando", Fox o lembrou. Wishaw suspirou.

"O problema com homens como Charlie... Toda a geração dele..." Mas ele interrompeu o que dizia, e Fox sabia que seria necessário um pouco mais de esforço. Ele fingiu estar olhando a garagem.

"O senhor é um homem de sorte, senhor Wishaw. A não ser pelo fato de nós sabermos que sorte tem pouco ou nada a ver com isso... essa frota de caminhões, a Maserati... são resultado de trabalho duro e não de sorte. O senhor é realmente tão bom quanto disse."

"Sim", concordou Wishaw. Aquele era um assunto sobre o qual ele poderia falar. "Trabalho duro pra valer — eu diria que 'sujei as mãos pra valer', mas vocês provavelmente entenderiam da maneira errada."

Fox decidiu que aquilo merecia uma risada.

"Isso é o que muitos não percebem", continuou Wishaw, incentivado pelo efeito de suas palavras sobre o detetive. "Eu trabalhei muito, e faço a mesma coisa no conselho municipal — para tentar fazer *a diferença*. Mas hoje em dia as pessoas só querem ficar sentadas e deixar que o dinheiro e as coisas que o acompanham *as* encontrarem. Não é assim que funciona! Há empresários por aí...", Wishaw fez um movimento brusco com um dos dedos, "que acham que o dinheiro deveria vir fácil."

"Dinheiro do nada?", adivinhou Fox.

"Isso mesmo", concordou Wishaw. "Compram um terreno, ficam com ele por um ano e vendem com lucro. Ou uma casa, ou um monte de apartamentos, ou seja lá o que for. Se você tem dinheiro em um banco, você quer uma taxa de juros de dois dígitos — não importa o que o banco tenha que fazer para financiar isso. Dinheiro caindo das árvores, isso é o que parece. E ninguém pergunta nada porque isso pode quebrar o encanto."

"Mas a sua empresa está sobrevivendo?"

"Está difícil, não vou negar."

"Mas o senhor vai conseguir superar?"

Wishaw fez que sim com a cabeça de maneira decidida. "E é por isso que eu me ofendo quando... quando..." Ele estava balançando o indicador na direção de Jamie Breck.

"Ele não estava querendo dizer nada, senhor. Nós só estamos tentando descobrir o motivo de Charlie Brogan ter feito o que fez."

"Charlie..." Wishaw se acalmou novamente, os olhos perdendo o foco ao se lembrar do homem que conhecera. "Charlie era incrivelmente amável — uma companhia genial, e tudo o mais. Mas era um produto de seu tempo. Em poucas palavras, ele ficou ganancioso. Esse é o resumo da ópera. Ele achava que o dinheiro tinha que vir *fácil*, e nos primeiros anos isso de fato aconteceu. Mas isso pode deixar a pessoa mole, e satisfeita, e ingênua..." Wishaw fez uma pausa. "E burra. Acima de tudo, isso pode deixar a pessoa incrivelmente burra... ainda assim, durante um tempo você *ainda* está ganhando dinheiro." Ele ergueu uma das mãos. "Não estou dizendo que Charlie fosse o pior, nem que fosse o melhor! Pelo menos ele criou coisas — mandava construir prédios."

Fox lembrou que Breck dissera a mesma coisa em uma de suas entrevistas aos jornais. "Mas isso se torna um problema quando ninguém quer esses prédios", sugeriu.

A boca de Wishaw retorceu. "É quando seus investidores querem o retorno. Prédios vazios podem ser um investimento se você esperar tempo suficiente — o mesmo se aplica a terrenos. O que não vale nada em um ano pode se transformar em ouro no ano seguinte. Mas nada disso é relevante se você prometeu um retorno rápido aos investidores."

Fox era todo ouvidos para Wishaw. "Quem *eram* os investidores do senhor Brogan?"

Wishaw levou quinze segundos para responder que não sabia. "Eu fico feliz por não ser uma das pessoas que estão esperando Salamander Point dar lucro." Ele estava tentando parecer frívolo, e isso revelou algo a Malcolm Fox.

Revelou-lhe que acabara de escutar uma mentira.

"Na última vez em que falou com ele — ele ligou para o senhor ou foi o contrário?"

Wishaw piscou algumas vezes e encarou o detetive. "Você deve saber isso pelos relatórios de telefonia."

"Eu só queria uma confirmação."

Mas havia uma mudança ocorrendo por trás dos olhos de Wishaw. "O meu advogado deveria estar aqui?", perguntou.

"Não acho que isso seja necessário."

"Eu tenho pensado. O sujeito tinha problemas e tirou a própria vida — fim da história."

"Não para a polícia, senhor Wishaw. No que nos diz respeito, quando alguém desaparece ou morre... isso é só o começo da história."

"Acho que isso é verdade", disse Wishaw. "Mas eu já lhe contei tudo o que sei."

"A não ser os detalhes do último telefonema."

Wishaw pensou em sua resposta durante mais uns dez ou quinze segundos. "Não foi nada", concluiu ele. "Nada mesmo..." Ele olhou para o macacão. "Preciso trocar de roupa. Tenho assuntos do conselho para tratar esta tarde — outra disputa com o empreiteiro dos trens." Fez um aceno rápido com a cabeça e começou a sair, passando por Fox.

"O senhor tem certeza de que nunca teve negócios com o senhor Brogan?", perguntou Fox. "Nem mesmo uma oferta para algum trabalho?"

"Não."

"E ele não estava tentando convencer o senhor a ajudá-lo a vender algumas de suas torres de apartamentos para o conselho?" Wishaw apenas olhou furioso, o que fez que Fox sorrisse. "O senhor conhece um homem chamado Paul Meldrum, senhor Wishaw?"

A mudança de assunto pegou Wishaw de surpresa. "Sim", admitiu ele.

"Ele trabalha para uma firma chamada Lovatt, Meikle, Meldrum", Fox continuou. "Eles fazem relações públicas, mas a área de especialidade de Meldrum é lobby."

"Eu não sei muito bem aonde o senhor quer chegar..."

"Eu só estava me perguntando se não teria sido Charlie Brogan quem apresentou o senhor para essa firma."

"Pode ter sido", admitiu Wishaw. "Isso é importante?"

"Na verdade, não, senhor. Mais uma vez obrigado por ceder seu tempo." Fox fez uma pausa curta, e então se inclinou na direção de Wishaw. "E talvez na próxima vez tenhamos o seu advogado presente", ele acrescentou em voz baixa.

"O preço da calúnia é bem alto, senhor..." Wishaw estava prestes a dizer o nome de Fox, mas percebeu que não sabia. "Desculpe", disse ele, "não creio que o senhor tenha se apresentado..."

"Eu dei meu cartão para sua filha", Fox respondeu.

"Minha...?" Wishaw percebeu o que ele queria dizer. "Aquela é minha mulher."

"Então o senhor deveria ter vergonha", disse Fox, percebendo que o comentário era uma forma de despedida tão boa quanto qualquer outra.

23

"Tem uma coisa que eu deveria ter lhe contado", disse Jamie Breck. Eles tinham deixado o carro de Fox em casa e agora se dirigiam ao norte, para fora da cidade. Fox era um passageiro nervoso na maior parte do tempo, e ele não gostava do RX8. Sentia-se perto demais do chão, e o banco esportivo restringia seus movimentos. Breck — por ser alguns importantes centímetros mais baixo e ter provavelmente a metade da cintura — cabia bem no carro, mas Fox não. Carros como aquele não eram construídos para pessoas do seu tamanho, e por certo não para as que tinham as costas machucadas.

"O que é?", perguntou Fox. Outra coisa: às vezes ele tinha a sensação de que o Mazda estava prestes a subir o meio-fio; em outras, era como se ele estivesse passando para a pista contrária. Breck sempre parecia esperar até o último momento antes de fazer o acerto.

"É sobre Ernie Wishaw — eu não deixei o caso encerrar exatamente."

Fox estava indeciso entre deixar a conversa continuar ou sugerir que Breck calasse a boca e se concentrasse na direção. A curiosidade acabou levando vantagem.

"O que você quer dizer?"

"Quero dizer que andei fazendo umas investigações — por conta própria. Eu tenho cem por cento de certeza de que ele estava ganhando uma parte no tráfico. Os caminhões dele andam pela Europa semanalmente. É sempre tentador aumentar a renda transportando algum contrabando."

"Isso costuma significar bebidas e cigarros."

Breck fez que sim com a cabeça. Houve uma vibração repentina no carro, como se os pneus no lado do motorista mais uma vez entrassem em contato com os olhos de gato no meio da pista. Breck fez o ajuste e começou a falar. "Bebidas e cigarro com certeza, mais pornografia e qualquer outra coisa que possa render algum lucro. Assim que a pessoa percebe que não vai ser pega, pode decidir apostar mais alto." Ele fez uma pausa. "Ou pode chegar alguém e fazer a oferta certa."

Fox pensou naquilo. "Bruce Wauchope está preso por tráfico de drogas."

"É mesmo."

"Você acha que o filho dele..."

"Eu ainda não consigo provar nada."

"Mas, se fosse, ele poderia buscar aconselhamento com Ernie Wishaw?"

"Wishaw teve o equivalente a uma experiência de quase-morte — um de seus rapazes está cumprindo pena e ele por muito pouco mesmo não foi preso também."

"Então Wishaw não traficaria drogas em nome de Bull Wauchope?"

"Na verdade, eu acho que sim", disse Breck em voz baixa. "Só precisa que alguém o assuste o suficiente."

Fox pensou naquilo. Sim — a ameaça de violência contra sua preciosa esposa ou sua ainda mais preciosa frota de caminhões... "Você acha que a gente pode encontrar alguma resposta em Dundee?"

"Não é uma tremenda sorte o fato de estarmos indo exatamente para lá?"

E lá foram eles — já tinham passado por Barnton e estavam entrando na zona rural, a estrada se alargando em duas pistas de fato, passando por Dalmeny e South Queensferry à direita. Em breve eles veriam a ponte de Forth.

"Por que você está me contando isso agora?", perguntou Fox.

"Talvez eu tenha um problema com confiança, Malcolm. Você já se esqueceu de quanto tempo *você* levou para me contar que eu era suspeito de pedofilia?"

"É diferente — você estava sob investigação."

"E *você*, meu amigo, era um suspeito no assassinato de Vince Faulkner. Não precisei de muito tempo para perceber que a suposição de Billy Giles estava errada..."

Fox levou um momento para digerir aquilo. "Como é que você fez a sua pequena investigação a respeito de Ernie Wishaw?"

"Eu conversei com a mulher do motorista e com o irmão dela. Dei uma pesquisada para saber se havia algum sinal de dinheiro aparecendo — televisão ou carro novos, esse tipo de coisa."

"E então?"

Breck apenas deu de ombros. "Fui até a prisão em Saughton como visitante."

"Você falou com o motorista do caminhão?"

"Ele não ia falar nada."

"Mas ele sabia quem você era?" Fox viu Breck fazer que sim com a cabeça. "Então essa informação poderia ter voltado para Wishaw — ou para qualquer outra pessoa."

"Acho que sim."

Fox ficou pensativo. "Será que o motorista de Wishaw estava trabalhando para Bull Wauchope? O Wauchope pai cumprindo pena por traficar drogas pelo mar. Talvez caminhões intercontinentais tenham começado a parecer uma aposta melhor para o filho dele."

"Quem sabe", admitiu Breck. "Você deve ter ouvido as mesmas histórias que eu — funcionários que às vezes 'colocam óleo nas máquinas'."

"Eles recebem uma propina e não verificam a carga minuciosamente?"

Breck confirmou com a cabeça. Fox pegou o telefone no bolso e um pedaço de papel — aquele com o número da irmã de Max Dearborn.

"Para quem você está ligando?", perguntou Breck.

"Talvez para uma amiga." Ele ouviu o som do telefone tocando do outro lado e um segundo depois a chamada foi atendida por uma voz feminina.

"Linda Dearborn?", perguntou Fox.

"Eu mesma."

"Meu nome é Malcolm Fox. Sou colega do Max."

"Sim, ele falou em você. O que eu fiquei sabendo é que você está suspenso..."

"Engraçado, eu ainda não li isso no jornal..."

"Ainda há muito tempo para isso, Malcolm." A voz dela tinha um tom de provocação. Aquele era provavelmente o método dela, raciocinou Fox: conversadeira, gostava de uma fofoca, talvez viesse a ser sua melhor amiga... e então repetia qualquer confidência para um público pagante.

"O Max me disse que você está investigando o sumiço de Charlie Brogan."

"Não exatamente", ela o corrigiu. "É no método que Brogan usa para fazer negócios que estou interessada."

"Em especial, se ele estava tentando subornar um conselheiro municipal?"

"Sim."

"E, como resultado, Joanna Broughton mandou Gordon Lovatt para cima de você."

"Humm. Eles são um casal intrigante, Brogan e Broughton."

"Joanna, você quer dizer?"

Houve um silêncio momentâneo na linha. "Você pode acrescentar o pai Jack na mistura", ela acabou por dizer.

"Você acha que Brogan fingiu a própria morte para nós?"

"Ou ele enganou o sogro de alguma maneira."

"E que maneira seria essa?"

"Malcolm..." Ela quase cantou o nome dele. "*Você* é o detetive, não eu. Meu trabalho é passar o aspirador nas migalhas. Pense em mim como uma faxineira..."

"Isso não vai ser fácil, porque eu conheço sua verdadeira identidade, Linda."

"E qual é essa identidade?"

"Uma repórter investigativa realista e durona — e é exatamente isso que eu preciso que você seja agora."

"Você me deixou intrigada, garotão."

"Seria útil saber como a companhia de Brogan é organizada — talvez seja o caso de companhias, no plural... nós não sabemos a extensão do império dele. Ele tem acionistas, pessoas para quem devia dinheiro. Quem exatamente são essas pessoas?"

"A Companies House é o lugar para começar... Eu já tenho bastante informação, inclusive os detalhes dos contadores dele. Suponho que eu poderia conversar com eles, mas não estou bem certo se seriam muito prestativos... para uma jornalista, quero dizer. Por outro lado, eles *teriam* que falar com a polícia."

"Infelizmente, como você já notou, eu estou suspenso."

"O que leva à pergunta: em que isso ajuda?"

"Ajuda em qualquer coisa que seja o oposto de suspensão", disse-lhe Fox. Tinham acabado de chegar à ponte. Como sempre, ela era magnífica. À direita ficava a geometria complexa e entrelaçada da ponte ferroviária. Havia um rumor de que uma nova ponte seria construída para aliviar a tensão sobre a atual ponte rodoviária. Alguns dos cabos já davam sinais da idade. Mas de onde viria o dinheiro? Linda Dearborn estava dizendo que ia ver o que poderia fazer.

"Mais uma coisa que poderá ser divertida para nós dois...", Fox acrescentou.

"Diga, por favor."

"Você poderia dar uma olhada na firma de Lovatt ao mesmo tempo, para ter uma ideia do alcance dos tentáculos dele." Fox encerrou a chamada, e Breck abaixou um pouco o volume do rádio.

"Acha que pode confiar nela?", perguntou ele.

"Eu não sou tão burro assim, Jamie."

"Que bom saber disso."

Quarenta minutos depois, estavam nos arredores de Dundee. A viagem fora ideia de Breck. Ele não estivera na cidade a trabalho antes, mas um policial com quem fizera o treinamento tinha acabado no DIC de Tayside. Um telefonema depois, o amigo concordara em encontrá-los "na surdina".

"Quantas rotatórias uma cidade pode ter?", reclamou Breck enquanto seguia as placas que indicavam a orla. Ele fora instruído a estacionar ao lado da estação ferroviária e atravessar a rua até o local onde o *Discovery* estava ancorado. Fox perguntou por que o navio estava atracado ali.

"Acho que ele foi construído em Dundee."

Fox assentiu. "Shackleton o levou até o Ártico, certo?"

"Ártico... Antártico... quem sabe?"

Seja lá quem soubesse a resposta, não era Mark Kelly. Ele era um sargento-detetive, a mesma patente de Breck, e estava à espera deles junto à cerca de metal na frente do navio. Fox fingiu se interessar pelos mastros e pelo cordame, enquanto os dois amigos trocavam um breve abraço e comentários sobre perda de cabelo e massa corporal. Quando Breck perguntou sobre o barco, Kelly disse não ter a menor ideia.

"Nós vamos subir a bordo, não é?", perguntou Breck.

"É só um ponto de referência, Jamie — parece que eu lembro que navegação não é o seu forte, e Dundee é um começo difícil para iniciantes. Vamos..." Ele os conduziu pela rua, passando por outra rotatória. O destino deles era um café, cuja clientela parecia estar matando o tempo até poderem ir para algum outro lugar. Assim que se sentaram, cada um com uma xícara de café, a verdadeira conversa começou.

"Eu dei uma olhada na ficha do Bull", disse Kelly, mantendo a voz baixa.

"A pasta não veio com você", comentou Breck.

"Não ia dar, Jamie. Os alarmes teriam soado."

"Então vamos esperar que sua memória seja melhor do que costumava ser."

Kelly aceitou o comentário com um sorriso. "Bull continua com sorte — as balas ricocheteiam nele... metaforicamente, é claro."

"Alguém já tentou da outra maneira?"

"Há algumas histórias... Mas parece que o Bull andou escutando algumas dicas de seu velho. Ele era um tipo com certa queda para a violência, se entendem o que eu digo."

"E agora?"

"Agora ele está construindo pontes em vez de destruí-las."

"Isso tudo me parece linguagem cifrada", Jamie Breck reclamou. "Podemos ir a algum lugar mais reservado para que você fale sem rodeios?"

Kelly inclinou-se sobre a mesa na direção dele. "O Bull tem percorrido a Escócia de carro com seu fiel escudeiro, reunindo-se com alguns dos outros jogadores — aqueles que realmente importam. Em um dia em Aberdeen, no outro em Lanarkshire."

"Isso tem acontecido há algum tempo?", perguntou Fox.

"Alguns meses... talvez um pouco mais. Levamos tempo para perceber o que estava acontecendo."

"Vocês pensaram que ele podia estar escrevendo um guia turístico?", perguntou Breck.

Kelly apenas lhe lançou um olhar furioso. "Não sabemos mesmo *o quê* ele estava fazendo."

"Mas você pode arriscar um palpite?", disse Fox.

Kelly respirou fundo. "Talvez esteja se fazendo de pacificador, representando o pai. Ou pode ser que esteja assustado com a possibilidade de, com o pai preso, algum concorrente querer forçar a barra."

"E ele pode estar tentando estender seu próprio domínio", acrescentou Fox. "Tentáculos novamente..."

Kelly concordou com aquilo com um movimento de cabeça. "Na superfície, é claro, ele é um legítimo empresário."

"É claro."

"Mas não são muitos os empresários que precisam de força bruta de um Terry Vass."

"O escudeiro?", Fox adivinhou.

"Com uma ficha criminal do tamanho aproximado de *Guerra e paz*."

"Suponho que drogas tenham um papel nisso tudo", interrompeu Breck.

"Tenho certeza de que sim", disse Kelly.

"Mas vocês não têm provas?"

Kelly deu de ombros. "Qualquer ajuda que vocês puderem dar..." Ele olhou de um homem para o outro. "Na verdade, você foi bastante vago ao telefone, Jamie. Talvez eu devesse perguntar do que se trata tudo isso."

"É complicado", Breck respondeu.

"Mas pode ser", Fox interrompeu, "que tenha a ver com um assassinato e uma pessoa desaparecida."

"A pessoa desaparecida é Charlie Brogan", Breck acrescentou.

"Nunca ouvi falar", disse Kelly, mexendo a colher na xícara.

"É empreiteiro em Edimburgo... você não assiste aos noticiários na televisão, Mark?"

Kelly deu de ombros novamente. "Péssima época para ser empreiteiro... tivemos um que se matou há alguns meses." Ele fez uma pausa. "Espera aí... esse é o cara do barco?"

"O que você disse?", Fox perguntou.

"Perguntei se esse é o sujeito que desapareceu do barco."

Fox estava balançando a cabeça. "Não, antes disso — vocês também tiveram um empreiteiro morto?"

Kelly confirmou. Ele ainda estava mexendo o café e aquilo estava deixando Fox louco. Mais um ou dois minutos e ele arrancaria a colher da mão de Kelly e jogaria fora, com café e tudo.

"Não me lembro do nome", disse Kelly. "Tem um monte de prédios que estão demolindo. Ele saltou do último andar de um deles." Kelly reparou que Fox e Breck olhavam fixamente um para o outro. "Você não acha que existe uma ligação...?"

Agora os dois homens estavam olhando para ele.

No apartamento de Breck.

Já estava escuro lá fora. Tinham mandado entregar comida chinesa, mas metade dela esfriava no balcão da cozinha. Breck abrira uma garrafa de cerveja *lager*, e Fox pedira duas latas de Irn-Bru. Breck se afastara um pouco para dar lugar à cadeira de Fox na frente da tela do computador.

"E a gente acusando Dundee de ser provinciana", comentou Fox, enquanto Breck encontrava a notícia no computador. Havia uma fotografia do "trágico suicida". Ele estava sorrindo no casamento de alguém, com um enorme cravo preso na lapela do paletó. O texto dizia que ele tinha sessenta anos, mas a foto mostrava um homem de trinta e cinco ou quarenta anos.

O nome dele era Philip Norquay e ele vivera na cidade a vida inteira — colégio local, universidade local, empresário local. Entrara no ramo de desenvolvimento de propriedades "quase por acaso" — os pais dele tinham sido proprietários de uma loja, morando em um apartamento em cima da loja. Quando eles morreram, houve muitas manifestações de interesse pela propriedade, o que levou o filho a fazer algum trabalho de detetive. Descobriu que havia planos para um novo projeto habitacional ali por perto. Norquay segurou a propriedade dos pais até conseguir entrar em contato com um grupo de supermercados, que gostou bastante da oportunidade de derrubar a propriedade e reconstruí-la, pagando muito acima do valor pelo privilégio.

Isso dera a Norquay um certo gosto e, quando chegou aos quarenta anos, ele já possuía um belo portfólio de propriedades para aluguel, partindo então para as oportunidades de desenvolvimento de propriedades em grande escala. Ele estabelecera sua reputação ao liderar uma tentativa de comprar os estádios que pertenciam aos dois clubes de futebol da cidade. Um novo estádio compartilhado seria construído nos arredores de Dundee como parte do acordo, mas as negociações não deram certo.

374

"Charlie Brogan quis comprar sua entrada na diretoria do Celtic", Fox contou a Breck.

"Ele tinha planos para pavimentar o estádio Paradise?"

Ainda assim, Norquay foi incisivo em seu apoio pela renovação da cidade, trabalhando intensamente quando o conselho municipal apresentou uma proposta para renovar a orla marítima.

"Do mesmo jeito que Brogan", comentou Breck.

"Eles iam se livrar daquela rotatória pela qual passamos", Fox estava batendo a ponta do indicador contra a tela do computador.

"E redirecionar a pista — faz sentido", concordou Breck.

"Mas leia mais à frente."

Os parágrafos seguintes explicavam a decadência de Norquay. Ele se excedera financeiramente, comprando um dos mais feios imóveis que havia, uma mistura de blocos de apartamentos altos da década de 1960 na periferia da cidade. O plano era derrubar tudo aquilo e recomeçar, mas as dificuldades surgiram quase imediatamente. Os prédios eram construídos em amianto, o que tornava cara sua demolição. Logo depois foram descobertas as estruturas de uma mina, o que significava que metade do terreno era inadequada para construção, a menos que se gastasse uma fortuna em reforço de alicerces. Em seu entusiasmo pelo projeto, Norquay pagou muito mais do que valia. Quando o mercado despencou, o mesmo aconteceu com a confiança. Ainda assim, o suicídio dele tinha sido um choque para todos os que o conheciam. Ele estivera presente a um jantar formal naquela noite, e parecera tranquilo e alegre. A esposa não percebera nenhuma mudança que pudesse indicar um desespero crescente. "Philip era um guerreiro", dissera ela a um repórter.

"Lembra alguém?", Fox perguntou a Breck.

"Talvez", admitiu Breck. "Mas Norquay está realmente morto, não apenas desaparecido."

"Ele não deixou um bilhete... não visitou seu advogado para garantir que seu testamento estivesse atualizado..."

Breck desceu um pouco mais a página na tela, então clicou em um link para uma história relacionada. Não acrescentou nada ao que já sabiam. Segundo o mecanismo de busca, havia mais de treze mil ocorrências para serem vistas, mas Fox havia se levantado. Não havia muito o que ver pela janela, mas ele olhou mesmo assim.

"Acha que estão vigiando a gente?", Breck perguntou.

"Não, na verdade, não." Fox bebericou em sua lata. Havia um leve tremor percorrendo seu corpo, e ele não sabia se a culpa era do açúcar, da cafeína ou da maneira como Breck tinha dirigido na viagem de volta de Dundee.

"Você acha que ele não se matou?", Breck perguntou.

"Você acha?"

Breck pensou por um momento. "O sujeito estava com uma hemorragia de dinheiro... provavelmente prestes a perder tudo... e ali estava aquele elefante branco, zombando dele. Ele sobe até o último andar e decide pôr um fim a tudo."

"Mas o fato é que todos dizem que ele não era esse tipo de pessoa."

"Talvez não o conhecessem direito." Breck reclinou na cadeira com as mãos atrás da cabeça. "O.k., então — qual é a alternativa?"

"Pode ser que ele tenha sido empurrado." Fox mordeu o lábio inferior. "Ele estava em um jantar... disse a todo mundo que estava indo direto para casa... em vez disso, entra em seu BMW e vai para aquela floresta de amianto que acabou de comprar. Eu consigo pensar em maneiras melhores para morrer, Jamie."

"Eu também." Breck fez uma pausa. "Será que se encontrou com alguém?"

"Foi isso, ou alguém o seguiu — você pode ligar para o seu colega?"

"Mark?" Breck pegou seu celular alugado. "O que eu pergunto para ele?"

"Você se importa se eu falar com ele?"

"Não." Breck digitou o número e passou o aparelho. Fox o colocou no ouvido.

"É você, Jamie?", atendeu Mark Kelly.

"Mark, aqui é Malcolm Fox. Jamie está aqui ao meu lado."

"O que é que manda, Malcolm?"

"Estávamos dando uma olhada em matérias sobre Philip Norquay na internet."

"Espero que vocês ganhem horas extras."

"A gente faz isso por hobby, Mark. Escute, tem uma coisa com a qual você poderia nos ajudar..."

"Diga."

"Alguém teve a ideia de verificar os registros telefônicos de Norquay?"

Kelly refletiu por um momento. "Acho que nunca pensaram nisso. O sujeito se matou; não houve nada que se pudesse descrever como uma 'investigação'. Em que está pensando, Malcolm?"

"Apenas me perguntando o que o levou até o bloco de apartamentos... qual foi a gota d'água..."

"Acho que eu poderia perguntar à viúva."

"Ou nos dar os detalhes dela e nós faremos isso", sugeriu Fox. Houve silêncio na linha. "Mark? Você está aí?"

"Você acha que ele não pulou", Kelly afirmou.

"A probabilidade é de que isso tenha realmente acontecido, mas com essa coisa em Edimburgo..."

"Como as duas coisas estão ligadas?"

"Mais uma vez, eu não tenho certeza se elas estão..."

"Mas podem estar." Era uma afirmação, mais do que uma pergunta. Kelly suspirou ruidosamente, provocando estática na ligação. "Você acha que talvez tenhamos deixado passar alguma coisa?"

"Eu não estou tentando ganhar pontos com isso..."

"Tudo bem, escute — se eu passar a informação para vocês, e se vocês *de fato* descobrirem alguma coisa..."

"Falamos com você primeiro. Isso não é problema, Mark. Em quanto tempo você nos dá um retorno?"

"Vamos torcer para que a viúva esteja alegre. Falo com vocês logo mais."

O telefone ficou mudo, e Fox o devolveu para Breck. "Ele acha que vamos tentar fazer o pessoal de Tayside de palhaço."

"Pode ser que chegue a esse ponto", disse Breck.

Fox confirmou com a cabeça. "Mas, se for assim, ele quer ser o primeiro a dar a notícia."

"Isso não faria mal nenhum para a carreira dele. Ele disse quanto tempo vamos ter que esperar?"

Fox fez que não com a cabeça.

"Então o que vamos fazer agora?"

"Eu acho que vou para casa."

"Eu posso levar você."

Fox balançou a cabeça de novo. "A caminhada vai me fazer bem. Tenho certeza de que você está querendo passar uma ou duas horas no seu jogo." Ele passou a mão no computador.

"O engraçado", Breck lhe disse, "é que o jogo perdeu um pouco do encanto, agora que o mundo real ficou mais interessante..."

SEXTA-FEIRA,

20 DE FEVEREIRO DE 2009

24

Na manhã seguinte, às onze horas, Fox teve um encontro com Linda Dearborn. Ela não se parecia com o irmão — era pequena e cheia de energia, e suas roupas teriam feito padres baterem de cara nos postes. A minissaia era plissada, as pernas nuas, bronzeadas, chegando até botas de caubói marrom-claras. Por baixo da jaqueta de veludo usava uma blusa com os primeiros quatro botões abertos, mostrando generosamente a fenda entre os seios bronzeados. Maquiagem de leve e cabelo loiro claro que lhe chegava aos ombros.

Ela escolhera o local do encontro — um café chamado Tea-Tree Tea na rua Bread. Havia um sujeito barbado atrás do balcão, e ele fez um som com a boca indicando reprovação quando Fox pediu café. Fox havia chegado vinte minutos mais cedo, o que lhe dava tempo para dar uma olhada no jornal. Ele acrescentara um bolinho com queijo ao pedido, e se acomodou em uma mesa ao lado da janela. O sol lá fora tinha algum calor, indicando que a primavera finalmente estava a caminho. Linda Dearborn chegou para o encontro dez minutos mais cedo. Ela sorriu como se o reconhecesse.

"Linda?", ele perguntou mesmo assim.

"Odeio dizer isso", ela riu, "mas você *realmente* tem cara de policial. Acho que é a postura, ou a maneira como seus olhos estão em toda parte ao mesmo tempo — Max também é assim." Ela havia colocado sua mochila que parecia pesada sobre a cadeira ao lado de Fox.

"Bom, eu não sei muito bem se você parece uma repórter", Fox respondeu.

"É o meu dia de folga."

"Você escolheu uma roupa corajosa." Ela não pareceu entender. "Pernas de fora no inverno."

Ela olhou para baixo. "Com o custo desse bronzeamento, eu não posso me dar ao luxo de escondê-las. Alguns se sacrificam pela arte, e as minhas pernas são uma obra de arte, você não acha?"

"O que você vai querer?"

Mas ela já estava indo para o balcão. O proprietário estava alerta e sabia o pedido dela antes que ela tivesse a chance de dizê-lo. Chá preto com uma fatia de limão. Fox fingiu ler o jornal enquanto os dois conversavam. Dearborn ficou nas pontas dos pés com os cotovelos no balcão. Ela enrolava uma mecha do cabelo enquanto falava. Fox tentou não pensar no quanto ela era atraente. Ela era a irmã de Max Dearborn, e era jornalista.

O proprietário insistiu em levar o chá até a mesa para ela. Ela agradeceu a ele enrugando o nariz levemente, e então sentou ao lado de Fox em vez de na frente dele, depois de retirar a mochila da cadeira. Ela cruzou as pernas enquanto ele fingia interesse pelos quadros nas paredes ao redor deles.

"Belo lugar", disse ele.

"É prático — meu apartamento fica aqui perto."

Fox concordou com a cabeça e voltou sua atenção para a janela. Havia dois estabelecimentos comerciais do outro lado da rua. Um era um cabeleireiro, o outro, um veterinário. Linda Dearborn tinha se inclinado para pegar alguma coisa na mochila. Quando pôs o laptop sobre a mesa, ela deu uma olhada na parte da frente da blusa.

"É quase uma exposição indecente", ela fingiu se desculpar.

"Essa encenação sempre funciona?", perguntou Fox, fixando os olhos nos dela.

"Na maioria das vezes", ela acabou por reconhecer.

"Bom, não que eu não aprecie o esforço, mas talvez a gente possa..." Ele deu um tapinha no laptop. Dearborn fez cara de amuada, mas levantou a tela mesmo assim e ligou a máquina. Fox olhou para o outro lado enquanto ela digitava a senha. Vinte segundos e alguns cliques depois e ela estava virando a tela para ele.

"Com a Companies House está tudo muito bem", ela começou. "Mas ajuda o fato de o meu jornal ainda não ter mudado a pauta da seção de negócios. Os contadores ainda não conseguiram lidar nem com a metade de tudo o que o senhor Brogan deixou para trás, mas o que parece claro é que a CBBJ foi amparada nos primeiros tempos com grandes injeções de capital. Até onde se sabe, essas contribuições nem sempre foram acompanhadas dos devidos papéis."

"E isso significa o quê?"

"Significa que não sabemos de onde veio o dinheiro. Mas há muitos outros acionistas de fato."

"Por acaso um deles se chama Wauchope Leisure?"

Dearborn correu um dedo de unha longa sobre o mouse, nomes e números rolando na tela.

"Não exatamente", disse ela, colocando o cursor sobre um nome e destacando-o — ScotFuture (Wauchope).

"Por acaso essa companhia está baseada em Dundee?", Fox perguntou.

Dearborn fez que sim com a cabeça. "Lembra que você me pediu para dar uma olhada na carteira de clientes de Lovatt, Meikle, Meldrum? Pois eles representam uma companhia chamada Wauchope Leisure. Até onde posso determinar, o trabalho da LMM era disfarçar a sujeira em uma série de anúncios de clubes de striptease em toda parte no país. Enquanto isso, o diretor administrativo da Wauchope foi parar na cadeia..."

"Imagine só!", Fox admirou-se. Quando a jornalista viu que não iria conseguir tirar mais nada dele, voltou sua atenção para a tela.

"Há muitas pequenas empresas listadas aqui — companhias particulares, o que significa que não têm que registrar muitas informações a respeito de si mesmas. Os rapazes do caderno de negócios ficaram intrigados. Charlie Brogan parece ter tido amigos por todo o país — Inverness, Aberdeen, Glasgow, Kilmarnock, Motherwell, Paisley... e mais para a frente também — Newcastle, Liverpool, Dublin..."

"Não acho que essas amizades tenham sobrevivido à crise financeira", refletiu Malcolm.

"Não, acho que não. Qualquer um que tenha comprado cotas de Salamander Point, por exemplo... bom, ninguém pensa que eles vão recuperar mais de cinco *pence* de cada libra investida."

"Ai!"

"E os nossos desprevenidos bancos levaram outro golpe — Brogan tinha empréstimos que totalizavam pouco mais de dezoito milhões, e ele estava com os pagamentos atrasados."

"Eles podem ir atrás da viúva?"

"Improvável — essa é a beleza de uma companhia limitada."

"O nome de Joanna Broughton não aparece em nenhuma parte da papelada? Ela não era secretária da empresa, ou coisa assim?"

Dearborn fez que não com a cabeça. "Ela não possuía uma única cota."

"No entanto as iniciais dela estão bem ali no nome da empresa."

"Foi por isso que eu investiguei um pouco mais. Ela *foi* sócia em uma época, mas o marido comprou a parte dela, mais ou menos na mesma ocasião em que ela começou o cassino."

"Por acaso a CBBJ é dona de uma parte do Oliver?"

"Acho que não." Ela apoiou o queixo na mão. "E a Wauchope Leisure também não. Então aonde isso tudo está levando, Malcolm?"

"Não sei."

"Você acha que uma parte do dinheiro da cbbj era sujo?"

"Isso é apenas um palpite inspirado?"

Ela sorriu. "É o que o meu editor de negócios pensa. O problema é que a trilha de documentos é quase impossível de ser seguida."

"Talvez se você investigasse um pouco mais..."

Ela o encarou. Os olhos eram quase de cor violeta. Ele se perguntou se ela estaria de lentes coloridas. "Talvez", disse ela. E em seguida: "A propósito, como anda a sua suspensão?".

"Se eu disser que está ruim, vou estar me denunciando como mentiroso."

"Isso é meio... engraçado."

"Porque eu estou na Divisão de Denúncias, você quer dizer?" Ele a viu confirmando com a cabeça.

"A história que corre é que você andou se intrometendo na investigação do assassinato do seu cunhado."

"Ele não era meu cunhado." Fox fez uma pausa. "E *não é* uma história."

"Ah, mas pode vir a ser, se você deixar." A ponta da língua dela apareceu entre os lábios.

"Policial Angustiado Transgride Normas por Excesso de Zelo — isso é o máximo que você conseguiria com ela."

"Mas agora todo esse zelo parece direcionado para Charles Brogan."

"Você acha que o seu próprio zelo vai levá-la a algum lugar?"

"Meu editor me descreve como 'obstinada'."

"Mas até agora você não conseguiu provar a existência de uma ligação entre Brogan e Ernie Wishaw?"

"Eu sei que eles se encontraram diversas vezes."

"Mas ninguém viu nenhum dinheiro mudar de mãos", Fox supôs. Dearborn tombou a cabeça para o lado.

"É estranho, não é?", ela perguntou. "A maneira como ele desapareceu pouco depois de o seu amigo Vince ter morrido? Levei quinze minutos para fazer a ligação — Vince trabalhava em Salamander Point." Ela parecia uma colegial que ganha uma boa nota por sua última redação. "Eu estou certa, não estou?" E como ele não disse nada: "Está vendo, Malcolm? Eu não sou só um rostinho bonito".

"Eu nunca achei que fosse."

"Água quente?", disse uma voz alta atrás deles. Era o proprietário, em pé com um bule na mão.

Fox tinha estacionado seu carro em um local não permitido. Um guarda estava andando por ali quando ele saiu do café. O homem estava indeciso sobre respeitar ou não a placa de POLÍCIA que Fox deixara atrás do para-brisa. Quando Fox olhou com uma carranca para ele, o guarda concluiu que poderia haver presas mais fáceis em outro lugar. Fox oferecera uma carona a Linda Dearborn, mas ela dissera que gostava de andar. Seu destino era a rua George, "para dar uma olhada nas vitrines". Fox podia apostar que ela gostava de andar, sabendo que cabeças masculinas se viravam quando passava por elas; sabendo que olhos se fixavam nela de dentro dos carros, vans e janelas de escritórios. Ele estava dando a partida quando seu telefone — seu celular novo — tocou. O número pertencia a Jamie Breck.

"Bom dia", disse Fox ao atender.

"Acabei de receber um telefonema do Mark Kelly."

"O que ele conseguiu para nós?"

"Ele visitou a viúva de Norquay. Ela não pareceu se incomodar com o pedido dele."

"Ela mostrou para ele as contas telefônicas do marido?"

"Mark disse que a casa toda é um relicário. Ela comprou um monte de porta-retratos. Há centenas de fotos de família espalhadas pelo assoalho da sala de visitas enquanto ela as separa. Ela o levou para o escritório do marido — a papelada estava impecável. Tudo estava em caixas em ordem cronológica — extratos bancários, notas e recibos, cartão de crédito..."

"E contas telefônicas?", insistiu Fox.

"Certo." Fox ouviu Breck pegar uma folha de papel. "Por sorte ele tinha optado por ter tudo sob a forma de itens — chamadas recebidas e chamadas realizadas. Perto do fim daquele jantar em que estava, ele recebeu um telefonema de um número local. É um telefone público em um bar chamado Lowther's. O Mark me disse que é horrível, mas fica bem no centro da cidade."

"O.k."

"A chamada durou dois minutos e quarenta segundos."

"E sabemos alguma coisa sobre o estado de espírito dele imediatamente depois?"

"O Mark não pensou nisso..."

"Mas você perguntou para ele agora?"

"Ele vai conversar com amigos que estavam com Norquay no jantar."

"Não acho que vá adiantar muito."

"Não..." Breck interrompeu a frase, e Fox percebeu que havia mais alguma coisa.

"Fale quando quiser, Jamie", disse ele.

"Bom, o Mark conhece a reputação do Lowther's — sempre acontecem encrencas por lá nas noites de sábado, mas na verdade as encrencas parecem sempre acontecer a uns cem metros do pub."

"Na rua, você quer dizer?"

"Se começa uma discussão, sempre é levada para fora."

"E qual é o motivo disso?", Fox perguntou, já pensando em uma resposta.

"Ninguém quer encrenca com os proprietários."

"Wauchope Leisure Holdings."

"Quem mais?", disse Jamie Breck.

"De certa maneira, isso é uma pena — significa que nenhum dos fregueses vai nos dizer quem deu o telefonema."

"Provavelmente não", concordou Breck. "Mas isso tudo com certeza atraiu o interesse do Mark."

"Ele precisa ser discreto."

"Não se preocupe com ele. Como foi seu encontro com Linda Dearborn? Ela perguntou por mim?"

"O seu nome não apareceu na conversa."

"Ela é uma graça, não é?"

"Ela também é muito boa no que faz. Existe uma ligação entre Wauchope e a empresa de Brogan. Você acha que também podemos amarrar Wauchope aos negócios de Norquay?"

"Podemos tentar... ou melhor, o Mark pode — é da competência de Tayside."

"A empresa de Wauchope também usa os serviços de uma firma de RP..."

"Deixa eu adivinhar: LMM?"

"Eles fizeram uma campanha de anúncios para bares com striptease."

"Nas laterais dos ônibus — eu me lembro disso. Será que precisamos conversar com eles sobre isso? A sede deles fica bem ao lado do Parlamento..."

"Talvez mais tarde", aconselhou Fox. "Liga de novo para o seu amigo em Tayside e veja se ele pode descobrir qualquer outra coisa que possa ligar Wauchope ao nosso empreiteiro de Dundee."

"Vou fazer isso. Qual é o próximo item da sua lista, Malcolm?"

"Família", disse Fox, dando sinal para entrar no fluxo do tráfego.

Jude abriu a porta. Quando o viu, ela virou as costas e voltou para a sala de estar, sabendo que ele viria atrás. Seu cabelo e roupas tinham a aparência de que precisavam ser lavados, e seu rosto estava emaciado. Havia um cigarro esperando por ela no cinzeiro em cima do braço da poltrona.

"Pensei que você só viesse no fim de semana", disse ela. "Hoje não é um bom dia para eu ir visitar o papai."

Fox reparou em duas garrafas de vinho vazias sobre o balcão da cozinha e os restos de uma garrafa de vodca barata na mesinha de café. Jude estava sentada, fingindo interesse em um programa de televisão, mas seus olhos estavam pesados.

"Você está bem, mana?", perguntou ele.

"Por que não estaria?" Ela olhou para ele e os olhos se arregalaram. "O que aconteceu com você?"

Fox esfregou o rosto com os dedos. "Caí de uma escada."

O olhar dela endureceu, mas então ela virou o rosto e acendeu um cigarro, tragando. Fox foi para a cozinha e encheu a chaleira. Não conseguiu achar chá nem café, e não havia leite na geladeira. Mas havia bastante comida — ela parecia não ter comido nada desde sua última visita ao supermercado.

"Sua amiga Sandra não tem aparecido?", Fox perguntou em voz alta da cozinha.

"Já faz alguns dias que ela não vem. Ela ligou algumas vezes, só para ver se estava tudo certo."

"E a senhora Pettifer?"

"Está visitando o irmão em Hull. Ele teve um derrame ou coisa assim."

"Então você está tendo que se virar por conta própria?"

"Eu não sou inválida."

"Mas você não está exatamente se cuidando."

"Não chateia, Malcolm." Ela jogou as pernas por cima do braço da poltrona, quase derrubando o cinzeiro no chão.

Fox deixou que ela se acalmasse. "Quando eu vim aqui no outro dia, você parecia estar enfrentando..." Abrindo armários, ele encontrou um pote novo de café instantâneo. Lavou duas canecas e decidiu acrescentar duas colheres cheias na de Jude.

"Tudo bem se for puro?", ele perguntou. Ela não respondeu. "Como é que você está se virando com dinheiro?"

"Tem um pouco na conta."

"Mas provavelmente não é muito..."

"Quando eu começar a pedir esmola na rua, eu mando te dizer."

Ele pegou algumas correspondências que estavam sobre o balcão da cozinha. Havia uma carta explicando que os pagamentos da hipoteca tinham sido reduzidos em virtude do recente corte nas taxas de juros. "O Vince tinha seguro de vida?", ele perguntou.

"Tinha."

"Você já fez alguma coisa a respeito?"

"A Sandra fez... ligou para eles e depois me fez assinar uma carta."

"Bom, já é alguma coisa." Fox estava olhando o resto da correspondência, algumas cartas ainda fechadas. Havia uma conta de telefone celular endereçada ao sr. V. Faulkner. Fox a abriu, o olhar nas costas da irmã. Ele torceu ligeiramente a boca quando viu que a conta não estava discriminada. O débito era de cento e doze libras. A água da chaleira ferveu, e Fox levou a caneca de Jude até ela.

"Você deveria tomar um pouco de leite", disse ele, entregando a caneca. Ela apagou o cigarro e pegou o café das mãos dele. "E talvez menos vinho e vodca."

"Você não é meu pai."

"Eu sou quase isso." Ele tirou a carteira do bolso do paletó. Quando ela viu o que ele estava fazendo, ela saiu rapidamente da poltrona, entrou na cozinha, abriu uma das gavetas e voltou para a sala brandindo um punhado de cédulas, que jogou no ar na frente dele.

"Está vendo?", ela disse. "Eu não preciso da sua maldita caridade!"

Fox olhou para as notas espalhadas sobre o carpete. Jude estava de volta à poltrona, olhando para a televisão, sabendo que ele aguardava uma explicação.

"Eu encontrei", ela disse. "Quase duas mil libras no total."

"Encontrou onde?"

"Escondido no quarto de Vince lá em cima. Por sorte eu achei antes que o seu pessoal revirasse o lugar — era capaz de eles terem enfiado tudo no bolso."

"De onde veio isso?"

Jude deu de ombros. "Ganhou no cassino?", sugeriu

ela. "Talvez ele estivesse lá todas aquelas noites em que não voltou para casa."

"Ele estava lá no sábado", Fox disse em voz baixa, agachando-se e pegando as notas do chão. "Quando saiu, ele pegou um táxi e foi até Cowgate..."

Ela não estava realmente ouvindo o que ele dizia. "O desgraçado escondeu de mim, Malcolm. Escondeu naquele maldito quarto dele, junto com as revistas e os DVDs pornográficos. Eu não queria que ninguém soubesse que ele era assim... é por isso que eu não disse nada." Ela olhou para ele de novo. "O que aconteceu no seu rosto?"

"Me meti numa briga." Ele colocou o dinheiro na mesinha de café.

"Você ganhou?"

"Ainda não." Aquilo gerou um sorriso leve mas evidente. Ela pegou sua bebida e soprou a superfície. "Não deve estar quente demais", ele disse. "Eu pus um pouco de água fria." Ela tomou um gole e estremeceu. "Um pouco forte?", ele sugeriu.

Ela fez que sim com a cabeça, mas tomou outro gole grande.

"Tem sopa em lata no armário..."

"Isto aqui está bom para mim", ela lhe disse, mas ele foi para a cozinha mesmo assim e pegou uma panela. A chapa estava imaculada, sinal de que nada tinha sido preparado nela nos últimos dias. Não havia pratos na pia, apenas canecas e copos. Fox esvaziou a lata dentro da panela. Era creme de galinha — o mesmo tipo que a mãe deles costumava preparar quando estavam doentes.

"Jude", disse ele da cozinha, "a polícia devolveu os objetos pessoais do Vince, certo?"

"Sim", disse ela.

"Posso dar uma olhada neles?"

"Estão em um envelope na gaveta." Ela apontou para uma peça na sala de estar. Tinha prateleiras na parte de cima e gavetas e um pequeno armário embaixo. Ele encontrou o envelope grande na primeira gaveta. Abaixo dele havia várias folhas dobradas de papel de presente sem uso. Fox olhou o interior do envelope, interessado em apenas uma coisa — o celular de Faulkner. Ele fora recoberto com pó para detecção de impressões digitais e estava cheio de sujeira nos cantos. Em algum momento, ele tinha ficado no chão. Quando Fox tentou ligá-lo, nada aconteceu.

"Você tem o carregador?", ele perguntou à irmã.

"Está lá em cima."

Ele mexeu a sopa, então subiu as escadas e trouxe o carregador para baixo, ligando-o em uma tomada ao lado do fogão. Quando conectou ao celular, uma luzinha verde e pulsante acendeu. Fox deixou o aparelho sendo carregado, enquanto servia a sopa em uma tigela e procurava uma colher limpa. Havia pão em um saco, mas tinha começado a mofar. Ele cortou as partes verdes e pôs o que sobrou no prato sob a tigela.

"Você vai ter que usar a mesa para tomar isto", disse ele, empurrando a mesa de café para perto da poltrona de Jude. Ela desvirou as pernas e colocou a caneca sobre a mesa.

"Não estou com fome", ela avisou.

"Mas vai comer mesmo assim."

"E se eu não quiser?"

"Se não quiser, eu vou pôr você de castigo, mocinha." Era uma imitação aceitável do pai deles, e Jude sorriu de novo antes de pegar a colher.

"O que tem de tão importante no telefone de Vince?"

"Só queria saber se não tem ninguém com quem a gente ainda não tenha falado."

"Os outros... Giles e os caras dele... eles examinaram tudo isso."

"Vai ver eu não acho que eles sejam tão bons quanto eu."

Ela tomou a primeira colherada de sopa, saboreando o gosto. "Sabe do que isto me faz lembrar?", perguntou ela.

Ele fez que sim com a cabeça. "Eu estava pensando na mesma coisa." Ele voltou à cozinha e ligou o telefone.

"A senha dele é quatro zeros", Jude disse em voz alta.

Fazia sentido: Vince era preguiçoso demais para mudar as configurações predefinidas. Por outro lado, talvez também provasse que ele tinha pouco — se é que tinha alguma coisa — a esconder de Jude. Fox digitou os números. O protetor de tela de Vince era uma fotografia de 1966. Mostrava Bobby Moore segurando e levantando a taça da Copa do Mundo. Fox levou alguns minutos para descobrir como se orientar no telefone, mas acabou chegando ao registro de chamadas. Havia quase duzentas entradas. Ele achou que a equipe de Giles estaria interessada apenas nos acréscimos recentes, mas Fox foi mais adiante. Ele tirou um bloco do bolso e começou a anotar os números recorrentes, acrescentando data, hora e duração. Alguns estavam listados por nome — Jude, Ronnie, Mecânico, Marooned, Oliver —, mas muitos não estavam.

"Como está a sopa?", ele perguntou a Jude.

"Eu comi tudo como uma boa menina." Ela se levantara da poltrona, levando a tigela vazia para a cozinha e depositando-a na pia. Então ela se inclinou e deu-lhe um beijo no rosto.

"Por que isso?"

"Fiquei com vontade." Ela estudou os números anotados no bloco.

"Algum deles parece familiar?", perguntou ele.

"Na verdade, não. Você acha que talvez a pessoa que...?" Ela interrompeu o que dizia, incapaz de terminar a frase. Ela pigarreou e encontrou palavras diferentes. "Você acha que foi alguém que ele conhecia?"

Fox deu de ombros. Alguns dos números apareciam apenas uma vez. Ele decidiu tentar um deles aleatoriamente e pegou seu próprio telefone. A chamada foi atendida por uma mulher.

"Wedgwood", disse ela em uma voz cantada.

"De onde?"

"Restaurante Wedgwood."

Fox encerrou a chamada e se virou para Jude. "Wedgwood?", perguntou ele.

Ela fez que sim com a cabeça. "Nós jantamos lá em dezembro." Ela sorriu com a lembrança.

"Só vocês dois, ou os Hendry foram junto?"

"Só nós — a gente *conseguia* ter uma vida social sem a Sandra e o Ronnie."

Fox reagiu àquilo com um grunhido. Havia um número que aparecia onze vezes entre outubro e janeiro. Ele perguntou a Jude novamente se ela reconhecia o número, e ela balançou a cabeça em negativa, então ele fez a chamada.

"Alô?" A voz era baixa, hesitante. Era uma mulher de novo, mas não era uma estranha.

"Senhora Broughton?", perguntou Fox. Não houve resposta. "Aqui é o inspetor Fox. Eu lhe dei uma carona na frente da Delegacia de Leith..." Demorou mais um pouco até que ela falasse.

"Gordon Lovatt não ficou muito contente com aquilo, inspetor. A agenda de Charlie chegou ao destino certo?"

"Sim."

"E você deu uma olhada?"

Fox respirou fundo. "Senhora Broughton, eu estou lhe ligando do telefone de Vince Faulkner."

"E então?"

"A senhora se lembra do nome?"

"Você o mencionou. E depois você foi ao meu cassino para ver as imagens das câmeras de segurança."

"Da noite de sábado, sim. Mas o que eu estou me perguntando agora é por que ele tem o seu número, e por que vocês dois se falaram em onze diferentes ocasiões entre outubro e janeiro." O silêncio do outro lado durou mais de vinte segundos. Fox olhou para Jude para avaliar a reação dela. Ela colocou uma das mãos sobre o braço dele, como se para tranquilizá-lo.

"Senhora Broughton?", Fox insistiu.

"O telefone não é meu", ele a ouviu afirmar. "É de Charlie. Os dois devem ter discutido algum assunto de trabalho."

Fox voltou a olhar para a irmã. "O senhor Faulkner ocupava um lugar bem baixo na cadeia alimentar."

"É a única explicação", disse Broughton. Fox pensou por um momento.

"A senhora está mantendo o telefone de seu marido ligado..." Houve outra pausa extensa na linha.

"Para o caso de as pessoas telefonarem. Ele tinha muitos contatos comerciais, inspetor. Há uma chance de que alguns deles não saibam o que aconteceu."

"Isso faz sentido, suponho."

"Você *supõe*?"

"Mas há uma coisa que não faz sentido", continuou Fox. O silêncio se estendeu de novo.

"E o que é?", Broughton acabou perguntando.

"Por que o telefone não estava no barco?"

"Ele *estava* no barco", ela rosnou. "Ele me foi devolvido mais tarde. Você entende que eu vou contar a Gordon Lovatt sobre esta conversa? Ele provavelmente vai interpretar como outra forma de assédio."

"Diga-lhe que pode interpretar como quiser. E obrigado por falar comigo, senhora Broughton." Fox encerrou a chamada e colocou o telefone sobre o balcão.

"Então é assim que você é quando está trabalhando", comentou Jude. Fox deu de ombros. "Broughton quer dizer Joanna Broughton?", ela continuou. "Aquela que é dona do Oliver?"

"Ela mesma. Vince parece ter conhecido muito bem o marido dela."

"Ele mandou champanhe para a gente uma noite..."

"É, mandou. Você o viu conversando com o Vince alguma vez?"

Jude fez que sim com a cabeça. "Eles conversaram naquela noite. E acho que houve uma outra vez em que trombamos com ele por lá..." Ela olhou para o irmão. "De onde *você* acha que veio aquele dinheiro, Malcolm? Será que o Vince estava metido em alguma coisa?"

Fox apertou o braço bom de Jude, dando-lhe um sorriso em silêncio. Ela esperou um pouco e depois voltou para a sala de estar e para a televisão. Fox estava pensando em seu encontro com Joanna Broughton... a cobertura e suas paredes brancas e nuas... o encontro com Jack Broughton e Gordon Lovatt no elevador... sentado no carro com a agenda de Charlie Brogan...

E você deu uma olhada?

Talvez não com o devido cuidado. A maior parte do que ele se lembrava eram as notações sobre programas de televisão que Brogan acompanhava. Jude estava assistindo a alguma coisa na televisão envolvendo casas e climas mais quentes. Televisão... Abreviatura: TV...

TV.

"Ah, droga", disse Fox de repente. Jude se virou para ele.

"Você está bem?"

Ele colocara uma das mãos na cabeça e seus joelhos mal se aguentavam. A outra mão segurava a borda do balcão.

"Idiota do cacete", ele murmurou.

"Malcolm?"

"Eu sou um idiota, Jude — é só isso."

"Não é melhor do que Giles e a equipe dele?"

Fox fez que não com a cabeça, e depois desejou não ter feito isso. A sala começou a girar e ele teve que firmar o corpo.

"Você está com uma aparência terrível", Jude disse. "Posso fazer alguma coisa? Quando foi a última vez que você comeu?"

Mas Fox já estava indo para a porta de entrada. "Eu ligo para você", ele disse. "Mas agora tenho que ir."

"É sobre Vince? Conta pra mim, Malcolm — é?"

"Talvez", foi o máximo que Fox conseguiu dizer.

25

"Devagar", disse Jamie Breck. Ele estava vestido como se fosse fazer uma caminhada, o cabelo ainda molhado do banho. "Até parece que você levou um choque em uma tomada."

Eles tinham entrado na sala de estar de Breck. Havia música ambiente no aparelho de som. Breck sentou-se e usou o controle remoto para diminuir o volume. Malcolm Fox andava de um lado para o outro.

"Como é que você pode ficar tão tranquilo?", perguntou Fox acusadoramente.

"E o que mais eu deveria fazer?"

"Alguém tentou armar para você, com uma acusação de pedofilia."

"É verdade — e se eu começar a reclamar, todo mundo vai saber que *você* me contou."

"Você deveria reclamar mesmo assim."

Mas Breck estava balançando a cabeça. "Vamos descobrir *por que* isso aconteceu — depois tudo entra nos eixos."

Fox parou de andar. "Você acha que sabe?"

Breck cruzou os braços. "Somos nós dois. Eles nos puseram juntos sabendo que a gente se entenderia bem... que confiaria um no outro. Você perceberia que é uma armação e talvez viesse me contar. Enquanto isso, eu deixaria você por dentro de todos os aspectos do caso Faulkner. Assim que isso fosse feito, nós dois seríamos chutados para fora."

"Então são outros policiais? Tem que ser." Fox tinha recomeçado a andar para lá e para cá.

"Em que está pensando, Malcolm?"

"Vince e Brogan ficavam ligando um para o outro; significa que não eram apenas patrão e empregado. No dia em que eu levei Joanna Broughton para casa, ela me deu a agenda de Brogan para entregar para o pessoal de Leith. Havia um monte de menções a programas de televisão que ele queria assistir. tv — 7h45... tv — 10h00... esse tipo de coisa." Fox parou de andar e encarou Breck. "Lembra-se do que o Mark Kelly disse? Sobre o ajudante de Bull Wauchope?"

"Terry Vass", disse Breck em voz baixa, balançando a cabeça afirmativamente para si mesmo. "As mesmas iniciais."

"Não eram programas de tv, Jamie. Brogan deve ter se reunido com Vass. E qual seria o motivo disso? Por que Wauchope ficaria mandando seu capanga para Edimburgo?"

"Brogan lhe devia dinheiro."

"Brogan lhe devia dinheiro", Fox repetiu. "E tem mais uma coisa — Joanna Broughton mantém o telefone do marido a seu lado, mesmo agora. Eu liguei e ela levou uns cinco segundos para atender."

"E daí?"

"Ela diz que é porque pessoas que não sabem o que aconteceu poderiam ligar."

"Parece plausível", disse Breck, dando de ombros. Fox mordeu o lábio inferior, e então pegou o celular e ligou para Max Dearborn.

"Max, é o Malcolm Fox."

"A Linda disse que você conversou com ela."

"Esta manhã. Eu vou ajudá-la, se puder, mas escute... Tenho uma pergunta rápida — o celular de Charlie Brogan estava no barco?"

"Nós o verificamos e depois devolvemos para a esposa."

Os ombros de Fox caíram. Ele colocou a palma da mão no bocal do celular. "Estava no barco", ele contou a Breck.

"Por que você quer saber?", Dearborn perguntou.

"Vai ver não é nada, Max. Na verdade, não *é* nada." Mas Breck estava estalando os dedos, tentando atrair a atenção de Fox. "Espere um segundo", disse Fox, cobrindo o bocal com a mão novamente.

"Será que uma pessoa como Brogan não teria dois telefones?", perguntou Breck, a voz pouco mais do que um sussurro. Fox levou um momento para entender aquilo e então falou com Dearborn novamente.

"Max... por acaso você sabe o número do telefone?"

"Preciso de um minuto." Era óbvio que Dearborn estava na sala de investigações. Houve um som ligeiramente áspero enquanto colocava o telefone entre o ombro e o queixo, depois sons de digitação em um teclado.

"Como estão as coisas?", Fox decidiu perguntar.

"Nenhum sinal ainda daquele desgraçado, de um jeito ou de outro."

"Vocês estão vigiando a viúva?"

"Estamos pensando nisso."

"Ela saberia."

"Talvez... O.k., achei o número." Dearborn repetiu o número pausadamente.

"Obrigado, Max", disse Fox, encerrando a ligação e olhando para Breck. "Boa dica", disse com um aceno de cabeça.

"Os números não batem?", adivinhou Breck.

"Não."

"Então o telefone que ela está mantendo ao lado dela não é o que foi deixado no barco?"

"Não."

"Mas ela disse a você que era?"

"Disse."

"Não é o tipo de coisa que seria melhor discutir pessoalmente?"

"Se conseguirmos chegar até ela", refletiu Fox. De repente, Breck sentou-se com o corpo aprumado.

"Que horas são?", perguntou.

"Uma e pouco."

Breck xingou em voz baixa. "Tenho que estar em Fettes à uma e meia."

"Vai ser um pouco apertado — a menos que não se importe de ir assim mesmo."

Breck tinha se levantado. Ele deu uma olhada em si mesmo. "É uma ideia", disse.

"Pois eis outra ideia: eu vou com você."

Breck olhou para ele. "Por quê?"

"Porque não sabemos em quem podemos confiar em nosso próprio pedaço."

Os olhos de Breck estreitaram. "Stoddart?"

Malcolm Fox colocou as mãos nos bolsos e deu de ombros.

"Ela é da Divisão de Denúncias", objetou Breck.

"Eu também, lembra? Vamos discutir isso no caminho. Se você não estiver convencido, eu não saio do carro..."

Fox não saiu do carro. Era o carro dele e ele estava no banco do motorista com o rádio ligado, observando Breck marchar para dentro do QG da polícia. Ele bateu as pontas dos dedos no volante, olhando para a frente, mas sem se concentrar em nada. Depois de cinco minutos, ouviu um barulho e virou a cabeça. Breck estava voltando, e não estava sozinho. A inspetora Caroline Stoddart não parecia nem um pouco entusiasmada. Os dois colegas dela, Wilson e Mason, observavam tudo da porta. Fox saiu do carro, sem saber exatamente o que dizer. Breck passou à frente e abriu a porta do lado do passageiro para Stoddart. Ela olhou furiosamente para Fox.

"Vocês receberam ordem de não se comunicar mais."

"Nós somos desobedientes", Breck pareceu concordar. Stoddart ficou parada por um momento, então abaixou a cabeça e entrou no carro. Breck piscou para Fox antes de entrar no banco de trás. Fox ficou em pé mais um instante, olhando para Wilson e Mason. Eles se viraram e entraram de novo.

"Vamos acabar logo com essa palhaçada", disse Stoddart. Fox sentou-se e fechou a porta. "Tudo bem", disse ela, "vocês têm cinco minutos."

"Talvez leve um pouco mais de tempo", Breck a avisou. Então para Fox: "Seria melhor fazermos isto em outro lugar — se as paredes têm ouvidos, as janelas sem dúvida têm olhos".

Fox olhou para o prédio, percebeu que Breck tinha razão e ligou o motor.

"Eu estou sendo sequestrada?", reclamou Stoddart.

"Você pode ir embora quando quiser", Breck garantiu a ela. "Mas o que estamos prestes a lhe contar... confie em mim, este não é exatamente o melhor lugar."

"Saio andando por aí?", Fox perguntou, olhos no espelho retrovisor. Ele estava consciente da presença de Stoddart a seu lado, puxando a barra da saia.

"Contanto que você possa dirigir e falar ao mesmo tempo", respondeu Breck.

Então Malcolm Fox saiu andando com o carro.

Eles contornaram o Jardim Botânico e subiram em direção ao centro da cidade. O tráfego se tornou lento, e Fox falou menos, concentrando a atenção na rua. Breck complementou as informações, e logo estavam atravessando a parte de cima da rua Leith Walk. Royal Terrace, depois Abbeyhill, passando pelo prédio do Parlamento e o Palácio de Holyrood, antes de entrar no próprio parque Holyrood. Passaram por St. Margaret's Loch e entraram na via de mão única que serpenteava a imensidão de Arthur's Seat. Pareciam estar no meio do nada. Havia trechos em que não se avistavam sinais de habitação: apenas urzais e colinas. O passeio tinha durado quase trinta minutos, e Stoddart estava pedindo para Fox parar o carro.

"Um lugar ruim para nos deixar", Breck a avisou. "Os táxis não vêm até aqui."

Ela olhou ao redor. "Onde *é* aqui?"

Fox tinha parado o carro perto de Dunsapie Loch. Algumas pessoas se exercitando passaram correndo. Uma jovem mãe tinha parado seu carrinho de bebê. Havia um ninho no meio do lago. Em poucas semanas, um casal de cisnes iria transformá-lo em um lar.

"É um outro lado de Edimburgo", Breck explicou a Stoddart. "Seria um prazer servir-lhe de guia qualquer dia desses..."

Ela não disse nada sobre aquilo, apenas abriu a porta e tentou sair. Ela recuou, talvez pensando que eles a estavam segurando, mas era apenas o cinto de segurança. Ela o destravou e saiu do carro, batendo a porta com força atrás de si.

"E agora?", murmurou Breck. Fox olhou para ele pelo retrovisor. Breck parecera entusiasmado e confiante, mas era apenas uma fachada. Por dentro, ele estava com os nervos à flor da pele.

"Dê um minuto para ela", disse Fox. Stoddart estava em pé com os braços cruzados, as pernas ligeiramente afastadas, os olhos no lago e na paisagem além.

"Mas vamos dizer que ela vá embora... vamos dizer que ela vá diretamente até o seu chefe ou o meu?"

"Então ela fará isso e pronto."

Breck olhou para ela. "Ela pensa que nós estamos querendo enrolá-la."

"Talvez."

"Conspirando juntos desde o momento em que fomos suspensos... e isto é tudo o que conseguimos inventar! É isso o que ela está pensando."

"Jamie, você não sabe o que ela está pensando", Fox murmurou, as mãos apertando com muita força o volante.

"Ela respeita a *corporação*, Malcolm — do mesmo jeito que você costumava fazer. Ela não vai desertar."

"Ela acabou de fazer isso." Fox fez uma pausa até ter a total atenção de Breck. "Ela entrou no carro, não é? Deixou os camaradas dela lá atrás. Isso não é exatamente a política da companhia."

"Bom argumento", concordou Breck. E em seguida: "Aonde ela está indo?".

A resposta era: ela estava indo na direção de um aclive afastado da rua. Ela teve que escalá-lo, escorregando algumas vezes com seus sapatos inadequados. Fox não achava que houvesse nada do outro lado até que se chegasse a Duddingston. Ela parou no topo do afloramento e então virou a cabeça na direção do carro.

"Vamos falar com a moça", disse Fox, tirando a chave do contato.

Ela havia encontrado uma pedra seca e com pouco musgo para sentar. Estava acomodada, os braços sobre os joelhos, o vento castigando-lhe os cabelos. A posição a fazia parecer mais jovem. Poderia ser uma adolescente, meditando sobre alguma injustiça que havia percebido.

"Você fez uma boa pergunta", ela disse a Fox. Ele havia se agachado ao lado dela, Breck em pé um pouco afastado para o lado com as mãos enfiadas nos bolsos dianteiros do casaco. "É o senso de oportunidade — é o que mais incomoda nessa história toda."

"Só isso?" Breck fez um som com a boca indicando descrença.

"Nada mais do que vocês me contaram tem alguma prova, mas o inspetor Fox apareceu no nosso radar muitos dias antes do assassinato de Vince Faulkner. Eu mesma já me perguntei sobre isso."

"Que bom", disse Breck, enquanto os olhos de Fox o mandavam calar a boca.

"Alguém deve ter lhe dado um motivo", afirmou Fox em voz baixa.

Stoddart balançou a cabeça. "Nem sempre é assim que funciona." E depois de uma pausa: "Você deveria saber...".

Sim, ele sabia. Alguém no alto da cadeia de comando tinha que dar a permissão. Eram eles que cuidavam da papelada. Eram eles que assumiriam a responsabilidade. Tudo o que se fazia era observar e registrar o que era visto. Houve um caso alguns anos antes — na Inglaterra. Um chefe de Polícia, desconfiado de que um policial de baixa patente mantinha um caso com sua mulher, tinha ordenado que o sujeito fosse vigiado vinte e quatro horas por dia, sete dias por semana. No que dizia respeito à equipe, a papelada estava em ordem e o chefe podia fazer o que quisesse.

"De quem você recebeu a ordem?", Fox perguntou em voz baixa.

"Meu chefe", ela acabou respondendo. "Mas *ele* recebeu a ordem do scp." Isso significava o subchefe de Polícia, em Grampian.

"Então alguém deve ter ido até o scp", disse Breck. Os papéis tinham se invertido: Breck tinha começado a andar de um lado para o outro, enquanto Fox sentia uma calma incomum.

"Tem mais uma coisa..." Stoddart parou de falar e levantou os olhos para o céu. "Eu posso me encrencar tanto por causa disso..."

"Isso quer dizer que você acredita em nós?", Fox lhe perguntou.

"Talvez", ela respondeu. "Veja bem, existe um..." Ela procurou as palavras certas. "Houve um boato de que alguma coisa saiu muito errada em um caso de assassinato há alguns meses. A vítima era um garoto e o DIC foi atrás da família dele — acontece que o assassino tinha antecedentes e morava a apenas algumas ruas de distância. Houve acobertamento em cima de acobertamento, tentando fazer a situação parecer melhor do que era."

"Você acha que era isso que a Divisão de Denúncias de Edimburgo ia investigar?", perguntou Fox. Stoddart deu de ombros.

"Em vez disso, o caso passou para a equipe do Strathclyde", disse ela.

"Mas todo mundo sabe que o pessoal do Strathclyde é incompetente."

"É, é mesmo", Stoddart concordou.

Fox ficou pensativo. "Para você, isso parece algum tipo

de acordo de troca? Os chefes de Edimburgo dizendo que se Aberdeen puser um de nossos homens sob vigilância, nós teríamos uma desculpa para não ir atrás de vocês?"

"Talvez", disse ela novamente. Ela estava com as mãos presas entre os joelhos, e um dos pés batia no chão.

"Está com frio? Quer voltar para o carro?"

"O que eu vou dizer para o Wilson e o Mason?"

"Depende de sua confiança neles", disse Breck. Ele estava chutando a grama com a ponta dos tênis. "O motivo pelo qual viemos falar com você antes de qualquer outra coisa é que *nós* não sabemos em quem podemos confiar."

"Estou vendo..." Ela olhou de Fox para Breck e de novo para Fox. "Então o que vocês vão fazer?"

"Podemos tentar conversar com Terry Vass", disse Fox.

"Assim, se nos encontrarem flutuando de barriga para baixo no rio Tay", continuou Breck, "pelo menos *você* vai saber por onde começar."

Stoddart conseguiu um esboço de sorriso. "Realmente está um pouco frio aqui", disse ela, levantando-se.

"Mais frio do que em Aberdeen?", provocou Fox. Mas ela levou a pergunta a sério.

"De uma maneira curiosa, sim." Os três começaram a voltar para o carro. "Eu sei que não estou aqui há muito tempo, mas há algo sobre esta cidade... falta alguma coisa."

"Culpe os bondes", zombou Breck. "É o que todo mundo faz."

Mas Fox ficou em silêncio. Pensou que sabia o que ela queria dizer. As pessoas em Edimburgo podiam ser rápidas para se sentir ofendidas, mas eram lentas para fazer qualquer outra coisa a respeito, a não ser ficar agitadas. E enquanto isso, por fora, elas pareciam reticentes e impassíveis. Era como se estivesse acontecendo um grande jogo de pôquer, e ninguém quisesse demonstrar nada. Ele fez contato visual com Stoddart e assentiu com a cabeça, mas ela estava recuando para dentro de sua própria concha e não reagiu. O que ela diria em Fettes? Como faria seu relatório? Será que começaria a se ressentir deles por arrastá-la para dentro daquela história, uma história da qual ela não queria fazer parte? Assim que chegaram ao carro, ela parou com uma das mãos na maçaneta.

"Talvez eu vá caminhando", disse ela.

"Tem certeza?", perguntou Breck. Mas Fox sabia que ela já se decidira.

"Daqui é só descida", explicou ele, apontando. "Você vai sair na rua Holyrood Park, que leva à rua Dalkeith. Deve haver táxis lá..."

"Vai dar certo." Ela colocou as mãos nos bolsos. "Você me deram muito sobre o que pensar." Então ela fez uma pausa e fixou o olhar em Breck. "Mas eu ainda preciso que você apareça para uma entrevista, detetive Breck. Que tal amanhã às nove?"

Breck fez uma careta. "Amanhã é sábado."

"Nós não temos folga nos fins de semana, detetive Breck, ainda mais quando somos pagos com o dinheiro dos contribuintes." Ela acenou e começou a descer pela trilha. Breck entrou do lado do passageiro e fechou a porta. "De que adianta me chamar para mais uma entrevista? Nós acabamos de dar a ela todas as malditas informações."

"É para os colegas dela. Para que não fiquem mais desconfiados do que já devem estar." Fox deu a partida no carro e soltou o freio de mão. Dez segundos depois, eles passaram por ela. Ela manteve os olhos no chão, como se o carro e seus ocupantes fossem estranhos.

"Será que acabamos de cometer um tremendo erro?", perguntou Breck.

"Se for isso", Fox o tranquilizou, "a gente sempre pode dizer que a culpa é dos bondes."

26

Naquela noite, Breck ia sair para jantar com Annabel Cartwright. Fox havia perguntado em qual restaurante.

"No restaurante de Tom Kitchin — reservado antes que tudo isso acontecesse." Breck tinha feito uma pausa. "Tenho certeza de que eles colocariam mais uma cadeira..." Mas Fox recusara com um movimento da cabeça.

"Brogan costumava levar Joanna lá", ele comentou.

"Como você sabe?"

"Estava na agenda dele."

Mais tarde, pensando nessa conversa, ele se sentiu contente por Breck tê-lo convidado para o jantar. Era o gesto de um amigo, ou, no mínimo, o gesto de um homem com pouco a esconder. Fox perguntara a Breck se faltava muito para ele contar a Annabel sobre o website.

Tudo o que Breck respondera fora: "Mais tarde".

Fox pegou o carro e foi para o Minter's, mandando uma mensagem para Tony Kaye dizendo que estava a caminho de lá. Quando estava a cinco minutos do local, chegou uma resposta de Tony Kaye: "Não dá para mim desculpe TK". Um minuto depois, havia um PS: "Joe e Gilchrist talvez estejam lá".

Fox não sabia muito bem se queria ver Joe Naysmith e seu novo melhor amigo. Por outro lado, não ia recuar, e a decisão foi tomada quando um carro saiu de uma vaga no momento em que Fox estava chegando. Ele entrou de ré com o Volvo e verificou que àquela hora não precisava mais pagar. Já haviam passado cinco minutos do limite do horário. Trancou o carro e atravessou a rua em direção ao Minter's. Não havia ninguém em pé no bar, e nenhum programa de perguntas na TV. A atendente do bar era jovem, com braços tatuados e faixas cor-de-rosa no cabelo. Fox olhou à sua volta. A mulher que Kaye conhecia estava conversando com uma amiga em uma mesa de canto. Ao reconhecer Fox, acenou para ele. Fox recuperou o nome dela na memória: Margaret Sime. A bebida na frente dela parecia *brandy* com soda. Os cigarros e um isqueiro estavam a postos. Fox acenou com a cabeça e pediu suco de tomate.

"Quer picante?", a atendente perguntou. O sotaque dela era europeu oriental.

"Obrigado", disse Fox. "E uma rodada para aquela mesa no canto." Então, enquanto ela se envolvia com seus afazeres: "Você é polonesa?".

"Letã", ela o corrigiu.

"Desculpe."

Ela deu de ombros. "Muita gente confunde. Vocês, escoceses, estão acostumados com os poloneses invadindo seu território."

"Ouvi dizer que muitos deles estão voltando para casa."

Ela fez que sim com a cabeça. "A libra não está tão forte, e as pessoas estão ficando zangadas."

"Por causa da taxa de câmbio?"

Ela chacoalhou a garrafa de suco de tomate antes de abri-la. "O que eu quero dizer é que está ficando difícil encontrar emprego. Vocês não se importam com os imigrantes quando eles não estão roubando trabalho de vocês."

"É isso o que você está fazendo?"

Ela estava acrescentando *tabasco* ao suco. "Ninguém reclamou ainda — não na minha cara."

"O que você faria se reclamassem?"

Ela fez uma garra com a mão livre. As unhas eram compridas e pareciam afiadas. "Eu mordo também", ela acrescentou. Então ela terminou de preparar as bebidas. Fox estava tentando resolver onde sentar quando a porta abriu e Naysmith entrou, seguido por Gilchrist. Fox reparou que toda a postura de Joe tinha mudado. Ele rodava os ombros ao andar, como se estivesse cheio de uma nova confiança. Seu sorriso para Fox foi o de um igual, e não o de um substituto. Alguns passos atrás, Gilchrist tinha as mãos nos bolsos, aparentemente satisfeito com a transformação e pronto a receber os créditos por ela.

"Fala, Foxy", disse Naysmith, a voz mais alta que de costume.

"Joe", disse Fox. "O que você vai tomar?"

"Uma *lager*, obrigado."

Gilchrist acrescentou que iria tomar cidra. A atendente acabara de levar as bebidas para a mesa da senhora Sime e de sua amiga. Ela começou a servir as bebidas, enquanto Fox sondava o bolso à procura de mais dinheiro.

"Como vão as coisas?", Naysmith perguntou. Ele chegou a colocar a mão no ombro de Fox, como se para consolá-lo. Fox olhou furioso para a mão até que foi retirada. Gilchrist escondeu os lábios, tentando esconder o riso.

"Ainda suspenso", Fox respondeu a Naysmith. "Por que Kaye não está aqui se embriagando?"

"Crise doméstica", explicou Naysmith. "A senhora Kaye diz que, se ele não começar a passar mais tempo em casa, ela vai embora."

"Então agora a gente sabe quem é que manda lá", Gilchrist acrescentou por cima do ombro de Naysmith. Naysmith riu e assentiu com a cabeça.

Fox não sabia se ficava impressionado ou furioso. O intruso precisara de apenas alguns dias para virar a cabeça de Joe Naysmith. A ideia de Joe fazer piadas sobre Tony Kaye... rindo de problemas domésticos... fofocando perto da atendente do bar... Com Fox fora da cena, Kaye era o líder da equipe, e agora a autoridade dele estava sendo corroída por dentro. Malcolm Fox não gostava daquilo. Não gostava da maneira como Joe tinha mudado, ou se deixara modificar.

"O que aconteceu com o seu rosto?", perguntou Gilchrist.

"Não é da sua conta", Fox respondeu.

"Vamos sentar", disse Naysmith, ignorando a carranca de desaprovação de Fox. Mas Gilchrist viu e entendeu perfeitamente. O sorriso que ele deu foi torto e sem humor. Dividir para conquistar — Fox já vira aquilo antes em sua carreira. Uma equipe raramente era *uma equipe*. Sempre havia aquele que era do contra, a voz discordante, o agitador. Pessoas assim ou eram castradas ou transferidas para outro lugar. Um policial que ele havia conhecido recebera uma oferta de promoção para outro local, mas ele havia pedido para oferecer para um rival. Por quê? Para tirar o desgraçado e manter o resto da equipe intacta. Fox não sabia se teria feito a mesma coisa. Talvez agora ele fizesse, mas não até pouco tempo. Até pouco tempo, ele teria aceitado a promoção e seguido em frente, deixando sua velha equipe entregue a seus problemas.

"Está tudo muito tranquilo no escritório", dizia Naysmith. "O Bob tem falado que nós vamos pegar algumas coisas importantes."

"Então não estão sentindo a minha falta?", Fox perguntou.

"É claro que estamos."

"Mas se eu ainda estivesse lá, você não estaria." Fox apontou na direção de Gilchrist.

"Não é tão aventuresco quanto eu esperava", reclamou Gilchrist. "Joe me contou sobre alguns dos trabalhos anteriores de vocês. Eu não me importaria de ter participado de algum deles."

"Não vá ficando tão à vontade", Fox o advertiu. "Qualquer dia desses eu volto para a minha mesa."

"Isso vai acontecer, Malcolm", Naysmith lhe garantiu. Mas Fox estava encarando Gilchrist, e Gilchrist não parecia ter tanta certeza. Fox levantou, os pés da cadeira arrastando no assoalho. "Joe", disse ele, preciso conversar com o seu camarada." Em seguida, para Gilchrist: "Lá fora".

Aquilo soou como uma ordem porque era exatamente isso. No entanto, Gilchrist estava sem pressa. Tomou mais um gole de cidra e lentamente colocou o copo sobre a bolacha. "Tudo bem para você?", ele perguntou a Naysmith. Joe Naysmith fez que sim com a cabeça, sem muita certeza. Fox havia esperado o máximo que podia e agora se dirigia para a porta a passos largos.

"Te vejo mais tarde", a atendente do bar dissera em voz alta.

"Com certeza", respondeu.

Lá fora, ele respirou fundo diversas vezes. Seu coração estava acelerado e havia um silvo em seus ouvidos. Gilchrist não só o aborrecia — era muito mais do que isso. A porta atrás dele abriu. Fox agarrou Gilchrist pela lapela e empurrou-o para a frente e então o jogou contra a parede de pedra. Gilchrist estava olhando fixamente para os punhos fechados de Fox. Ele tinha a metade do peso corporal de seu oponente e nem um pouco da indignação do outro. Não ia haver uma briga.

"Faça o que você tem que fazer", foi tudo o que ele disse, virando a cabeça para que Fox não o encarasse.

"Você é um merda", disse Fox, a voz áspera. "O que é pior, você é o merda que me meteu nisto. Então eu vou perguntar mais uma vez: quem é que levou Jamie Breck até vocês?"

"Que importância tem isso?"

"Toda a importância."

"Você vai me dar uns tapas? A gente pode comparar os nossos machucados depois."

Fox puxou Gilchrist para a frente e depois o jogou na parede de novo.

"McEwan vai adorar quando contar a ele..."

"Conte o que você quiser", disse Fox. "Tudo o que eu quero saber é: de quem foi a ideia?"

"Você já sabe."

"Não sei."

"Eu acho que você sabe... só não quer acreditar. Ela queria que eu fosse embora, Fox. Nunca, nunca gostou de mim. Claro, eu era rápido no gatilho, mas eu não tinha nada com que negociar. *Ela* sim."

Fox afrouxara o aperto. "Você está falando de Annie Inglis?"

Agora Gilchrist olhou para ele. "E de quem mais?"

"Você está mentindo."

"Tudo bem... não importa. Você me fez uma pergunta e eu dei a única resposta que conheço. Foi ela quem falou que iríamos pedir ajuda para a Divisão de Denúncias — e era *o seu nome* que Inglis tinha."

"Foi ela que ligou para você naquela noite cancelando a vigilância?"

Gilchrist hesitou, e Fox sabia que qualquer coisa que saísse da boca dele não seria a verdade.

"Você ainda é um merda", Fox afirmou, rompendo o silêncio. "Eu quero que você saia de cima de Joe."

"Sair de cima dele? Eu não consigo *fugir* dele! Você e Kaye devem ter tratado o cara muito mal."

Fox soltou Gilchrist completamente, as mãos caindo ao lado do corpo. "Eu vou voltar", disse em voz baixa.

"E então eles vão me mudar para algum outro lugar — qualquer lugar onde Annie Inglis não esteja." Gilchrist estava ajeitando o paletó. "Nós terminamos aqui?"

Fox fez que não com a cabeça. "Se foi Annie Inglis ou se foi você, a ordem tinha que vir de alguém lá em cima."

"Então vá perguntar à Inglis."

"Não tenha dúvida de que farei isso." Fox fez uma pausa, lembrando-se de algo. "Você se lembra de quando lhe perguntei o que estava acontecendo com Simeon Latham? Você me disse que os australianos estavam se preparando para ir a julgamento. Mas quando falei com alguém da equipe de investigação, eles contradisseram isso."

"E daí?"

"E daí que você mentiu."

Gilchrist balançou a cabeça. "É o que me contaram. Quantas vezes você quer que eu diga — vá perguntar para a sua namorada." Ele olhou Fox de cima a baixo. "A não ser pelo fato de que ela não é sua namorada, certo? Não agora que ela conseguiu de você aquilo de que precisava."

Gilchrist deu um sorriso malicioso. "Havia aquele olhar de ansiedade em você, na primeira vez em que foi à nossa sala, usando seus suspensórios e sua gravata vermelha, esperando que o ajudassem a ser notado. Annie Inglis é boa no que faz, Fox. Ela é boa em fingir ser o que não é — ela faz isso todo dia on-line..."

A porta estava se abrindo. Fox esperava ver Naysmith, mas era Margaret Sime, segurando um cigarro pronto para ser aceso. Ela avaliou a cena em um instante.

"Nada de briga, rapazes", advertiu-os.

"É tudo?", Gilchrist perguntou a Fox.

Fox apenas fez que sim com a cabeça, e Gilchrist voltou para dentro.

"Desde a primeira vez que pus os olhos nesse rapaz", comentou Margaret Sime enquanto acendia o cigarro, "eu só pensei uma coisa."

"E o que foi?", Fox sentiu-se compelido a perguntar.

"Que ele merecia uns bons tabefes."

"Lamento decepcioná-la, senhora Sime", desculpou-se Fox.

Ele passou uma hora deitado no sofá, com a TV ligada, sem som. Estava se perguntando que tipo de conversa poderia ter com a sargento-detetive Annie Inglis. Ela o convidara para ir até sua casa... fizera as pazes com ele depois do desentendimento que tiveram. Será que agora ele iria realmente acusá-la de armar algo contra ele? Ia aceitar o que Gilchrist lhe dissera sem questionar? E, se assim fosse, então Inglis tinha armado para Jamie Breck também...

Fox pensou no subchefe de Polícia Adam Traynor, confrontando-o com Billy Giles na sala de interrogatório em Torphichen. Então voltou mentalmente ainda mais no tempo, até o escritório da Divisão de Denúncias, com McEwan o provocando: *O chefe acha que tem alguma coisa cheirando muito mal em Aberdeen...* Depois da conversa com Stoddart, a ideia de Fox era de que um acordo tinha sido feito. Mas se tudo aquilo fora ideia do chefe de Polícia, por que ele teria sugerido a McEwan que a equipe talvez tivesse que investigar a polícia de Grampian? Não, tinha que ser Traynor, não é? E foi então que Fox percebeu que tinha uma pergunta. Sentou-se no sofá e pegou o telefone sobre a mesa de café, digitando o número de Annie Inglis. Quando ela atendeu, ele hesitou.

"Alô?", disse ela, a voz tornando-se impaciente. "Alô?"

"Sou eu", Fox acabou dizendo. Ele estava massageando o espaço entre as sobrancelhas com o polegar, pouco acima do nariz, os olhos fechados e apertados.

"Malcolm? O que foi? Você parece..."

"Só quero um sim ou um não, Annie. Isso é tudo de que preciso, e não vou mais incomodar você."

Houve silêncio na linha. Quando ela falou, foi com um tom de preocupação. "Malcolm, o que aconteceu? Você quer que eu vá até aí?"

"Uma pergunta, Annie", ele insistiu.

"Não tenho certeza se quero ouvi-la. Você não está bem, Malcolm. Talvez a gente possa esperar até amanhã."

"Annie..." Ele engoliu com dificuldade. "O que Traynor prometeu a você?" Fox escutou o silêncio. "Que se você me pusesse em cima do Jamie Breck, ele tiraria o Gilchrist — esse foi o acordo? Foi só isso?"

"Malcolm..."

"Apenas responda!"

"Eu vou desligar."

"Eu mereço saber, Annie! Tudo isso foi uma armação para me incriminar e não teria funcionado sem você!"

Mas ele estava falando com o tom de discar do telefone. Ela desligara enquanto ele falava. Fox xingou e pensou em ligar para ela de novo, mas duvidou que ela fosse atender. Ele poderia pegar o carro e ir até o apartamento dela, ficar com o dedo apertado na campainha, mas ela não o deixaria entrar. Ela era muito inteligente.

Muito inteligente e muito calculista.

Boa em fingir ser o que não é...

Fox andou de um lado para o outro na sala. Por um segundo pensou em ligar para Jamie, mas Jamie estava jantando com Annabel. E como é que ele estava fazendo isso? Por que também não estava andando de um lado para o outro em sua sala de estar, rosnando diante da injustiça daquilo tudo? Fox pegou o telefone de novo e fez a chamada.

"Espere um segundo", Breck disse ao atender. "Vou lá fora." E para Annabel: "É o Malcolm, querida".

"Diga-lhe que peço desculpas por me intrometer", disse Fox.

"Eu direi, quando voltar para a mesa."

"O jantar está bom?"

"O que é que não dá para esperar até amanhã, Malcolm?" Fox ouviu o som de uma porta abrindo e fechando. A atmosfera mudou — Breck tinha saído do restaurante. Fox achou que ouviu o tráfego distante, os sons da cidade à noite.

"Se não fosse urgente, Jamie..."

"Mas obviamente é, então diga."

Fox começou a andar em diagonal na sala e explicou da melhor maneira que pôde. Breck não interrompeu, a não ser para apresentar a teoria de que Gilchrist, por estar tão ansioso para apanhar, poderia muito bem ser um masoquista. Quando Fox terminou, houve silêncio por uns bons quinze segundos.

"Sim", Breck acabou dizendo. "Bem..."

"Você quer dizer que já tinha imaginado isso?", Fox falou desanimado, afundando no sofá.

"Eu sou um jogador, Malcolm. *Role-playing games* — jogos de interpretação de papéis, e é exatamente isso o que tem sido. Há alguns papéis que alguém sabia que acabaríamos assumindo — eu iria gostar de você; você passaria a confiar em mim... e nós terminaríamos com nossa carreira destroçada por causa disso. Tem a ver com nossa *natureza*, Malcolm." Breck fez uma pausa. "Jogaram conosco."

"Um dos nossos? O nosso subchefe?"

"Não sei muito bem se isso de fato importa. O mais importante é o *porquê*."

"E você chegou a mais alguma conclusão? Alguma que tenha considerado adequada para esconder de mim?"

"Nós estamos de volta ao jogo, Malcolm. Fomos detonados uma vez, mas eles nos julgaram mal — nós ganhamos uma segunda vida, e isso está relacionado à nossa natureza também."

"Não sei se estou entendendo..."

"Você não precisa entender. Todo esse trabalho que estamos tendo..." Breck fez uma pausa para se corrigir. "Trabalho que *você* está tendo... está levando a uma coisa e a apenas uma coisa."

"E o que é?"

"O final do jogo." Breck fez outra pausa. "Eles vão ter que nos destruir novamente, e é aí que saberemos quem e o porquê."

"Como é que você consegue estar tão calmo?"

"Porque é assim que eu me sinto." Breck deu uma risada — um riso cansado, mas um riso mesmo assim. "Lembra quando conversamos no carro quando estávamos voltando do cassino?"

"Lembro."

"Você não é mais um espectador."

"Isso necessariamente é uma boa coisa?"

"Não sei — o que você acha?"

"Eu só quero que isso tudo se resolva, de um jeito ou de outro."

"Não parece o velho e cauteloso Malcolm Fox."

"Desculpe por ter interrompido seu jantar, Jamie."

"Com certeza conversaremos amanhã, Malcolm. Talvez eu ligue depois de minha reunião com Stoddart. Enquanto isso, eu tenho ligueirão e *carpaccio* de escalope esperando por mim..."

"Antes você do que eu." Fox encerrou a chamada e foi para a cozinha. Suco... vários chás de frutas... chá verme-

416

lho... café descafeinado... nada daquilo lhe apetecia. Queria alguma coisa que fosse ao mesmo tempo mais forte e que o animasse. Lembrou-se do suco de tomate temperado do Minter's e imaginou-o com um acréscimo de uma dose de trinta e cinco centilitros de Smirnoff.

"Vai sonhando, Foxy", disse a si mesmo. Mas ele conseguia sentir o gosto mesmo assim, descendo liso no fundo da garganta e depois a queimação enquanto descia para o estômago. Vodca era sua bebida de infância, grandes tragos roubados do armário onde ficavam guardadas as garrafas. No decorrer da adolescência ele mudara para rum, Southern Comfort, Glavya, e uísque, retornando à vodca para uma rápida segunda lua de mel antes de uma perigosa ligação com o gim. Depois uísque novamente — dessa vez os de boa qualidade. E sempre com cerveja e vinho, vinho e cerveja. Almoços e jantares e qualquer ocasião entre eles. Ele se enganava ao pensar que um café da manhã com Elaine regado a champanhe não contava...

Licor Kahlua — ele nunca bebia Kahlua. Muito menos tinha ido muito longe com *alcopops* do tipo "Smirnoff Ice". Se quisesse limonada em sua vodca, ele mesmo acrescentaria — junto com algumas gotas de Angostura. Com cinco anos de idade, para fazer uma experiência, misturou algumas colheres cheias de Ki-Suco em um copo com vodca. O pai tinha lhe arrancado o couro por isso, e mudou o álcool para uma prateleira mais alta na despensa. Mas não tão alta assim...

Fox voltou para a sala de estar e decidiu fechar as cortinas. Havia um carro estacionado do outro lado da rua. Os faróis estavam apagados, mas o motor ainda estava funcionando. Havia uma figura no banco do motorista. Fox fechou as cortinas e foi para o andar de cima no escuro. Em seu quarto, grudou na parede enquanto se aproximava da janela. O carro era escuro, bem polido. O ângulo em que estava não permitia ver a chapa. Fox achou que conseguia ouvir música. Sim — vinha do carro. Nada que ele reconhecesse, mas o volume estava aumentando. Um vizinho do outro lado da rua abriu a cortina para espiar, mas voltou a fechar e não apareceu na porta. Um táxi preto parou para deixar um casal. Os dois obviamente estavam aproveitando o horário noturno de compras na cidade. A mulher carregava algumas sacolas de lojas caras. O nome do marido era Joe Sillars — Fox o encontrara algumas vezes para conversar. Eles haviam se mudado para a rua fazia poucos meses. Marido e mulher olharam fixamente para o carro barulhento enquanto o táxi ia embora. Disseram alguma coisa um ao outro e decidiram não se envolver. O motorista reconheceu aquilo deslizando os vidros das janelas da frente para baixo. E agora Fox reconhecia a música. Chamava-se "The saints are coming". Era de uma antiga banda punk chamada The Skids. Fox a ouvira em muitas festas na juventude. Mas ele a ouvira mais recentemente também...

Depois que Glen Heaton a mencionou em uma de suas entrevistas.

Uma canção fantástica... um verdadeiro hino...

Fox tinha perguntado se ele pensava em si próprio como um dos santos, mas Heaton apenas tinha esmurrado o ar, berrando os primeiros versos da canção.

A música lá fora parou, mas depois recomeçou. O maldito aparelho estava no modo de repetição. Um punho fechado estava surgindo na noite, saindo da janela do lado do motorista.

Glen Heaton estava cantando com todas as suas forças.

Fox foi para o andar de baixo, as pernas não muito firmes. Parou na porta, fora da sala de estar. Havia coisas que ele poderia fazer, telefonemas que poderia dar. Conseguiu ouvir o baixo e a bateria se unindo à guitarra quando Heaton aumentou o volume mais um ponto. Fox pegou sua jaqueta e saiu, parando apenas por um momento na entrada...

Então saiu, respirando o ar noturno...

Abrindo o portão...

Atravessando a rua...

Heaton ficou observando-o o tempo todo, o punho não mais visível, mas ainda cantando. Quando Fox estava a poucos metros de distância, a música desapareceu. O silêncio era pontuado apenas pelo som regular do motor do Alfa.

"Sabia que uma hora você iria aparecer", disse Heaton.

"O que está fazendo aqui?"

"Você não é o único que pode ficar sentado no carro na frente da casa das pessoas."

"É esse o problema?"

"Você achou que eu não tinha visto? Escondendo-se no escuro, saindo correndo assim que me viu na porta de casa... Mas eu sou maior que você, Fox. Eu vi *você* vindo e ainda estou aqui."

"O que você quer, Heaton?"

"Nunca irá a julgamento — você sabe disso, certo?"

"Você será julgado imparcialmente em um tribunal de justiça e depois irá para a cadeia."

Heaton bufou com força. "Tem gente que não aprende."

"Foi o seu colega Giles quem lhe deu o meu endereço? Talvez você só quisesse dar uma olhada nos machucados."

"Já que você tocou no assunto..." Heaton tombou um pouco a cabeça. "Não que você fosse muito bonito, para início de conversa. Ainda assim, eu preciso pagar uma cerveja para seja lá quem foi o responsável por isso."

"Está dizendo que não foi você?"

Heaton deu um sorriso malicioso. "Pode acreditar, eu não demoraria tanto para assumir a responsabilidade."

"Então você não estava visitando a sauna da sua namorada na noite de terça-feira?" O ânimo de Fox melhorou quando percebeu o efeito que suas palavras tiveram. "Sonya Michie, Heaton — sabemos tudo sobre ela, mesmo que a sua mulher não saiba. E tem também o seu filho..."

A porta do motorista se abriu com violência. Fox recuou, interpondo alguma distância entre Heaton e ele. Ocorreu-lhe que os dois tinham a mesma altura e quem sabe quase o mesmo peso. Havia mais músculos em Heaton — a Divisão de Denúncias o seguira algumas vezes até a academia — e quase certamente mais agressão nele. Mas não eram tão diferentes. Heaton pareceu pensar melhor antes de agir. Em vez disso, começou a acender um cigarro, jogando o fósforo apagado na rua de forma a cair perto dos sapatos de Fox.

"Que tipo de policial", ele disse arrastando as palavras, "sente prazer dando uma de *voyeur*? Remexendo nas latas de lixo... espreitando pelas costas das pessoas."

Fox pensou em cruzar os braços, mas não o fez — precisava estar pronto para o caso de Heaton tentar alguma coisa. "Por que", ele perguntou de volta, "nós nunca ligamos você a Jack Broughton?"

Heaton olhou furioso para ele. "Talvez porque *não haja* ligação."

"Sonya Michie é uma ligação." Fox viu os músculos do rosto de Heaton enrijecerem.

"Cuidado com o que você diz", avisou Heaton. "Além do mais, ela é história antiga."

"Nem tão antiga assim. Há alguns meses você ainda a visitava. Você parou para bater um papo com ela do lado de fora da sauna em Cowgate."

Heaton levou alguns segundos para entender. "O Breck te contou", disse, um tom de escárnio na voz.

"Jack Broughton é uma eminência parda na sauna", Fox continuou. "Mais uma coisinha pra acrescentar à sua ficha. Uma coisinha sobre a qual eles poderão perguntar a você durante o julgamento."

Lentamente, Heaton cruzou os braços, o que significava que não estava prestes a atacar. Fox permitiu que seus ombros relaxassem um pouco. "Eu já te falei — não vai chegar a isso."

"Você já entrou naquela sauna, Heaton? Foi lá que você a conheceu? Talvez tenha trombado com o Jack Broughton lá. Ou talvez tenha sido no bar de striptease na Lothian Road, aquele cujo dono é Bull Wauchope..."

"Nunca cheguei nem perto do lugar." O cigarro ficou no canto da boca enquanto ele falava.

"Mas você já foi ao Oliver?"

"O cassino?" Os olhos de Heaton estreitaram; pode ter sido apenas a fumaça, mas Fox achava que não. "Sim, já andei perdendo algumas libras lá."

"Então você deve conhecer a filha de Broughton — ela é a dona do lugar."

"Ela é interessante", Heaton reconheceu com um movimento da cabeça.

"Alguma vez ela o apresentou ao marido dela?"

"Charlie Brogan? Nunca tive o prazer."

"E Bull Wauchope?"

Heaton fez que não com a cabeça. "E a empresa que é dona da sauna pertence ao pai de Bull, e não a ele."

"Mas daqui para a frente é o Bull quem está no comando", afirmou Fox.

"Pode ser um mandato curto. Ouvi dizer que o pai está gastando uma fortuna com advogados. Eles estão destrinchando o caso original, procurando qualquer coisa que possa levar à anulação por erro de julgamento."

"Então o Bull não tem muito tempo para deixar sua marca..." Fox ficou pensativo.

"O que isso tudo tem a ver com você, Fox?"

"Isso é problema meu."

"Bom, vamos ver se eu consigo adivinhar." Heaton descruzou os braços e tirou o cigarro da boca, batendo a cinza no chão. "O homem da sua irmã é assassinado. Ele trabalhava em um projeto de construção. Esse projeto estava prestes a levar Charlie Brogan à falência." Heaton fez uma pausa. "E você está tentando ligar Brogan a Bull Wauchope."

"A ligação já está lá", Fox afirmou.

"Bull não é um idiota... algumas pessoas acham que é, e isso serve muito bem a ele — significa que elas o subestimam, até o momento em que ele as pulveriza."

"Charlie Brogan o subestimou?"

Heaton sorriu para si mesmo. "Por que eu iria lhe contar qualquer coisa?"

"Dizem que a confissão faz bem à alma." Fox fez uma pausa. "E talvez eu pudesse cuidar para que as anotações sobre Sonya Michie na sua ficha fossem perdidas no sistema."

"Você acha que isso me incomoda tanto assim?" Heaton viu Fox dar de ombros. "Você cruzaria a linha, Fox — seria difícil voltar para a Divisão de Denúncias depois disso."

"De qualquer forma, eu duvido que vá voltar."

Heaton olhou fixamente para ele durante uns quinze segundos. "Quando chegar a hora de o promotor falar com você..."

"Eu posso dizer que erros foram cometidos. Posso, de repente, me lembrar de um ou outro procedimento que não foi seguido..."

"Então eles teriam que arquivar o caso", disse Heaton em voz baixa. "Há dez minutos você estava dizendo que iria para julgamento."

Fox assentiu com a cabeça lentamente.

"O que mudou?"

"Eu", afirmou Fox. "Eu mudei. Veja bem, acabei de decidir neste minuto que *você* não é importante. Você vai fazer alguma cagada no futuro e alguém vai pegá-lo por isso. Por enquanto, você é prioridade baixa. Eu quero respostas para outras perguntas."

Heaton conseguiu dar um sorriso torto. "E como eu sei que você vai fazer realmente isso?"

"Você não sabe."

"Em um caso desses, o promotor pode levar meses ou anos preparando tudo para o julgamento. E durante todo esse tempo eu estou em casa com os pés para cima e o salário entrando na minha conta bancária."

"Mas esse não é você, Glen. Você não foi feito para isso. Você iria ficar maluco."

Heaton ficou pensativo. "Então a situação é: eu não

tenho garantias de que posso confiar em você, você quer algumas informações de mim, e nós dois ainda nos odiamos?"

"De maneira resumida, sim", concordou Fox.

"E você vai me convidar para entrar?" Heaton fez um gesto indicando a casa de Fox.

"Não."

"Nesse caso, entra no carro — meu saco está congelando aqui fora." Heaton não esperou que Fox concordasse. Ele voltou para trás do volante, fechou a porta e levantou o vidro da janela. Fox ficou onde estava por mais alguns segundos, observando Heaton evitar contato visual. Então deu a volta pelo carro e entrou do lado do passageiro. O interior do Alfa cheirava a novo: couro, polimento, tapetes.

"Você não fuma no carro", comentou ele. "É porque a sua mulher não gosta?"

Heaton bufou.

"Então diga a sua parte", insistiu Fox.

"Você está certo a respeito de Bull não ter muito tempo para deixar sua marca. O plano dele era atuar como intermediário para todos os outros chefões. Ele lhes disse que conseguiria lavar o dinheiro sujo deles investindo em imóveis e incorporação de propriedades."

"Foi Jack Broughton que lhe contou isso?", Fox perguntou. Heaton virou a cabeça para ele.

"Charlie Brogan me contou."

"Você disse que não o conhecia."

"Eu menti. Mas eis a questão — agora que você sabe disso, existe muita chance de você terminar como ele."

"Havia um empreiteiro em Dundee..." Fox estava pensando em voz alta. "Depois de perder um pouco do dinheiro de Wauchope, ele apareceu morto. Foi Terry Vass quem o matou?"

As sobrancelhas de Heaton se ergueram um milímetro. "Parece que você sabe uma porrada de coisas."

"Estou chegando lá. Então Brogan e o empreiteiro de

Dundee de repente tinham patrimônio líquido negativo, e Wauchope queria tirar seu dinheiro — porque, na verdade, não era realmente dele. O que Vince Faulkner tem a ver com tudo isso?"

"Você já viu o Charlie Brogan? Ele nunca teve muito *peso*."

"Vince era como um... guarda-costas dele?"

"Essa palavra talvez seja muito forte. Mas quando se vai a uma reunião, é bom ter alguém para cuidar da retaguarda."

Fox levou um momento para refletir sobre aquilo. "Lembra o que aconteceu há alguns meses? Um dos motoristas de Ernie Wishaw foi pego com um carregamento de drogas..."

"Eu lembro."

"O boato que corre é de que você estava passando informações para Wishaw."

"Breck de novo", Glen Heaton disse rapidamente.

"Você é um mercenário, não é? E isso significa que você sabe muita coisa... É por isso que eles precisam proteger você?"

"O que você quer dizer?"

"Desde o momento em que eu passei o seu caso para a Promotoria, apareceram pessoas me seguindo, tentando armar para mim e me assustar."

"Eu não sei nada sobre isso."

"O seu bom amigo Billy Giles não lhe deu nenhuma dica?"

"Eu terminei esta conversa, Fox. Só não se esqueça do que eu disse — do jeito que as coisas estão indo, pode ser que você não esteja por aqui para ver o meu julgamento."

"Não que isso vá acontecer."

"Exatamente." Heaton fez uma pausa. "Agora saia do meu carro, porra."

Fox não se mexeu. "Quando as pessoas falavam em sua defesa, elas diziam que você sempre conseguia resultados. Você faria um favor para um bandido, e esse bandido pagaria a dívida com uma informação sobre um concorrente. É isso o que está acontecendo aqui, Heaton? Alguém mandou você me dar Wauchope?"

Heaton o encarou. "Saia do carro", repetiu.

Fox saiu. A música alta voltou enquanto Heaton acelerava forte o motor antes de sair. Um vizinho espiou por trás das cortinas da sala de visitas. Fox não se incomodou em pedir desculpas. Qual seria a razão? Enfiou as mãos nos bolsos e voltou para dentro de casa.

SÁBADO,

21 DE FEVEREIRO DE 2009

27

"O que o faz pensar que pode confiar nele?", perguntou Jamie Breck.

"Você acha que ele estava mentindo?"

Fox e Breck estavam conversando sobre Glen Heaton. Estavam sentados no Volvo de Fox. Eram oito horas da manhã. Sem dúvida já amanhecia mais cedo à medida que a primavera começava a se revelar. Breck não respondeu à pergunta de Fox: provavelmente porque não tinha uma resposta. Ele segurava um copo de papelão com café com ambas as mãos. Era de uma padaria e agora estava morno e fraco. Fox já tinha esvaziado o seu pela janela do motorista. Eles estavam estacionados perto de um par de portões de ferro, esperando que abrissem.

"Vinte minutos", Breck murmurou, olhando para o relógio.

"Você reparou que a molecada não usa mais relógio?"

"O quê?", Breck virou a cabeça para ele.

"Eles usam o celular — é assim que ficam sabendo a hora."

"Do que você está falando?"

"Só jogando conversa fora. Como estava o *carpaccio* ontem à noite?"

"Ótimo — Tom é um grande *chef.*"

"Você se desculpou com a Annabel pela minha ligação?"

"Ela perdoa você, e eu ainda não acho que você possa confiar em Glen Heaton."

"Quem disse que eu ia confiar nele? Alguém o está

usando para nos passar uma mensagem. O que vamos fazer é decisão nossa."

"Você já pensou em tudo?" Breck olhou para Fox, mas então algo lhe chamou a atenção. "Espera um pouco... que barulho é esse?"

Era o som de um motor, acompanhado pelo rangido de uma grade de metal que se abria lentamente. Fox desligou o carro e esperou. A Mansão CB possuía uma garagem subterrânea, e um dos moradores estava prestes a sair. De seu ponto de observação, Fox só conseguia ver alguns centímetros da grade que protegia o pequeno aclive que levava à garagem, mas ela estava de fato se abrindo. E agora conseguia distinguir o ronco suave do motor do carro.

"Porsche", disse Breck. "Aposto o quanto você quiser."

Sim, era um Porsche prateado, dirigido por um homem que realmente não precisava dos óculos escuros que estava usando. Estava claro ali fora, mas o sol ainda não havia saído. Os portões pareceram estremecer, então começaram a se abrir para dentro devagar. O Porsche teve que esperar, embora parecesse impaciente. Assim que a abertura permitiu, ele saiu rápido, passando pelo carro de Fox. Fox entrou com o carro e parou na porta da frente, no mesmo local de sua visita anterior. Estava fora do carro antes que os portões começassem a fechar novamente.

"Você o reconheceu?", perguntou Breck.

"O motorista?" Fox fez que sim com a cabeça. "Gordon Lovatt."

"Um pouco cedo para uma reunião de relações públicas, não é?"

Fox concordou que era. Estava em pé ao lado do interfone, o dedo apertado na campainha da cobertura. Havia uma pequena câmera o observando, e ele olhou fixamente para a lente.

"O que você quer?", perguntou uma voz saída do pequeno alto-falante.

"Só uma rápida palavrinha, senhora Broughton."

"Sobre o quê?"

"Sobre o senhor Brogan. Temos novidades."

"Eu ainda não estou vestida."

"Pensei que a senhora estivesse acostumada a realizar reuniões de camisola."

"O que você quer dizer com isso?"

"Eu poderia jurar que acabei de ver o Porsche de Gordon Lovatt..."

À medida que o silêncio se estendeu, Fox e Breck se entreolharam. Breck estava assobiando, mas sem fazer nenhum som.

"Não dá mesmo para esperar?" A voz de Joanna Broughton estalou no alto-falante de metal.

"Não dá mesmo", confirmou Fox.

A porta produziu um zumbido forte, como se estivesse irritada. Fox a empurrou e ela abriu.

O saguão estava deserto. Fox foi na frente até o elevador particular do tríplex e apertou o botão. O elevador chegou e os dois entraram. Fox apertou o botão, e o indicador com a letra C acendeu e as portas começara a fechar. Fox se lembrou do encontro com Jack Broughton e Gordon Lovatt em sua visita anterior. Eles tinham entrado sem que ninguém tivesse aberto os portões para eles. Naquele momento, Fox tinha achado que Jack Broughton devia possuir um dos pequenos controles remotos — dado a ele pela filhinha do coração —, mas agora começava a duvidar daquilo.

Quando chegaram ao andar de Joanna Broughton, a porta do apartamento já estava aberta. Joanna Broughton estava completamente vestida, o cabelo e a maquiagem impecáveis.

"Foi rápida", comentou Fox.

"O que é que vocês querem me contar?", ela perguntou. Parecia com pressa, mas isso não era problema de Fox.

"Conhece o sargento-detetive Breck?", ele perguntou a título de apresentação, enquanto Breck fechava a porta. Breck acenou a mão em cumprimento, sem olhar diretamente para ela. Ele estava ocupado demais examinando a vista.

"Legal", disse. "Muito legal."

"É seu por três milhões", disse ela rispidamente, cruzando os braços e pondo um pé na frente do outro, pronta para o combate.

"Imagino que o senhor Brogan *venderia* também", disse Fox, colocando as mãos nos bolsos. "Mas o mercado está contra ele, e ainda assim seria uma gota no oceano." Fez uma pausa, olhando bem nos olhos de Broughton. "Quanto ele tem que devolver para eles, Joanna?"

"Eu não sei do que você está falando."

"Bull Wauchope e sua organização", Fox a informou. "Eu e o detetive Breck já tentamos calcular. Pode ser qualquer valor entre dez e cem milhões. A CBBJ é dona de muito mais bens imobiliários do que nós dois imaginamos. Uma jornalista andou fazendo uma pesquisa. Bangalôs de caça nas Highlands em terrenos de milhares de acres... algumas ilhas... terrenos em Dubai... uma dúzia de apartamentos em locais privilegiados em Londres, Bristol e Cardiff... Todos comprados no auge da prosperidade econômica, prosperidade que ninguém pensou que viria a desaparecer. Ele estava no meio do processo de estabelecer uma empresa nas Bermudas, não estava? Isso foi mais uma coisa que a jornalista descobriu. Logo tudo estaria fora do país e um pouco mais secreto. Mas então todo mundo ficou nervoso e quis o dinheiro de volta. E tinha que ser do mesmo jeito que eles lhe deram para lavar, dinheiro vivo."

Durante esse discurso, o rosto de Joanna Broughton não demonstrou a menor emoção. Ela quase não piscou. Mas quando Fox fez uma pausa, ela se virou, andou até um dos sofás de couro creme e acomodou-se nele, garantindo que sua saia que chegava aos joelhos não revelasse nada que ela não quisesse.

"Você disse que tinha novidades", disse ela com frieza. "Ainda não escutei nenhuma."

"O que Gordon Lovatt estava fazendo aqui?"

Ela olhou furiosa para ele. "A polícia está vazando como uma peneira — principalmente para essa repórter que

você mencionou. Gordon está preparando uma resposta."
Ela fez uma pausa. "Eu diria que *você* andou falando com
ela também... pondo veneno no ouvido dela..."

"Isso é de *Hamlet*, não é?", disse Breck, as mãos nas
costas, fingindo ainda estar interessado na paisagem.

"Naquela vez em que eu a trouxe até aqui", Fox começou a falar, recobrando a atenção dela, "quando eu o
mencionei, o nome de Vince Faulkner não pareceu significar nada para você."

"Por que deveria?"

"Seu marido o usou em algumas ocasiões — especificamente ocasiões nas quais temia que pudesse sofrer alguma ameaça física."

"Eu não sei sobre o que você está falando."

"E quanto ao nome Terry Vass?"

Ela estava negando com a cabeça, recusando-se a olhar
para os olhos dele.

"Estou achando que já era um pouco tarde quando
o senhor Brogan resolveu lhe contar o que estava acontecendo. Também aposto que você está furiosa com ele
por isso. Não seria bom para o seu pai descobrir o tipo de
idiota a quem você se ligou." A voz de Fox se abrandou
um pouco. "Mas Charlie precisava da sua ajuda, Joanna, e
você o ajudou, furiosa ou não. Aquele telefone que você
mantém a seu lado, aquele que você disse que veio do
barco... você mentiu para nós sobre isso. Sua história está
cheia de furos, e eu acho que vocês dois estão afundando..."

Os olhos dela estavam ficando brilhantes com lágrimas, mas ela virou a cabeça para cima como se para pren-
dê-las ali.

"Nós precisamos falar com ele", Fox continuou, medindo as palavras. "Ele não enganou os investigadores e
eu duvido muito se teve mais sorte com Bull Wauchope.
Criminosos por todo o país vão estar à procura dele. Há
uma boa chance de eles o encontrarem antes de nós — e
eu acho que você sabe o que isso significa. Eu não acho
que ele tenha tido muito tempo para planejar. Ele viu o que

aconteceu a Vince Faulkner e entendeu que precisa fazer algo rápido." Fox apontou para as paredes vazias. "Por outro lado, ele vendeu algumas das preciosidades da família. Acho que uma parte do dinheiro foi uma tentativa de segurar Wauchope. O resto seria para usar agora e no futuro." Fox fez uma pausa novamente, mas não houve reação da figura no sofá. Todo o corpo dela parecia congelado e era como se estivesse posando para uma pintura a óleo.

"Ele está no país?", Fox perguntou a ela. "Meu palpite é que está — seria muito difícil não deixar uma trilha, caso tivesse saído. Ele poderia até mesmo estar em um dos apartamentos nos andares de baixo... subindo escondido aqui à noite... vivendo como um eremita durante o dia..."

"Quero que vocês vão embora."

"Se você se importa com ele, vai conversar com ele sobre isso. Nós não somos amigos dele, Joanna, mas somos, de longe, a melhor chance que ele tem. O que você contou ao seu pai? Você nem sequer pensou em pedir ajuda a ele?" Os olhos dela se fixaram furiosos nos dele. "Provavelmente não", ele continuou. "Porque você pode cuidar de si mesma, e, de qualquer forma, Jack nunca botou muita fé no seu marido... é assim que funciona com pais e filhas." Fox deu de ombros.

"Saiam", ela repetiu, com rancor renovado.

Fox estava segurando um de seus cartões com as pontas do indicador e do polegar. "Meu novo número está atrás", explicou, colocando-o no braço do sofá. "Nós descobrimos", ele lembrou a ela. "Wauchope vai descobrir — e ele *virá* perguntar, Joanna."

"Meu pai pode dar um jeito nisso. Ele pode dar um jeito em *você* também!"

Fox balançou a cabeça devagar. "Jack está cansado — dá para ver nos olhos dele, na maneira como anda. Eu sei que você ainda o respeita, mas isso é porque você se lembra do jeito como ele era. Talvez você até tivesse um pouco de medo dele. Mas tudo isso mudou. Pense a respeito — se Charlie tivesse medo dele, nunca teria se envolvido com Wauchope e os outros. Teria saído correndo, com medo de ofender o famoso Jack Broughton." Fox inclinou o corpo um pouco, para melhor manter o contato visual. "Algumas das coisas que Wauchope possui em Edimburgo... meu palpite é que faziam parte do império de seu pai. Ele andou deixando Wauchope comprá-las porque sabe qual pode ser o futuro. Hoje em dia, Jack não é nada mais do que um acionista minoritário. E Wauchope sabe ver onde estão os pontos fracos. Bull quer o seu marido, Joanna, e eu não tenho certeza de que você pode impedir isso sozinha."

Dessa vez, Joanna Broughton não conseguiu reter as lágrimas. Ela as enxugou com a manga da blusa, manchando os dois lados do rosto com rímel.

"Vão", disse ela, a voz um pouco acima de um sussurro.

"Você vai conversar com o Charlie?"

"Eu só quero que vocês vão embora, está bem?" Ela colocou os ombros para trás e encheu os pulmões de oxigênio. "*Saiam daqui!*", ela gritou. "*Eu quero vocês fora daqui!*"

"Meu cartão está aqui para quando você precisar", lembrou Fox.

"Fora."

"Já estamos indo."

Descendo pelo elevador, Breck acenou com a cabeça sua apreciação pelo desempenho do parceiro.

"Não vi nenhuma falha", ele comentou. Fox deu de ombros diante do elogio.

"Vamos ver se isso nos leva a algum lugar", disse ele, cauteloso.

Lá fora, um enorme BMW preto com janelas com *insulfilm* estava sendo estacionado ao lado do Volvo. Quando o motorista saiu, Fox o reconheceu.

"Senhor Broughton, não é?", perguntou ele.

Jack Broughton olhou para a mão estendida, mas decidiu não apertá-la.

"O senhor provavelmente não me reconhece", Fox continuou. "Eu estava em péssimo estado na última vez em que nos encontramos."

"Você é aquele policial... você já esteve aqui antes."

Fox fez que sim com a cabeça. "Mas eu também fui atacado certa noite em Cowgate..."

Os olhos de Broughton estreitaram-se enquanto ele reavaliava Fox. "Espero que você não esteja aborrecendo Joanna."

"Longe de mim. Aquela sauna em Cowgate... o senhor era o dono, não é?"

"Eu era o dono do prédio — o que acontecia lá dentro não é da conta de ninguém, desde que não fosse ilegal."

"Com os Wauchope no comando, não há muita esperança de isso acontecer."

Jack Broughton levou alguns instantes para decidir não comentar. "Eu vou levar minha filha para tomar o café da manhã", disse ele, começando a andar em direção à entrada. Quando estava ao lado de Fox, ele parou. "Mas vou lhe contar um segredinho... Eu *vi* alguma coisa naquela noite. Havia dois deles. Eu só os vi por trás, mas... bom, com o passar do tempo, a gente desenvolve certa intuição para essas coisas."

"Que tipo de intuição?"

"Eles eram policiais — e que se danem por isso."

Ele usou sua própria chave para entrar no prédio. Fox ficou olhando para a porta. *Dois deles...* Claro, um para se ajoelhar nas costas dele e outro para chutar-lhe o queixo. Dois policiais.

"Ele só está tentando provocar você", comentou Jamie Breck. Fox se virou para ele.

"Você acha?" Fox não tinha tanta certeza. Breck estava olhando para o relógio.

"Preciso ir para Fettes, para minha entrevista com Stoddart..."

"Eu levo você." Fox destrancou o Volvo e entrou, pondo o cinto de segurança, mas então ficou sentado, as mãos no volante.

"A hora que você quiser", incentivou Breck.

"Claro." Fox deu a partida e posicionou o carro diante dos portões que já tinham começado a se abrir para dentro.

"Você não está levando aquele velho desgraçado a sério, não é?", disse Breck.

"Claro que não, mas me faça um favor, pode ser?"

"O quê?"

"Ligue para Annabel e lhe pergunte uma coisa."

Breck procurou o telefone no bolso. "O que você quer saber?"

"As equipes que estavam destribuindo os folhetos sobre Vince Faulkner na terça-feira à noite..."

"Você *está* levando o velho a sério."

"Dois policiais, Jamie... um deles doido para dar o troco..."

Breck acabou conseguindo a informação. "Dickson e Hall", afirmou ele.

"Dickson e Hall", repetiu Malcolm Fox.

Já era de tarde quando a mensagem chegou ao celular de Fox. Breck fora encontrar Annabel para um café. Havia alguns pedidos de desculpas a serem feitos. Eles tinham planejado passar a noite de sábado em Amsterdam, voando de volta na noite do domingo, e agora Breck estava cancelando o passeio. Fox lhe dissera que não fizesse isso, mas Breck fora irredutível.

"Eu tenho que estar por perto para quando tudo acontecer", explicou.

"E se *não* houver um 'tudo'?", retrucara Fox.

Mas agora lá estava a mensagem — "Waverley 19 h compre bilhete p/ Dundee e espere na WH Smith". Não havia nome, e quando Fox ligou para o número não houve resposta. Mas ele sabia mesmo assim. Andou de um lado para o outro na sala de estar por alguns minutos, e então ligou para Jamie Breck.

"Você ainda está com Annabel?", perguntou.

"Ela foi ao banheiro. Acho que ela está começando a me odiar, Malcolm."

"Você pode compensar mais tarde. Como foi com a Stoddart?"

"Como você desconfiava, acho que foi mais para mostrar aos colegas do que qualquer outra coisa."

"Algum deles teve a ideia de perguntar a você sobre o pequeno passeio que demos com a chefe deles?"

"Ela não lhes deu chance para isso — me acompanhou na entrada e na saída; não saiu da sala nem por um segundo."

"Isso é bom..."

Breck sabia dizer pelo tom de voz dele que alguma coisa havia acontecido. "Conte", incentivou.

"Temos um encontro. Sete da noite na estação Waverley. Ele quer que compremos bilhetes para Dundee."

"Dundee? Eu estou deixando alguma coisa escapar ou esse é o último lugar do planeta onde ele se esconderia?"

"Tem muitas paradas no caminho até lá." Fox entendeu o silêncio de Breck como se concordasse com a opinião. Assim que comprarmos os bilhetes, ele quer que esperemos perto da livraria."

"Por quê?"

"Não sei."

"Você não perguntou?"

"Era uma mensagem de texto."

"Você tentou ligar de volta?"

"Ninguém atendeu."

"Deveríamos dar o número para alguém... pedir para rastrear... Será que podemos ao menos ter certeza que é dele? Ele deu o nome?"

"Não."

"Então talvez não seja."

"Não sei."

"A Annabel está voltando", disse Breck.

"Você deveria levá-la para sair esta noite..."

"Você não se livra de mim assim tão fácil. Vejo você lá às sete."

O telefone ficou mudo. Fox o recolocou no bolso e esfregou as têmporas. Tirou um livro de uma das pilhas e o arrumou na prateleira preenchida pela metade.

"Já é um começo", disse a si mesmo.

Ele pegou um táxi até a estação. A conversa do motorista girou em torno das obras dos bondes e os desvios no tráfego. "Veja o que faz o conselho", ele diria em um momento e "Veja o que faz o governo", no momento seguinte. "E não comento nada sobre os bancos..."

Fox não teve a intenção de fazê-lo falar; o grande problema era fazê-lo parar. Fox estava tentando se imaginar em um papel. Ele era uma pessoa que viajava todos os dias para ir ao trabalho, voltando para casa depois de um dia cansativo. Talvez trabalhasse aos sábados; talvez estivesse fazendo compras. Ele sairia do táxi, iria até a bilheteria e compraria uma passagem. O motorista até mesmo havia perguntado — "Está indo para casa?" — sem parecer interessado em alguma resposta.

"Eu não o culparia por emigrar, meu chapa... o país inteiro está uma confusão..."

O carro se aproximou da estação e parou em uma área de desembarque. Fox pagou o motorista, acrescentando uma gorjeta. O homem estava lhe desejando um bom fim de semana quando Fox fechou a porta. Eram seis e quarenta pelo relógio da estação. Tinha muito tempo. O movimento do final do horário de compras havia diminuído um pouco, embora o saguão principal ainda estivesse cheio. Era óbvio que um trem tinha chegado de Londres. Havia uma fila comprida no ponto de táxi. Sentiu pena de qualquer turista ou viajante que pegasse o motorista que ele tinha acabado de deixar. A bilheteria tinha outra fila, mas havia máquinas de autoatendimento. Fox usou seu cartão de débito e comprou dois bilhetes de ida e volta.

Você está deixando uma trilha, ele avisou a si mesmo. Mas, se as coisas ficassem ruins, isso poderia ser uma vantagem — daria aos policiais que fossem procurar por ele algo com que trabalhar. Passou pelo boxe de café, pelo bar e pelo Burger King, e então foi na direção das plataformas. Havia pessoas descansando com as costas apoiadas em uma vitrine da wh Smith. O lugar estava com um bom movimento, e Fox gastou alguns minutos olhando os diversos livros e revistas. Mesmo assim, ainda faltavam sete minutos para a hora.

"Alô, tira", disse uma voz alta atrás dele. Fox virou o corpo. Era Jamie Breck sorrindo.

"Precisa melhorar seu sexto sentido, Malcolm", disse ele. "Eu estava aqui já faz um tempo." Breck mostrou um bilhete. "Comprei isto para você."

Em resposta, Fox mostrou seu próprio bilhete. "Eu também." E em seguida: "Há quanto tempo você chegou?".

"Há meia hora — decidi dar uma olhada no lugar e vi você fazendo a mesma coisa."

"Estou me perguntando se ele quer realmente nos encontrar aqui."

"É um pouco público", replicou Breck, a voz cheia de dúvida. "Ficamos um pouquinho *expostos*." Ele pareceu se lembrar de alguma coisa. "Sabe aquilo que você disse? Sobre ele talvez estar morando embaixo da cobertura...?"

Fox balançou a cabeça. "Isso poria Joanna na linha de fogo."

"E ela já não está? Quando ele se mandou, por que *ela* ficou para trás?"

"Ela tem um cassino para administrar, Jamie. Além disso, se os dois tivessem resolvido fugir, Wauchope teria caído em cima deles mais rapidamente."

Breck concordou com um movimento da cabeça. "Como é que eu estou subindo na carreira mais rápido quando você é um policial melhor?"

Fox deu de ombros. "Quem sabe você subornou alguém..."

Breck riu com desprezo e comparou seu relógio com o grande relógio digital que estava acima do quadro de partidas e chegadas. "Tem um trem para Dundee, sai às sete em ponto. Se perdermos esse, o próximo sai só às sete e meia. O que você acha?"

"Talvez a gente entre no trem que ele nos falou para pegar e ele suba em alguma outra estação mais para a frente."

Breck fez que sim com a cabeça lentamente. "Ou?"

"Ou ele nos encontra aqui. Mas você mesmo disse — é arriscado."

"Ou estamos sendo conduzidos", sugeriu Breck.

Fox torceu a boca. "Annabel ficou bem, no final das contas?"

"Jantar no meio da semana no Prestonfield House, e Amsterdam na próxima folga que ela tiver."

"Ela é uma negociadora nata."

"Eu achei melhor ceder logo de cara. A propósito, você estava certo..."

"Dickson e Hall?"

Breck fez que sim com a cabeça de novo. "Entregando folhetos na noite em que você foi atacado. Algum plano para um ataque de vingança?" Breck viu Fox negar com a cabeça e então verificou o relógio da estação de novo. "Passou das sete."

"Sim."

"E aqui estamos nós, parados em pé do lado de fora da WH Smith."

"Disso eu não posso discordar."

"E nada está acontecendo." Breck ficou mexendo os pés. Fox estava estudando o desfile de viajantes que passavam. Era óbvio que alguns deles tinham bebido; talvez um ou dois tivessem assistido a algum jogo de futebol. Tagarelavam o tempo todo com seus amigos. Era a noite de sábado e as pessoas de fora da cidade estavam chegando com um único objetivo em mente. Fox chegou até a ouvir o nome do Rondo mencionado como possível destino para mais tarde.

Breck estava olhando para seu próprio relógio. "Relaxa", Fox aconselhou.

"Você está tomando alguma coisa?", perguntou Breck. "Não me diga que você não está preocupado."

"Está tudo dançando por dentro de mim", Fox reconheceu.

Mais pessoas passaram por eles, algumas quase correndo para pegar este ou aquele trem das sete horas — alguns deles estavam atrasados. Isso foi anunciado pelo sistema de alto-falantes. Fox só conseguiu entender a essência do que foi dito.

"Ele está atrasado", afirmou. Breck simplesmente confirmou com a cabeça. O telefone na mão de Fox começou a tocar. Ele olhou o mostrador: o mesmo número de onde viera a mensagem, mas dessa vez era realmente uma chamada. Pôs o telefone no ouvido e respondeu. "Sim?"

A voz era extraordinariamente grossa. Tinha que ser falsa — alguém estava inventando. "Saia pelos fundos. Espere no semáforo da rua Market." O telefone ficou mudo.

"Mensagem recebida e entendida", Fox murmurou. Em seguida, para Breck: "Vamos."

"Aonde nós vamos?"

"Ele nos quer na Market." Fox atravessou o saguão, rumando para as escadas.

"Por quê?"

"Porque ele assistiu várias vezes aos filmes da série *Bourne*."

"Você reconheceu a voz?"

"Eu nunca falei com ele."

"Então talvez *não* seja ele."

"Se isto fosse Quidnunc e não a vida real, como você jogaria?"

"Eu faria alianças."

Fox olhou para ele. "Não temos muito tempo para isso."

"Além disso, quem é que iria ficar do nosso lado?", acrescentou Breck.

"Boa pergunta..." Quando chegaram ao topo da passarela, Fox teve que parar para recuperar o fôlego. "Imagine como eu seria se fumasse", conseguiu dizer.

"Três quilos mais magro?", respondeu Breck. E em seguida: "O que a gente vai fazer quando chegar lá?".

"Vamos aguardar novas instruções."

Breck olhou para ele. "Diga que ele não usou essas palavras."

Fox fez que não com a cabeça e começou a andar novamente. Mais um lance de escadas e eles saíram na calçada. Havia um semáforo à direita. Fox olhou ao redor, procurando seu carrasco. O City Art Centre estava às escuras. As pessoas passavam apressadas, de cabeça baixa. A North Bridge estava acima da cabeça deles, à esquerda, os ônibus enfileirados esperando o semáforo da rua Princes abrir.

Breck estava olhando para os bilhetes de trem. "Espero que ele nos reembolse", disse.

"Acho que estamos bem no fim desta fila, Jamie."

"Você deve está certo."

O telefone de Fox tocou de novo. Ele pôs o aparelho no ouvido. A voz tinha mudado, incapaz de manter o tom anterior.

"Atravesse a rua e vá na direção da Jeffrey. Assim que passar a ponte, procure uma igreja." A ligação foi encerrada. Fox virou-se para Breck.

"Acho que vamos confessar os nossos pecados", disse ele, preparando-se para atravessar na frente do semáforo. Fox não imaginava que nenhuma igreja estivesse aberta a visitantes na noite de sábado, então quando chegaram à porta da Old St Paul's ele ficou parado ali, olhando para a direita e para a esquerda. Ele verificou se ainda tinha sinal em seu celular — Edimburgo era cheia de áreas sem cobertura.

"E agora?", perguntou Breck. "Esperamos mais um pouco?"

"Esperamos mais um pouco", concordou Fox.

"Seja lá o que acontecer, esse sujeito vai levar um tapão meu." Breck fez uma pausa. "Você acha que ele está nos observando?"

"Talvez."

Breck olhou de um lado para o outro da rua. "Não tem muitos candidatos", concluiu. Ali o silêncio era maior que na Market. Havia um ônibus estacionado na frente do Jurys Inn, mas nenhum sinal de seus passageiros. "Será que ele está hospedado ali?"

"Talvez."

Breck xingou em voz baixa, enquanto Fox estudava a parede da igreja. Havia algumas placas, uma delas indicando que a Old St Paul's pertencia à Igreja Episcopal da Escócia, a outra dando um gostinho de sua história. A igreja fora fundada em 1689 e fora um refúgio dos jacobitas no século XVIII. Ela se declarava um lugar "para todos os que buscam a fé".

"Amém", Fox murmurou em voz baixa quando o telefone voltou a tocar. Ele o pôs no ouvido e já tinha dito um conciso "Sim?" quando percebeu que era uma mensagem. Havia apenas uma palavra em letras maiúsculas:

DENTRO.

Mostrou o visor para Breck, e Breck estendeu a mão para virar a maçaneta. Com o mais leve dos empurrões, a porta se abriu para dentro. Havia um lance de degraus de pedra. Fox usou o corrimão ao subir. Quando chegou ao topo viu que estava em uma igreja muito maior do que seu exterior tinha sugerido. Havia pinturas de aparência moderna em uma das extremidades, um púlpito e um altar na outra, com uma capela na lateral. Um jovem varria entre os bancos. Não prestou a menor atenção neles, muito embora Breck olhasse fixamente para ele. Mas a atenção de Fox tinha desviado para a capela iluminada. Um enorme quadro cobria a maior parte de uma das paredes. Algumas cadeiras dobráveis tinham sido colocadas na frente dele. Fox sentou-se em uma delas e viu que a pintura era composta por quatro telas quadradas, arrumadas juntas para formar um enorme turbilhão de material branco. Será que era um manto ou uma mortalha? Não saberia dizer, mas estava hipnotizado por ele.

"É ele?", Breck estava sussurrando. Referia-se ao homem que varria o chão.

"Jovem demais", afirmou Fox.

"Isto é uma idiotice." Breck passou os dedos pelo cabelo.

"Sente-se", sugeriu Fox. "Desanuvie."

Breck não pareceu convencido, mas sentou-se mesmo assim.

"Um dos quadros que Brogan vendeu", disse Fox em voz baixa, "parecia um pouco com este aqui, só que era menor." Ele estava se lembrando da foto do interior da cobertura que fora publicada no jornal.

"É por isso que ele nos trouxe aqui?"

Fox apenas deu de ombros e deixou seu olhar passear pela pintura. Alguém estava subindo os degraus. Os passos soaram como uma lixa sobre o chão. Breck se virou para olhar. Os passos ficaram mais silenciosos ao entrar na capela. Breck tinha se levantado, cutucando Fox com o cotovelo, mas Fox continuou a estudar o quadro. O recém-chegado passou na frente dele e sentou-se na cadeira ao lado.

"O nome da artista é Alison Watt", disse Charlie Brogan. "Eu conheço um pouco de arte, inspetor."

"Deve ter sido uma tristeza ter que vender tudo..." Fox virou a cabeça e viu-se olhando para o homem que se afogara. Brogan tirara o chapéu de lenhador, revelando que seu cabelo já ralo fora completamente raspado.

"Foi a patroa quem fez isso?", perguntou Fox.

Brogan passou a mão pelo crânio. Usava luvas de lã preta sem os dedos. Parecia ter perdido peso e sua pele estava pálida. Ele parou de esfregar a cabeça e puxou lentamente os dedos para baixo, passando-os ao redor do queixo. Não se barbeava havia algum tempo. A jaqueta preta comum poderia ter sido emprestada de algum dos canteiros de obra que conhecia. As calças de brim já tinham visto dias melhores, e o mesmo se podia dizer das botas gastas. Como disfarce, não era mau.

Mas também não era tão bom assim.

"Vocês não foram seguidos", disse Brogan. "E não trouxeram a cavalaria com vocês."

"Como é que não o vimos lá na estação?"

"Eu estava na passarela suspensa. Quando liguei para você e vi a sua resposta, eu soube que vocês eram os meus caras."

"A não ser pelo fato de que nós *não* somos os seus caras", Breck o corrigiu.

Brogan simplesmente deu de ombros. Fox virou um pouco a cabeça e fixou o olhar sobre ele. "O que aconteceu a Vince Faulkner?", perguntou.

Brogan ficou em silêncio por um momento. Voltou sua atenção para o quadro. "Eu lamento que aquilo tenha acontecido", disse ele por fim.

"Você o mandou para um encontro com Terry Vass, não é?"

Brogan fez que sim com a cabeça lentamente.

"E Vass decidiu lhe mandar uma mensagem", afirmou Fox.

"Se eu tivesse ido à sauna..." A voz de Brogan desapareceu no meio da frase.

"Foi isso o que aconteceu, não é? Vass estava esperando você, mas em vez disso foi Vince quem apareceu?" Pela primeira vez Fox sentiu um pouco de pesar pelo destino de Faulkner. Brogan descobrira sobre o passado violento de Vince e pensou que podia usá-lo como "soldado". Vince teria adorado desempenhar esse papel. Talvez ele tivesse provocado Terry Vass, talvez não. Mas ele havia morrido de uma forma horrível.

"Você sabia pela ficha de contratação de Vince que ele tinha antecedentes", Fox continuou. "Você poderia ter ido até Jack Broughton para pedir alguns seguranças, mas queria ser independente, e foi por isso que optou por Vince. Ele foi falar com você no sábado à noite. Tinha acabado de bater na namorada e estava com raiva e envergonhado, bebendo para tentar esquecer o que havia feito. O barman no cassino diz que ele nunca deveria ter passado da porta — o que me faz pensar que você preveniu os leões de chácara para a chegada dele..." Fox fez uma pausa. "Você precisava que ele fosse encontrar Vass, para que ele apanhasse no seu lugar. Para você era perfeito o fato de ele estar bêbado demais para recusar." Havia um gosto amargo no fundo da garganta de Fox. Ele tentou engolir aquilo.

"Eu estava desesperado", murmurou Brogan.

"O taxista que o deixou perto da sauna diz que ele quase mudou de ideia a respeito de ir — ele estava ficando sóbrio rapidamente e estava assustado."

"Então ele não deveria ter posado de durão." Brogan conseguiu dar uma rápida olhada na direção de seu torturador.

Fox estava pensando novamente em Vince Faulkner. Com seu monte de dinheiro escondido em casa, o pagamento por antigos serviços prestados...

"Ele foi morto na sauna?", interrompeu Brogan. "Talvez o pessoal da Polícia Científica possa dar uma olhada."

Mas Brogan balançou a cabeça em negativa. "Eles o levaram para algum outro lugar... mantiveram-no lá."

"Como você sabe?" Fox estava dando toda sua atenção para Brogan. Ele viu o homem engolir em seco antes de responder.

"Eles me ligaram. Puseram Vince no telefone..." Ele apertou os olhos com força, tentando bloquear a lembrança. "Eu nunca mais quero ouvir nada como aquilo novamente."

"Talvez você ouça", disse Fox. "Quando eles forem atrás de Joanna."

Brogan abriu os olhos e olhou furioso para Fox. "Eu mato aqueles caras", disse com raiva. "Eles sabem disso."

"Talvez."

"E se eu não matar, o Jack mata."

"Tudo isso só tem a ver com o Jack, não é?", perguntou Fox. "Você estava fazendo uma coisa que achava que poderia impressionar seu sogro — brincando de lavador de dinheiro para os grandalhões. Não estou dizendo que Jack Broughton soubesse, mas você estava pensando que talvez um dia ele viria a saber e começaria a respeitar você um pouquinho mais."

O rosto de Brogan endureceu, e Fox sabia que tinha atingido um nervo.

"Mas eis a questão, Charlie", Fox continuou. "Quando eles forem atrás de Joanna — e eles *irão* atrás dela —, o Jack não irá atrás deles." Fox fez uma pausa. "Ele vai começar a caçar *você*. É você quem ele vai culpar."

Brogan pareceu avaliar aquilo. "Eu estou em um inferno", disse com voz fraca, os olhos novamente sobre a pintura.

"É por isso que você está aqui", disse Fox. "Você sabe que somos a sua única chance."

"O que vocês podem fazer?" Brogan estava curvando a cabeça, como se rezasse.

"Eu não sei."

Com a cabeça ainda abaixada, Brogan a virou de maneira a poder olhar para o rosto de Fox.

"Eu realmente não sei", disse Fox, dando de ombros. Em seguida, para Breck: "Você tem alguma ideia?".

"Uma ou duas", respondeu Breck depois de um momento de reflexão.

"Tudo bem então", disse Fox. "Mas Charlie... você vai ter que nos contar tudo. E isso tem que ser feito da maneira adequada."

Brogan pensou naquilo. "Eu realmente pensei que ia dar certo", murmurou para si mesmo por fim.

Fox bufou. "O corpo de Vince foi encontrado na tarde de terça-feira; algumas horas mais tarde você está repentinamente verificando seu testamento com seu advogado, e na quinta-feira você está supostamente morto?" Balançou a cabeça devagar. "Não, Charlie, nunca iria dar certo."

"Mas o detalhe dos sapatos foi um toque interessante", admitiu Breck. "Deixados boiando na água daquele jeito..."

"Foi ideia da Joanna."

"E ela também o ajudou a vir para a praia?", adivinhou Fox. "Com um bote, é?"

"Eu nadei." Brogan esvaziou um pouco o ar dos pulmões. "Houve um tempo em que eu poderia nadar por todo o estuário..."

"Bom para você", disse Breck.

Fox tinha pensado em outra coisa. "O dinheiro dos quadros... foi para você se manter, certo? Wauchope descobriu que você estava segurando esse dinheiro? Foi isso que finalmente fez com que ele perdesse a cabeça?"

"Homens como Bull Wauchope já perderam a cabeça há muito tempo."

"Você conhece Glen Heaton, não conhece? Quando eu comecei a me intrometer, você mandou Joanna falar com ele? Ela disse a ele para me passar as informações sobre Bull Wauchope?"

Brogan deu um sorriso resignado. "Você mesmo disse, inspetor — você é a última carta que eu tenho nessa mão horrível que recebi..."

Eles ouviram o som de alguém pigarreando ali perto. Os três se viraram, esperando encrenca, mas era apenas o faxineiro.

"Desculpem", disse o homem, "mas tenho que fechar agora. Mas eu não os culpo por querer ficar." Ele acenou com a cabeça na direção do quadro. "É grandioso, não é? Tão parecido com a realidade..."

"Parecido com a realidade", concordou Fox. Mas era uma mortalha, e que o fez lembrar o cadáver gelado de Vince Faulkner, deitado na escuridão da gaveta de um necrotério. Tudo porque o homem de cabeça raspada estava olhando para aquela pintura pela última vez.

Tudo porque Charlie Brogan tinha alguma coisa para provar ao mundo.

Foi Annabel Cartwright quem os encontrou em Tor-

449

phichen. Ela já havia verificado que Billy Giles e sua equipe tinham ido embora. Havia um sargento na recepção, mas ele estava ao telefone quando chegaram. Cartwright os conduziu pelo corredor até a sala de entrevistas. Ela trouxera fitas para câmera de vídeo e para o gravador. Assim que tudo estava montado, Fox mencionou que seria melhor para todos os envolvidos se ela saísse. Ela concordou com um movimento brusco da cabeça e saiu da sala. Ela mal fez caso da presença de Jamie Breck.

"As dívidas estão se acumulando", Breck comentou com Fox.

"Vamos começar logo com isso", respondeu Fox.

Uma hora mais tarde, tinham tudo de que precisavam. Fox guardou nos bolsos as duas fitas e eles saíram da delegacia sem ver ninguém. Havia um carro-patrulha trancado do lado de fora. Fox olhou para a direita e para a esquerda, lembrando-se do dia em que dera o primeiro passeio com Jamie Breck.

"E agora?", Brogan perguntou, enfiando o chapéu.

"O lugar onde você está, seja onde for, é seguro?", perguntou-lhe Fox.

"Sim."

"A Joanna sabe o endereço?"

Breck olhou para ele, e Fox revirou os olhos. "Se ela sabe, não é seguro."

"Ela nunca contaria."

"Talvez, mas..." Fox não se deu ao trabalho de terminar a frase. "Nós ficaremos em contato pelo telefone, certo?" Esperou até que Brogan fizesse um gesto manifestando sua concordância. "Então está bem. Fique escondido por mais um ou dois dias enquanto eu discuto as nossas opções com o detetive Breck."

Brogan fez que sim com a cabeça novamente. Um táxi virou a esquina, a luz sobre o teto acesa. Brogan estendeu a mão e o motorista indicou que ia parar. Ele entrou e fechou a porta. Seja lá qual o endereço que deu ao motorista, nem Fox nem Breck conseguiram ouvir. Eles ficaram olhando enquanto o táxi se dirigia para o cruzamento da rua Morrison.

"E agora?", perguntou Breck.

"Pensei que você é que tivesse as ideias."

"Talvez você não goste delas."

"Se são melhores do que nada, vale a pena ouvi-las." Eles começaram a andar na direção do semáforo. Havia um pub do outro lado da rua.

"O que você achou de Brogan?", perguntou Breck.

"Eu quis dar um murro na cara dele."

"Isso teria ficado ótimo no vídeo", disse Breck com o começo de um sorriso.

"Não é mesmo?", concordou Fox. "Eu deveria ter feito isso quando estávamos na capela."

"Diante dos olhos de Deus?" A voz de Breck se fingiu indignado com a ideia. Fox tocou-lhe o ombro.

"Essas suas ideias, Jamie..."

"Para ser sincero, tenho só uma." Breck fez uma pausa. "E você realmente não vai gostar dela."

"Porque é arriscada?", adivinhou Fox.

"Porque é estúpida", Breck o corrigiu.

DOMINGO,

22 DE FEVEREIRO DE 2009

28

Na noite seguinte em Dundee, as pessoas tinham saído para um último momento de diversão antes que a semana de trabalho recomeçasse.

Fox e Breck estavam sentados no carro de Fox. Em Edimburgo, Breck sugerira que eles pegassem o Mazda, "para variar", mas Fox havia recusado, explicando que não ficava bem acomodado.

"Eu não sirvo para andar em carro esporte, Jamie."

Então eles tinham viajado até Dundee no Volvo e estavam estacionados na rua, na frente do bar Lowther's. Breck tinha interrompido o fim de semana de Mark Kelly naquela tarde com um pedido de fotos recentes de Bull Wauchope e de Terry Vass. As fotos impressas que vieram do DIC de Dundee estavam no porta-luvas, devidamente memorizadas. Até aquele momento, ninguém que tinha entrado ou saído do Lowther's correspondera às imagens — embora alguns tivessem chegado perto.

"Não é o que pode chamar uma clientela refinada, hein?", comentou Breck enquanto observavam atentamente os três homens que tinham saído para fumar, olhar mensagens no celular e cuspir na calçada. Um deles ficava arrumando sem parar a parte da frente das calças; o outro fazia comentários pretensamente sedutores para qualquer garota jovem que ousasse passar perto dele. Os três usavam camisetas justas por cima das barrigas. Os três tinham os braços tatuados e usavam correntes de ouro no pescoço e nos pulsos. O cabelo que ainda tinham estava cheio de gel e com pontas, os rostos brilhantes, gordos e cheios de marcas. Um deles não tinha a maior parte dos dentes da frente.

"Então a gente vai entrar lá, não é?", perguntou Breck.

"O plano é seu, Jamie — você me diz."

"Se não, vamos ficar sentados aqui a noite inteira."

Antes já haviam passado no endereço que tinham para a Wauchope Leisure Holdings. Era uma de várias fileiras de lojas em um distrito ao norte do centro da cidade. A porta parecia reforçada, e as persianas atrás da janela suja estavam bem fechadas. Ninguém atendeu quando bateram. O Lowther's era tudo o que lhes tinha restado — era o pub cujo proprietário era Wauchope, era o pub onde havia um telefone público. Alguém ali tinha atraído um empreiteiro para sua morte e arrasado outro até que este forjasse o próprio suicídio.

O Lowther's era tudo o que tinham...

Breck pareceu perceber isso e abriu a porta do lado do passageiro. Fox puxou a chave da ignição e fez a mesma coisa. Os três homens ainda não haviam notado a presença deles. Estavam rindo de alguma coisa, uma mensagem ou uma foto em um dos celulares deles. Breck ficou em pé bem atrás deles.

"Qualquer um pode participar?", ele perguntou.

Os homens se viraram, todos ao mesmo tempo. Fox tinha alcançado o companheiro. Mas não conseguia discernir quais as chances deles. O bom humor desaparecera dos três rostos.

"Estou sentindo um cheiro de rato vindo de vocês dois", um dos homens declarou, enquanto outro cuspiu na calçada, quase acertando os pés de Breck.

"Preciso falar com o Bull", Breck continuou, cruzando os braços. "Ele está lá dentro?"

"Por que ele iria querer gastar saliva com um idiota como você?", continuou o primeiro homem. "Vá embora e leva essa porra de clone do Dirty Harry com você." Ele acenou com a cabeça na direção de Fox, enquanto seus dois amigos riam.

"Nós não estamos procurando encrenca", continuou Breck. "Mas sempre temos muito prazer em proporcionar isso a vocês quando necessário. Vocês três dentro da mesma cela — fica um pouco lotado nos fins de semana."

"Eu estou me cagando todo."

"Ele está lá dentro ou não? Isso é tudo o que estou perguntando."

Fox ficara na ponta dos pés para poder espiar através da janela do pub. A metade de baixo era vidro jateado, a de cima, não. Alguns fregueses que bebiam olharam para ele, mas Fox já tinha visto o suficiente.

"Ele está lá dentro", Fox afirmou, respondendo a pergunta de Breck. Ele fez menção de passar pelos homens, mas eles ficaram ombro a ombro, bloqueando a porta. "O Bull não vai agradecer a vocês por isso", ele explicou ao líder. "Pensem nisso por um segundo — neste exato momento ele tem que lidar com nós dois apenas. Mas se tivermos que reunir um grupo, vamos garantir que ele seja trazido para fora com as mãos algemadas nas costas. Vai para dentro da van e direto para a delegacia para passar a noite por lá. Se acham que é isso que ele quer, boa jogada da parte de vocês. Mas estou achando que vocês estão errados e que ele vai saber a quem culpar quando os camburões chegarem cantando os pneus..." Fox deu um passo para trás, erguendo as mãos em sinal de rendição. "Pensem nisso, é tudo o que estou dizendo. Talvez a gente vá falar com ele, ver o que ele diz." Ele apontou para o outro lado da rua. "Vamos esperar no carro." Então ele saiu andando, com Breck logo atrás.

"Boa jogada", Breck comentou em voz baixa.

"Isso a gente ainda vai ver." Mas quando eles chegaram ao Volvo, o líder tinha desaparecido lá dentro, a porta balançando atrás dele. Fox e Breck fizeram hora. Um rosto que nenhum dos dois conhecia apareceu na janela do pub.

"Ele está sendo o centro das atenções no bar", Fox confirmou. "Com a quantidade de joias que está carregando no corpo, estou surpreso por ele conseguir levantar um copo."

Passaram-se mais alguns minutos antes que a porta se abrisse. Ninguém saiu, mas alguma coisa foi dita ou sinalizada. Os dois outros fumantes jogaram fora o cigarro e entraram.

"E agora?", perguntou Breck. A pergunta era razoável. "Nós vamos ficar em pé aqui enquanto eles se matam de rir de nós?" Mais alguns rostos apareceram na janela. Um homem fez o sinal de vitória com os dedos. "Talvez aquele grupo de que você falou não seja uma má ideia."

"É uma péssima ideia", Fox o corrigiu.

"Não me diga que você quer que a gente entre lá sem apoio?"

"É isso o que você faria no Quidnunc, Jamie — esperar reforços antes de agir?"

"A essa altura no jogo, eu estaria acompanhado de um bando, e o mesmo estaria acontecendo com a pessoa que eu estivesse combatendo."

"Então vamos ter que ser um bando de duas pessoas." Fox fez uma pausa. "Mas, enquanto isso, vamos nos aquecer dentro do carro."

"A gente causa uma impressão melhor se ficar aqui fora."

"Isso você tirou do Quidnunc também? O lugar provavelmente só vai fechar daqui a umas três ou quatro horas."

"Não vai demorar tudo isso."

E, de fato, depois de apenas alguns minutos eles começaram a ouvir o som de um motor. Ele parecia gemer à medida que se aproximava em velocidade e, quando virou na esquina mais próxima, seus pneus cantaram. Não houve nenhuma tentativa de parar junto ao meio-fio. O motorista simplesmente pisou com força no freio com o carro no meio da rua. Era um Ford Sierra, mas com motor modificado e cano de escapamento enorme. O motorista acelerou fazendo o motor roncar uma última vez, sem desligá-lo. Os pneus tinham deixado marcas na rua e havia um cheiro de borracha queimada.

"A série *Top Gear* influencia muita gente", comentou Fox.

O homem que acabou saindo do banco de trás era grandalhão e carrancudo. Tinha o mesmo rosto de uma das fotos impressas que estavam no porta-luvas. O Sierra se ergueu quase dois centímetros assim que o passageiro saiu. Ele andava balançando o quadril. Usava uma camisa de manga curta do tamanho de uma barraca para dois homens, jeans largos e tênis brancos. O cabelo era preto, puxado para trás desde a testa e por cima das orelhas, caindo até pouco abaixo do pescoço. Tinha um dente de ouro na frente, mas nenhum outro badulaque ou arte corporal evidente. Os olhos dele pareciam pequenos, mas ao mesmo tempo eram penetrantes.

"O que vocês querem?", perguntou ele. "Pensando bem — não precisa responder. Só entra no carro e vaza daqui."

"Não podemos fazer isso, Terry", disse Fox, conseguindo imprimir um tom de desculpas na voz. "Precisamos falar com o Bull antes."

"Não quero ouvir mais nenhuma palavra sua", disse Terry Vass, apontando um dedo na direção de Fox. "Você e seu amiguinho boiola podem ir embora já."

Houve um silêncio por um momento antes que Jamie Breck dissesse uma única palavra. A palavra foi "interessante". Aquilo chamou a atenção de Vass.

"O que você disse?"

Breck deu de ombros. "Nada, é só que, quando as pessoas usam insultos homofóbicos, costuma ser um sinal."

O rosto de Vass ficou ainda mais carrancudo. "Sinal de quê?"

Breck deu de ombros novamente e pareceu estar procurando as palavras certas.. "Tendências... subconscientes", sugeriu ele.

Vass se lançou sobre ele, mas Breck foi ágil. Ele se abaixou sob o braço estendido do grandalhão e, com um salto, posicionou-se por trás dele, preparado para o próximo movimento.

"Terry", disse Fox, a voz um pouco mais alta do que antes, exigindo ser ouvida. "Isso não é necessário. O Bull mandou você aqui para descobrir o que nós queremos. Era para falar só com ele, mas eis o que importa — nós temos Charlie Brogan."

Vass olhava furiosamente para Breck, preparando-se para atacá-lo de novo, mas as palavras de Fox surtiram efeito. A respiração dele ficou normal e ele relaxou os ombros um pouco.

"Não estou dizendo que ele esteja em custódia", Fox continuou. "Estou dizendo que *nós* estamos com ele. E queremos fazer uma troca."

Vass virou-se para Fox. "Uma o quê?"

"Uma troca", Fox repetiu. "Vá dizer isso ao seu chefe. Vamos esperar no carro." Ele já estava abrindo a porta do motorista. Vass ficou olhando enquanto ele entrava e fechava a porta. Então voltou a atenção para Breck, que ainda estava em posição de alerta, entre o Volvo e o Sierra. Do interior do carro, Fox tinha apenas uma visão parcial. Ele esperava que Breck não irritasse mais o gigante. Mas Vass pareceu descartar seu oponente com um aceno da mão, e andou sem pressa na direção da porta do Lowther's. Breck esperou alguns segundos, então voltou ao Volvo e entrou.

"Sujeito assustador", ele comentou.

"Isso não impediu que você o cutucasse com uma vara curta."

"Isso acontece nos jogos on-line o tempo todo." Breck fez uma pausa. "Além disso, eu sempre tive reflexos rápidos — é bom testá-los de vez em quando."

"Quer goma de mascar?"

Breck aceitou e estendeu a mão para o pacote que Fox oferecia. A mão não estava tremendo. Ficaram sentados em silêncio, mascando e olhando a vida passar. Algumas mulheres estavam em uma despedida de solteira. Todas usavam camisetas cor-de-rosa idênticas com inscrição "Virgens de Inverness". Um grupo de homens as seguia, tentando diversos tipos de cantadas. Meia dúzia de adolescentes passaram andando desajeitadamente, vestidos com moletons pretos de capuz e bonés. O Sierra ganhou alguns olhares. Ele não tinha se movido, e o tráfego tinha que dar a volta por ele. Um ou dois carros buzinaram. O motorista manteve as mãos no volante e o motor funcionando.

"Você acha que isso é um trabalho em tempo integral?", perguntou Breck. Fox continuou mascando e observando. Quando a porta do pub voltou a abrir, eram apenas dois fumantes. Eles pareceram interessados em Fox e Breck, mas não atravessaram a rua. A porta se abriu de novo, e dessa vez era um dos três homens de antes. Ele quase correu na direção do Volvo, inclinando-se na janela do motorista. Fox o ignorou, então o homem bateu no vidro. Fox deixou passar mais alguns segundos, e então baixou o vidro.

"O Bull disse para vocês entrarem", disse o homem.

"Diga a ele para ir se foder." Fox levantou o vidro novamente. O homem ficou olhando fixo através do vidro como se não acreditasse no que tinha acabado de ouvir. Ele bateu de novo, mas Fox apenas balançou a cabeça. O mensageiro ergueu o corpo e voltou pelo mesmo caminho por onde viera.

"Você acha que ele vai arrumar um outro jeito de se expressar?", perguntou Breck.

"Provavelmente."

"Você não quis entrar então?"

"Eu prefiro ficar aqui."

"Eu também." Breck recostou um pouco mais o encosto de seu banco. Mais minutos se passaram, e então Vass apareceu, segurando a porta aberta para Bull Wauchope. Ele era tudo o que Fox imaginava. A aparência dele era ameaçadora. Nunca iria ser metade do que seu pai era, e sabia disso. Era pesado, e pouco daquele peso era músculo. Os braços eram flácidos, e o cinto que segurava os jeans estava no limite. O cabelo curto era oleoso, assim como a pele. Acne em volta da garganta, certamente piorada pelas correntes de ouro de aparência barata. As tatuagens nas costas das duas mãos pareciam feitas por ele mesmo, provavelmente na adolescência. O jovem parecia impetuoso e presunçoso, o resultado de ter crescido intocável, graças a um pai temido por todos. Vass estava alguns passos atrás do chefe. Fox abaixou a janela novamente.

"Você", ele disse para Wauchope, "pode entrar aí atrás, mas eu não quero o seu gorila empesteando o meu carro." Wauchope não hesitou um segundo.

"Fica aqui", ele ordenou a Vass. Então abriu a porta e entrou, batendo-a em seguida.

"Todo mundo pensa que vocês são policiais", disse ele. "E se não forem, eu vou ter que chupar o pau do Terry."

"Isso torna o ato de mentir uma grande tentação", disse Fox.

"O carro está com gravadores?"

"Não."

"E eu tenho que acreditar nisso?"

"Eis o que eu quero que você saiba", começou Fox. "Nós sabemos onde Charlie Brogan está. A essa altura você já deve ter concluído que o desaparecimento dele foi uma farsa. Os policiais estão pensando a mesma coisa, e isso significa que eles o pegarão em um ou dois dias." Ele fez uma pausa. "O que não lhe deixa muito tempo, Bull."

"Estou ouvindo."

"Isso é ótimo porque o que eu estou fazendo neste exato momento é me incriminar — é por isso que eu posso garantir para você que nós não estamos gravando esta conversa."

"Continue falando."

"Nós sabemos onde ele está e sabemos que você o quer. Estamos dispostos a fazer uma troca."

"Vocês querem dinheiro?"

Fox fez que não com a cabeça. "Você não está lidando com o Glen Heaton aqui." Ele fez uma pausa. "Nós queremos a nossa vida de volta." Ele olhou fixamente para Wauchope pelo espelho retrovisor. "Você não sabe quem nós somos?"

"Não tenho a menor ideia."

"Meu nome é Malcolm Fox. Este é Jamie Breck." Fox observou a reação de Wauchope. O homem estava olhando para Breck. "Armaram para nós e achamos que você está na base de tudo. Diga que estamos errados."

Wauchope voltou sua atenção para o espelho. "Eu ainda estou ouvindo", disse ele para o reflexo de Fox.

"Queremos tudo esclarecido, limpo, esse tipo de coisa. Mas também queremos Glen Heaton. De maneira nenhuma ele escapa dessa."

"Você parece achar que eu tenho muito poder."

"Pode ser que o poder não seja seu — ele pode pertencer ao seu pai. Mas eu tenho a sensação de que ele está lá."

"O seu colega não fala muito."

"Só quando tenho alguma coisa para acrescentar", afirmou Breck, quebrando seu silêncio.

"Essa deve ser a cilada mais medíocre que qualquer um de vocês, idiotas, já tentou armar."

"Você decide o horário e o local", continuou Fox, "e nós estaremos lá. Mas teremos perguntas para você, e você não vai ver Brogan até que estejamos satisfeitos."

"Que tipo de perguntas?"

"Do tipo para as quais nós precisamos de respostas." Fox esticou a mão para trás de seu banco. Ela segurava um pedaço de papel com o número de seu telefone celular. "Lembre-se, você tem talvez um ou dois dias, no máximo. Quando eles prenderem Brogan, vão oferecer um acordo para ele. É em você que eles vão estar realmente interessados. E, com ele ainda vivo, o que você vai oferecer para seus investidores?" Fox fez uma pausa para permitir que o que havia dito tivesse efeito. Wauchope pegara o pedaço de papel, os dedos deles raspam momentaneamente.

"Terminamos?", perguntou o homem.

"Uma última coisa..." Fox observou Wauchope parar com a mão na maçaneta. "Você tem que nos dar Vass também."

"Por quê?" Wauchope pareceu genuinamente curioso.

"Ele matou Vince Faulkner. Vince era o companheiro da minha irmã."

Fox continuou observando Wauchope pelo retrovisor, à medida que o outro começava a compreender: tinha a ver com família. Aquilo explicava muita coisa. Quando a família estava envolvida, as regras normais não se aplicavam. O homem não disse nada — ele ainda não confiava que o carro não estivesse com gravadores ocultos —, mas olhou nos olhos de Fox e fez que sim com a cabeça lentamente. Então ele começou a sair, mas recolocou a cabeça dentro do carro. "De você eu nunca ouvi falar", ele anunciou para Fox. Fechou a porta e voltou para o Lowther's. Vass caminhou ao lado dele, e Wauchope passou um braço por cima do ombro dele.

"Você é bom em ler gestos?", Fox perguntou a Jamie Breck.

"Ele está nos dizendo que Vass pode ser dispensável", Breck respondeu em voz baixa. Fox virou-se para ele.

"E, então, eu ganho outro elogio pela minha atuação?"

"O que ele quis dizer no final?"

Fox também já pensara no assunto. "Acho que ele quis dizer o que disse — que ele nunca ouviu falar de mim." Ele se ajeitou no banco.

"Por que o pedaço de papel em vez de um cartão de visitas?"

"Quanto menos informação sobre mim ele tiver, melhor." Fox fez uma pausa. *De você eu nunca ouvi falar...* Ele cuspiu a goma de mascar pela janela. "De repente, eu fiquei com muita fome. E você?"

"Eu toparia uma comida indiana." Breck olhou ao redor. "Só não sei bem se estaríamos seguros em Dundee."

"Você está certo — quando Wauchope ligar, vamos querer estar o mais longe possível daqui."

"Para termos tempo de arrumar tudo?" Breck manifestou sua concordância com um movimento da cabeça. "Você avisou todo mundo para estarem prontos?"

"Eu os avisei."

"E como é que o meu plano maluco está indo até agora?"

"Nós ainda estamos respirando", respondeu Fox, dando a partida. "Acho que isso diz alguma coisa." Ele olhou pelo retrovisor enquanto saía. O Sierra ainda estava parado no meio da rua, como se fosse o dono do lugar.

O que, de certa maneira, raciocinou Malcolm Fox, era verdade.

SEGUNDA-FEIRA,

23 DE FEVEREIRO DE 2009

29

Na tarde de segunda-feira, Breck e Fox estavam jogando cartas na casa de Breck quando receberam o telefonema. Eles tinham bebido chá e café o dia todo. Três jornais foram lidos de ponta a ponta. Assistiram aos noticiários da TV, ouviram música e telefonaram para Annabel e Jude. O almoço consistiu em sanduíches comprados no supermercado e bombas de chocolate. O sol aparecera mais cedo, trazendo um pouco de calor, mas agora o céu era um lençol de nuvens da cor de água suja.

"É ele", disse Fox olhando de relance para a pequena tela do aparelho.

"Como você sabe?"

"Eu não reconheço o número." Fox balançou o telefone para Breck, mas não atendeu.

"Não provoque o homem", Breck o repreendeu. Ele estava tentando dar um tom de leveza à conversa, mas Fox podia perceber que ele estava ansioso. Fox apertou o botão para atender à chamada e pôs o aparelho no ouvido.

"Malcolm Fox falando." Ele percebeu que sua voz estava mais alta que de costume — Breck não era o único que estava nervoso.

"Sou eu." A voz de Bull Wauchope. Ele provavelmente achava que estava sendo esperto ao não se identificar pelo nome. Como se a mais recente tecnologia não conseguisse associar uma voz a seu dono com o grau de certeza de uma impressão digital.

"Sim?"

"Eu ainda não sei muito bem se entendi."

"Não tem nada para entender — nós nos encontramos, fazemos algumas perguntas para você. Se estivermos satisfeitos com o que ouvirmos, você recebe a sua pequena recompensa."

"Só isso?"

"Só isso."

"Então por que não fazemos pelo telefone?"

"Porque um telefone pode ser grampeado, não é? Da mesma maneira que o meu carro ontem. Eu só estou tentando tranquilizar você..."

"Eu escolho o lugar?"

"Algum lugar onde você saiba que estará seguro."

"Eu gosto do Lowther's."

"Tudo bem, mas eu não gosto de muita gente por perto — poderia ser depois que fechasse?" Fox estava olhando para Breck, e Breck piscou de volta — ele tinha apostado vinte libras que Wauchope iria escolher o pub.

"Vou garantir que todo mundo tenha ido embora até as onze."

"Então vamos estar lá às onze e quinze."

"Mas não com o Brogan?"

"Não até termos a nossa conversinha."

"Eu preciso de uma prova de que você sabe onde ele está."

"Isso não será problema."

"E eu juro por Deus, se vocês tentarem alguma coisa, eu acabo com a raça de vocês antes que os seus chegados possam derrubar a porta."

"Entendido. Mas quero que uma coisa fique clara entre nós — Heaton e Vass não são negociáveis."

"Entreguem o Brogan, e eles são seus." A ligação foi interrompida. Fox segurou o celular por um momento.

"E então?", Breck perguntou.

"Nós temos mais uns telefonemas para fazer." Fox segurou o fone na sua frente e encontrou o número que estava procurando.

"Cinco horas até a hora de sairmos", calculou Breck. "Será tempo suficiente?"

"É melhor que seja", disse Malcolm Fox assim que a primeira de suas chamadas foi atendida.

Eles estacionaram o carro do lado de fora do Lowther's quando faltava exatamente um minuto para as onze. As pessoas estavam saindo, nem todas contentes por terem sua noitada reduzida. Mas os resmungos eram muito baixos, e mesmo assim só começaram depois de estarem a salvo na rua. Às onze e cinco, Terry Vass apareceu. Ele reconheceu o Volvo, mas o ignorou. Seu trabalho parecia ser o de reconhecimento. Andou de uma ponta à outra do quarteirão, procurando indicações de que Fox e Breck poderiam ter trazido companhia. Aparentemente satisfeito, voltou para dentro. Às onze e dez, Fox perguntou a Breck se ele estava pronto.

"Mais uns minutos", Breck respondeu olhando para o relógio. Ficaram sentados em silêncio, e viram os funcionários do bar começando a sair, vestindo casacos, acendendo cigarros enquanto iam para casa. Vass saiu do pub novamente, dessa vez fazendo sinal para eles de que já era a hora. Fox olhou para Breck e assentiu. Breck pegou o laptop no banco de trás e os dois atravessaram a rua. Não tinha havido tempo para ninguém fazer nada além da arrumação mais superficial. Algumas cadeiras tinham sido colocadas de cabeça para baixo sobre as mesas, e o balcão do bar estava cheio de copos sujos. As luzes dos caça-níqueis estavam brilhando, tentando os jogadores que não estavam mais ali.

Em uma mesa de canto estava Bull Wauchope, com os braços apoiados no encosto do banco atrás dele.

"Reviste os dois", mandou ele.

Vass ficou na frente dos dois detetives. "Tirem o paletó e abram a camisa."

"Contanto que você não queira um striptease completo", disse Breck, colocando o laptop sobre a mesa mais próxima. Eles tiraram o paletó e desabotoaram a camisa, tirando-a de dentro das calças para que Vass pudesse procurar escutas. Ele revistou cada paletó, apertando os bolsos e enfiando a mão dentro deles para descobrir que só tinham carteiras e celulares.

"Calças, Terry", Wauchope vociferou, e então Vass passou as mãos pelas pernas deles, verificando os tornozelos e meias.

"Nada", disse ele, levantando-se com dificuldade.

"Tire os celulares deles — não queremos ninguém bisbilhotando, não é?"

Vass acabou ficando com três celulares nas mãos. "Esse aqui tem dois", ele disse ao chefe, acenando com a cabeça para Fox.

Wauchope olhou para Fox e para Breck, e então apontou para as cadeiras do outro lado da mesa, Breck pôs o laptop entre os dois. "Tudo bem se eu ligar isto?", ele perguntou, olhando para o chão à procura da tomada mais próxima.

"Para que isso?", perguntou Wauchope.

"Prova", Fox lhe disse. "E uma vez que eu fiquei sem o meu telefone, vou precisar pedir o seu emprestado." Ele estendeu a mão aberta.

"Devolve o telefone dele", Wauchope ordenou a Terry Vass. E em seguida: "Mas estou avisando...".

"Crucificação não está na minha lista de desejos", Fox lhe garantiu.

Breck tinha encontrado uma tomada no rodapé perto do banco. Fox digitou em seu telefone e o levou ao ouvido. Os olhos de Wauchope estreitaram. Eles passeavam rapidamente entre os dois homens.

"Estamos prontos, Tony", disse Fox quando a chamada foi atendida. Então ele fechou o telefone e jogou-o na direção de Vass. Breck tinha ligado o laptop e virado a tela de forma a ficar de frente para Wauchope.

"Me dê um minuto", disse ele, inclinando-se sobre o aparelho para fazer alguns ajustes.

"Você se importa...?" Fox acenou com a cabeça na direção do banco. Wauchope fez um movimento com a cabeça, que Fox tomou como concordância. Ele sentou ao lado do homem para que ele também pudesse ver a tela. O odor corporal de Wauchope era quase insuportável.

"O que nós temos aqui", explicou Fox, tentando não respirar profundamente, "é uma câmera." Na tela, uma janela de seis centímetros estava aberta. Havia um rosto lá, o rosto de Charlie Brogan.

"Quem é Tony?", perguntou Wauchope.

"Só uma pessoa que está me fazendo um favor."

"Ele está operando a câmera?"

"Achei que não daria para confiar que o Brogan fizesse isso sozinho."

Wauchope inclinou-se para a frente. A cabeça de Brogan se mexendo de um lado para o outro enquanto ele tentava relaxar os músculos do pescoço. Não havia som. "Por que a imagem é tão pequena?"

"A culpa é do laptop", explicou Fox. "Com o salário do Breck, ele nem sempre pode se dar ao luxo de ter qualidade."

"Eu poderia ampliar", acrescentou Breck, "mas a imagem perderia a definição."

Wauchope apenas grunhiu. Então, alguns segundos depois: "Você está me dizendo que isso é ao vivo?". Em vez de responder, Fox fez um gesto pedindo o celular novamente.

"Só há uma maneira de provar", disse.

Vass olhou para o chefe pedindo permissão e então entregou o telefone. Fox esperou até estar conectado.

"Tony", disse ele, "diga-lhe que precisamos de um aceno."

O rosto no computador virou-se para um dos lados, como se ouvisse uma instrução. Então Charlie Brogan deu um aceno desanimado com uma das mãos. Fox fechou o telefone novamente, segurando-o dessa vez. Wauchope continuava olhando para a tela.

473

"Então agora você sabe que estamos com ele", disse Fox.

"Eu sei que ele está sob custódia policial", Wauchope o corrigiu, mas Fox balançou a cabeça.

"Você tem amigos em Lothian and Borders, Bull — você *sabe* que ele não se entregou."

Wauchope se virou para ele. "O que você quer?"

"Eu quero saber por que armaram para o meu colega aqui."

Wauchope pensou por um segundo, então voltou a atenção novamente para a tela. "Ele não pode me ouvir?", perguntou ele.

"Não", confirmou Fox.

Wauchope inclinou o rosto até quase tocar na tela. "Vou te pegar, seu filho da puta!", ele gritou. Gotas de saliva espirraram sobre a cabeça e os ombros de Brogan.

"Isso será suficiente para apaziguar as gangues em Lanarkshire e Aberdeen?", perguntou Fox. Wauchope se voltou para ele de novo.

"É um começo", ele confirmou. "Eu disse a eles que ele iria morrer."

"Quando ele desapareceu do barco... você poderia ter tentado levar o crédito." Fox viu a expressão no rosto de Wauchope mudar. "Foi o que você fez, não é? Você disse a eles que tinha mandado matá-lo? É por isso que ele não pode aparecer vivo e bem..."

Wauchope olhava fixamente para ele de novo. Breck pigarreou.

"Malcolm... talvez estejamos nos enganando aqui."

"Como assim?", Fox perguntou.

"Estamos trocando Brogan por algumas migalhas de informação. Tenho a impressão de que ele vale muito mais agora."

"Não comecem a ficar gananciosos", rosnou Wauchope.

"Então comece a falar", disse Fox. Ele tinha se levantado e sentado ao lado de Breck. Os olhos de Wauchope estavam na tela novamente. Sua testa brilhava de suor. Ele ainda tinha um resto de cerveja no copo, que bebeu de um gole só, limpando a boca nas costas da mão. Ele fez um som de estalo com os lábios e então olhou para o outro lado da mesa.

"Eu não confio em vocês", disse ele.

"O sentimento é mútuo", replicou Fox. "Se chegar a isso, seremos nós dois contra você e o seu gorila — eu não sei muito bem se gosto dessa possibilidade."

Wauchope quase sorriu. Ele olhou na direção de Vass. O homem-montanha descansava seu peso sobre o balcão do bar, os braços cruzados, respirando ruidosamente pela boca. Fox sabia o que Wauchope estava pensando: se honrasse o acordo, ele iria de fato perder seu capanga. Quando Wauchope olhou de novo para Fox, este soube que a decisão tinha sido tomada.

Terry Vass podia ser substituído.

Mas havia mais uma coisa: Vass não podia ser entregue à polícia; era capaz de sair falando. Fox acenou brevemente com a cabeça, para que Wauchope soubesse que aquilo era problema do gângster e de mais ninguém.

"Onde ele está?", Wauchope perguntou, apontando um dedo gorducho para a tela.

"Primeiro precisamos ouvir a história."

"O que há para contar?", disse Wauchope dando de ombros. "Você já sabe como aconteceu. O seu colega aqui estava muito desconfiado de um conselheiro chamado Wishaw, mas Brogan precisava de Wishaw."

"Por quê?"

"Ele era um último colete salva-vidas do *Titanic*. O plano de Brogan era fazer o conselho comprar seus apartamentos inacabados e todos os terrenos de sobra que ele tinha em seus livros. Eles então teriam um lugar para enfiar todos os escrotos que constavam em suas listas de espera. Wishaw se tornaria o chefe do comitê de habitação, mas isso não chegou a acontecer. Ainda assim, ele era membro do comitê — tinha uma chance de ele influenciar as decisões. Mas aí ele entrou em pânico, disse que a polícia estava pegando no pé dele por causa de algum problema com drogas de tempos atrás." Wauchope estava olhando para Breck. "Então, na verdade, a culpa é sua."

"Eu tinha que ser desacreditado?", perguntou Breck. Wauchope fez que sim com a cabeça e recostou-se no banco novamente. O encosto rangeu com o peso.

"Você já conhecia Ernie Wishaw, não é?", Fox perguntou a Wauchope. "Glen Heaton tinha feito um favor para você, garantindo que Wishaw não fosse arrastado para o caso contra o motorista dele. Isso significava que Wishaw devia a *você*, mas ao mesmo tempo *você* devia a Heaton, e Heaton queria um favor — se ele fosse a julgamento, as coisas começariam a aparecer. Isso não poderia acontecer. Seu trabalho era armar para mim pelo assassinato de Vince Faulkner."

"Eu não sei mesmo do que você está falando." Wauchope balançou a cabeça lentamente. "É como eu já disse, eu só sei sobre *ele*." Ele apontou na direção de Jamie Breck, e foi Breck quem respondeu.

"Você tinha que ter alguém dentro da corporação. Alguém que soubesse o que estava acontecendo na Austrália. Alguém com acesso ao meu cartão de crédito..."

"Você acha que vou te contar?"

"Se você quiser Brogan, você vai ter que fazer isso", interrompeu Fox. "O único problema é que isso não vai pegar muito bem com o seu pai, não é?"

Wauchope olhou furioso para ele. "Você já sabe", disse ele.

"Eu sou da Divisão de Denúncias, Bull. Os outros policiais são um livro aberto para mim. Eu só precisei dar uma olhada nos arquivos mais antigos." Fox fez uma pausa. "Muito antes de se tornar subchefe de Polícia, Adam Traynor trabalhou aqui, em Tayside. Ele teve alguns desentendimentos com seu pai, mas nada nunca foi a julgamento. Engraçado isso... a maneira como esses casos foram se desmantelando... Você pediu a seu pai para pôr você em contato?"

476

Wauchope continuou olhando furioso. O silêncio se estendeu. Quando ele finalmente mexeu a cabeça, o sinal foi ambíguo.

"Isso é um sim?", Fox perguntou.

"É um sim", disse o gângster.

"Traynor arranjou todos os detalhes?"

"Sim."

"Pelos velhos tempos?"

"Ele devia alguns favores ao meu pai — muitos policiais devem favores ao meu pai, Fox."

"Isso provavelmente explica por que Tayside demorou tanto para prendê-lo." Fox observou a carranca que se estampou no rosto do filho. "Então Brogan precisava que o detetive Breck saísse de cena e você arranjou os detalhes. Mas então o que aconteceu? Ele jogou Vince Faulkner para cima de você?"

"Faulkner era um amador. Terry o via como um insulto ambulante."

"Você não deu uma ordem?"

Wauchope fez que não com a cabeça. "Só fiquei sabendo quando Terry me ligou."

Fox virou o corpo na cadeira para olhar para o homem que estava no bar. "A discussão saiu do controle? Você bateu nele com força demais? Veja, Brogan tem uma versão diferente — ele diz que Faulkner foi torturado e que seus gritos foram ouvidos pelo telefone, como uma espécie de mensagem." Como Vass não se manifestou, Fox se voltou para Wauchope de novo. "O Brogan mentiu para mim?"

"O que você disse, Terry?", o gângster disse em voz alta para seu capanga. E então, para Fox: "Como eu disse, Terry se sentiu insultado. Talvez o telefonema tenha sido para informar ao Brogan." Wauchope voltou a olhar para a tela. "Ele ainda está sentado lá. Não dá para pedir para o seu colega dar um murro nele ou algo assim?"

"Onde Vince Faulkner foi morto? Naquela sua sauna em Cowgate?"

Wauchope voltou a atenção para Vass de novo. "Terry?"

"Na traseira da van", Vass murmurou.

"Não entendi o que ele falou", Fox reclamou.

"Terry levou uma das vans até Edimburgo", explicou Wauchope. "Você não queria na verdade que ele morresse, não é, Terry. Você só pensou em mandá-lo para o hospital."

Fox não se deu ao trabalho de verificar a reação de Vass. Em vez disso, ele perguntou: "Onde eu entro nisso?".

"Não entra", disse Wauchope, dando de ombros. "Não no que me diz respeito."

"Eu estava sob vigilância... então fui posto no caso do detetive Breck. Não é coincidência."

"Nada a ver comigo."

"Eu preciso mais do que isso", disse Fox.

"Não tem mais *nada* além disso!" Wauchope bateu a palma da mão sobre a superfície da mesa.

"Então você precisa pedir um outro favor de Traynor — porque, se você realmente não sabe, ele sabe."

Wauchope balançou um dedo. "Sem mais favores, até que eu ponha as mãos em Charlie Brogan."

Os dois homens se entreolharam.

"Eu o entrego", sugeriu Fox, "e você o arrebenta em pedaços na frente de uma plateia de convidados?"

"Esse foi o acordo que fizemos."

Fox virou-se para Breck. "Você estava certo", disse ele. "Nós paramos quando devíamos ter aumentado a aposta."

"Nós ainda podemos aumentar", comentou Breck.

"Não, se quiserem sair daqui sem a ajuda dos paramédicos", rosnou Wauchope. "A brincadeira acabou — tudo o que eu quero de vocês agora é o endereço."

Fox puxou um descanso de copo de papelão e tirou uma caneta. "São quinze para a meia-noite agora", disse ele. "Você leva uma hora e pouco para chegar a Edimburgo. À uma e meia o meu colega sai de casa. Assim que ele for embora, você pode entrar quando quiser." Ele tinha escrito um endereço. Empurrou o descanso de copo na direção de Wauchope.

"E se tudo isso for algum truque?", perguntou o gângster.

"Vem pegar a gente", Fox respondeu, dando de ombros. Wauchope enfiou a unha do dedinho sob o descanso e levantou-o para olhar o endereço.

"Isto é uma piada?", perguntou ele.

"Piada nenhuma", garantiu-lhe Fox, recolocando a caneta no bolso. "Há dúzias de propriedades terminadas ainda nos livros em Salamander Point. Algumas estão até mesmo mobiliadas — acho que para atrair os compradores."

Wauchope estava olhando para trás de Fox, na direção de Terry Vass. "É o primeiro lugar onde deveríamos ter olhado", ele disse, irritado.

"Então você é mais inteligente do que Breck e eu", Fox afirmou. "Na nossa lista, era número três ou quatro." Ele fez uma pausa. "Terminamos aqui?"

Wauchope lançou-lhe outro olhar frio e demorado. Breck estava desligando e fechando o laptop.

"Terminamos", o gângster acabou dizendo. E em seguida: "Terry, vai buscar a van...".

30

Fox e Breck voltaram rapidamente para Edimburgo, com Breck ao telefone a maior parte do caminho. O destino deles era o QG da Polícia em Fettes. O Nissan de Tony Kaye estava parado do lado de fora da entrada principal. Fox parou ao lado dele e saiu, e Breck fez o mesmo. Kaye veio encontrá-los, enquanto Charlie Brogan ficou no banco do passageiro do Nissan.

"Ele está bem?", perguntou Fox.

"Está se cagando de medo", Kaye respondeu com um sorriso.

"Ele ouviu tudo?"

"Claro como um sino."

"Então ele está convencido de que somos nós ou nada?"

"Ele está convencido. Não significa que esteja contente com isso."

"Mas ele fez tudo direito", disse Jamie Breck. "Se Wauchope tivesse gritado para mim daquele jeito, eu teria saído correndo."

"Eu mantive o volume baixo", Kaye explicou. "E houve alguma preparação anterior..."

Breck havia dobrado os joelhos um pouco para poder fazer um sinal de positivo para Brogan, que o ignorou categoricamente.

"Você tentou assistir de novo?", Fox perguntou a Kaye.

"Está tudo certo — som e imagem, e tudo copiado para um disco rígido externo, com data e horário marcados."

"O que teríamos feito se ele tivesse percebido a câmera?", Breck perguntou a Fox.

"Teríamos contado a verdade", Fox respondeu. "Está embutida no laptop, o que significa que não há nada para fazer a respeito."

"Ele iria querer que ela fosse tampada."

"Ainda assim nós teríamos o áudio." Fox olhou para Kaye pedindo confirmação daquilo. Kaye concordou com um movimento da cabeça, e Fox deu uma pancadinha no braço do amigo. Na verdade, ele tivera dúvidas sobre Tony Kaye, tinha até mesmo se perguntado durante algum tempo se Kaye não poderia estar envolvido. Ele se sentiu um pouco mal por ter pensado isso... mas não *muito* mal.

O telefone de Fox tocou e ele o atendeu. Era Bob McEwan, informando que o esquadrão estava posicionado em Salamander Point.

"A van tem que ir para a Polícia Científica", Fox o lembrou. "Pode muito bem ser a que eles usaram com Vince Faulkner."

"Relaxe, Malcolm", disse McEwan, encerrando a chamada.

"Ele disse que a gente deve relaxar", Fox informou a Breck e Kaye.

"Quer ir assistir à festa?", perguntou Breck. Fox olhou o relógio.

"Se nos virem, mesmo de relance", advertiu ele, "eles vão saber que alguma coisa está acontecendo."

"E quanto ao nosso gato assustado honorário?" Kaye indicou Brogan com a mão.

"Vamos mantê-lo no QG para a entrevista — eu odiaria se ele tivesse um 'acidente'."

"Você está dizendo que Leith não é seguro?"

"Algum lugar é?", perguntou Fox, totalmente sério.

Passaram-se mais cinco minutos até o veículo de vigilância chegar, dirigido por Joe Naysmith e com Gilchrist como passageiro. Fox abriu a porta do lado do passageiro.

"E então?", perguntou ele.

Naysmith saltou da van e Breck jogou-lhe o adaptador de três pinos. Fora aquilo, e não o cabo do laptop que ele colocara no soquete do pub. O aparelho parecia um adaptador, mas na verdade era uma escuta com seu próprio transmissor e um alcance de setenta e cinco metros. Terry Vass tinha olhado para os dois lados da rua, mas a van estava parada depois da virada da esquina.

"Captamos cada palavra", disse Naysmith, radiante.

"Devidamente gravadas." Gilchrist estava segurando um CD recém-gravado.

Breck começou a contar nos dedos. "A evidência de Brogan... mais o laptop... mais a vigilância..."

"Qualquer evidência que a Polícia Científica conseguir tirar da van", Fox acrescentou. "E o fato de que eles estão prestes a serem pegos em flagrante..."

"Praticamente resolve tudo", concluiu Breck. "Não é?"

"Praticamente", Fox pareceu concordar. Os dois homens se entreolharam.

"Tudo bem, então", Fox cedeu. "Vamos."

Eles levaram só alguns minutos para chegar a Salamander Point, auxiliados pelo fato de que as ruas estavam desertas. Tinham ido no carro de Kaye para que ficassem menos reconhecíveis para Wauchope e Vass. Fox estava dirigindo, diminuindo a velocidade só para os sinais vermelhos e atravessando-os quando não havia tráfego.

"Nós não vamos conseguir ver muita coisa se ficarmos no carro", reclamou Breck. "Não tem nenhum lugar para estacionar por perto." Então eles deixaram o Nissan em uma rua lateral e contornaram o local. A cerca temporária tinha sido removida daquela parte de Salamander Point que exibia residências terminadas. A grama fora assentada e algumas árvores e arbustos tinham sido plantados. O endereço dado a Wauchope pertencia a uma das casas prontas. O imóvel era parcialmente geminado em uma fileira de seis. Havia uma luz vinda da janela do andar de cima. Fox escolhera aquela porque havia menos chance de os vizinhos se intrometerem. Muitos dos apartamentos estavam ocupados, mas quatro das seis casas estavam vazias. Fox e Breck mantiveram distância, espiando por trás de um muro de tijolos que escondia as latas de lixo. Não havia sinal de vida em nenhuma das propriedades.

"Não é possível que nós os tenhamos perdido", cochichou Breck. "Talvez a van tenha enguiçado ou eles desistiram..."

"Psiu", Fox advertiu. Escuta."

O som grave de um motor. Uma velha van branca virando lentamente a esquina para entrar na rua sem saída. Cada morador tinha uma vaga de estacionamento, mas estas ficavam agrupadas nos fundos da fileira de casas. A via de acesso tinha que ficar desimpedida o tempo todo e exibia as faixas amarelas duplas que indicavam a proibição de estacionamento. Não que isso tenha impedido a van. Os faróis estavam apagados, e ela parou no meio da via de acesso. Quando o motor foi desligado, Fox percebeu que estava segurando a respiração. A luz acesa no quarto do andar de cima fora ideia de Tony Kaye. Uma boa ideia. As portas da van abriram com um rangido e dois homens saíram. Fox reconheceu os dois. Eles andaram com passos silenciosos até a porta da frente da casa, o rosto de Wauchope iluminado pela tela de seu celular. Fox percebeu que ele estava verificando a hora. Quando ele fez um sinal com a cabeça, Vass tentou abrir a maçaneta da porta. Depois de abri-la um centímetro, prova de que não estava trancada, eles a fecharam novamente e foram verificar a janela do andar de baixo. Então Bull Wauchope deu alguns passos para trás e levantou a cabeça na direção da janela com a luz acesa no andar de cima. Ele pareceu sussurrar alguma coisa para Vass, que fez um sim com a cabeça. Vass retornou à van, olhando para a direita e para a esquerda, e voltou carregando uma corda de varal e um rolo de fita adesiva.

Foi Wauchope quem abriu a porta, mas ele deixou Vass ir na frente. Quando os dois homens estavam lá dentro, Fox acenou com a cabeça para Breck. Eles saíram do esconderijo e começaram a atravessar a rua. Estavam a meio caminho da porta quando ouviram os gritos. De repente as portas das casas dos dois lados da rua abriram com força e policiais saíram delas e foram atrás de Wauchope e Vass dentro da casa. Apareceram vultos na janela do andar de cima — mais policiais. Estavam vestidos de preto e protegidos por viseiras e coletes à prova de balas. Levavam spray de pimenta e cassetetes. Ouviram-se gritos de ordem e sons de uma briga. Fox e Breck não tinham meios de se identificar para os colegas, então ficaram fora do caminho, afastando-se quando a equipe começou a sair de novo. Wauchope e Vass tinham sido algemados e foram levados para o andar de baixo, um policial atrás deles carregando um saco de evidências com a fita e a corda de varal. Breck ficou para olhar, Mas Fox tinha ido até a van. Ele usou a manga do paletó para acionar a maçaneta, abrindo as portas de trás e olhando o interior sombrio. Os vizinhos afinal começavam a sair, alertados pela agitação. Os policiais estavam tranquilizando as pessoas, dizendo-lhes que não havia motivo de preocupação. Fox continuou olhando. Ele conseguiu distinguir a voz de Terry Vass, xingando os policiais que o prenderam. Carros de polícia estavam chegando à cena, luzes piscando, atraindo mais espectadores. Fox abriu seu celular, usando a luz da tela como lanterna. Uma folha de compensado separava o compartimento traseiro dos bancos. Preso em um canto havia um enorme e feioso martelo de aço. Parecia manchado, com algo muito parecido com cabelo humano preso na ponta. A tela do celular apagou novamente, mas Fox apenas desviou o olhar da cena ao sentir a mão de Jamie Breck tocar seu ombro de leve.

"Você está bem, Malcolm?", perguntou Breck.

"Não tenho certeza", admitiu Fox. Ele viu que Bob McEwan estava em pé no vão da porta da casa, as mãos nos bolsos. McEwan viu Fox e Breck, mas não fez nenhum gesto de reconhecimento. Em vez disso, virou-se e entrou.

TERÇA-FEIRA,
24 DE FEVEREIRO DE 2009

31

Eram quatro da manhã e Fox tinha voltado para casa. Wauchope e Vass iriam passar a noite em celas separadas, embora o advogado de Wauchope — aquele que estava dando duro para tirar o Wauchope pai da cadeia — já estivesse a caminho, vindo de Dundee. Charlie Brogan seria entrevistado novamente pela manhã. Em algum momento Fox sabia que teria que explicar tudo para Jude. Mas isso poderia esperar. Ele também precisava ligar para Linda Dearborn — ele lhe devia uma exclusiva, e Fox sabia que poderia oferecer-lhe várias. Ele tinha achado que se sentiria mais leve, mas ainda havia a sensação de um peso opressor. Colocou mais alguns livros em uma das prateleiras e então sentou com uma caneca de chá. Quando ouviu um carro parando do lado de fora, ele virou a cabeça na direção da janela. As luzes da sala de estar estavam apagadas, as cortinas, ainda abertas. O motor permaneceu funcionando por um tempo e então os faróis se apagaram e o motor foi desligado. Fox segurou a caneca com ambas as mãos, os cotovelos apoiados nos joelhos. O visitante não usou a campainha; bateu na porta, sabendo que ele estaria esperando.

Passaram-se alguns segundos antes que ele se levantasse, deixando a caneca sobre a mesa do café. Quando abriu a porta, Bob McEwan estava parado lá.

"Tudo bem?", perguntou McEwan.

Fox fez que sim com a cabeça lentamente e conduziu o chefe para dentro. Ele passara boa parte do domingo convencendo McEwan a seguir o plano de Jamie Breck. Na sala de estar, Fox acendeu a luz.

"Tony Kaye me contou que vocês conseguiram gravar tudo."

"Tudo", repetiu Fox. E depois de uma pausa. "Bom... não tudo. Quer tomar alguma coisa?"

"Talvez um uísque."

"Não tenho bebidas alcoólicas."

"Nem mesmo para as ocasiões especiais, Malcolm?"

Fox fez que não com a cabeça. McEwan viu a caneca. "Então, chá", decidiu ele.

Os dois homens foram para a cozinha. Fox encheu a chaleira e ligou o fogo.

"Eles causaram algum problema?", perguntou.

McEwan colocou as mãos nos bolsos das calças. "Vass levou alguns safanões, mas você tinha avisado os rapazes que isso poderia acontecer." Ele tirou um lenço do bolso e assoou o nariz. "Esse meu resfriado está ficando pior..."

Fox apenas assentiu com a cabeça e abriu o armário para pegar uma caneca. Tirou uma com um desenho do castelo de Edimburgo. Ele hesitou e então pôs a caneca sobre o balcão da cozinha.

"Para mim, não dá", ele murmurou, passando por McEwan.

"Não dá o quê?", perguntou McEwan.

Fox estava ao lado da janela quando McEwan chegou à sala de estar logo depois.

"Qual é o problema?", McEwan perguntou.

Fox continuou de costas para ele e começou a falar. "Você se lembra do que me disse, Bob? Quando eu entrei para a Divisão de Denúncias há alguns anos? Você disse: 'Sem favores'. O que você queria dizer era que tínhamos que tratar todos da mesma maneira — amigo ou estranho, se eles saíssem da linha, nós os pegávamos."

"Eu me lembro", disse McEwan em voz baixa. Fox o ouviu sentar-se.

"Adam Traynor queria um favor seu — ele queria que

um policial fosse posto sob vigilância. Você disse que seria melhor se a Casa do Pai fizesse o pedido — afinal de contas, aquele seria o canal adequado."

"É mesmo, Malcolm?"

"Não imagino outro jeito de ter acontecido." Fox respirou fundo. "Deve ter sido na quinta ou na sexta-feira. Eu estava ocupado terminando as coisas do caso Glen Heaton... passando tudo para a Promotoria. Mas uma coisa que você me contou naquela sexta-feira — você disse que talvez houvesse um caso para nós em Aberdeen." Por fim, Fox virou-se para McEwan. "E isso lhe deu uma ideia. Talvez você já soubesse alguma coisa sobre Jamie Breck... que tipo de policial ele era. Você achou que ele e eu nos daríamos bem. Eu ficaria intrigado com ele, começaria a ver nele muitas coisas que eu não sou... Você fez um acordo com Grampian — eles começariam a *me* seguir e você faria o que pudesse para garantir que a investigação sobre eles fosse a mais branda possível."

Fox foi até sua poltrona e sentou-se de frente para McEwan. McEwan estava olhando para as pilhas de livros no chão ao seu lado. De vez em quando até pegava um e fingia passar os olhos pelas páginas antes de devolvê-lo à pilha.

"Você teve todo aquele fim de semana para pensar a respeito", continuou Fox, "para garantir que era a coisa certa. Eu receberia a tarefa de vigiar Jamie Breck. Quanto mais eu descobrisse sobre ele, mais passaria a confiar *nele* e não na evidência. E com base no que conhecia a meu respeito, você teve certeza de que eu meteria os pés pelas mãos de alguma maneira. Isso era tudo de que você precisava... que eu cometesse um erro. O mesmo tipo de falta pela qual Breck estava sendo incriminado, e exatamente pelos mesmos motivos." Fox fez uma pausa. "O que, se for verdade, põe você na mesma categoria de Bull Wauchope e Charlie Brogan..." Ele deixou a acusação pairar no ar, enquanto McEwan folheava outro livro.

"Se for verdade", McEwan acabou por repetir.

"A única coincidência real foi que Breck acabou participando da investigação de Faulkner — o que, no que lhe dizia respeito, era como ouro puro. Isso criou todo um novo conjunto de maneiras para que eu fracassasse completamente..."

Fox fez mais uma pausa, dando a McEwan outra oportunidade de falar, uma oportunidade que ele recusou sem dificuldade.

"Quando eu estava olhando a ficha de Traynor, também olhei a sua, Bob. Isso me fez lembrar de uma coisa que você disse bem no começo da investigação de Heaton — que você não poderia assumir a dianteira. E você estava certo — afinal, você trabalhou na mesma divisão que ele. Foi por pouco tempo, mas essas coisas podem voltar para nos assombrar assim que as equipes de defesa ficam sabendo sobre elas. Mas a sua ficha contava uma história diferente. Glen Heaton foi seu parceiro há muito tempo — ele estava apenas começando e foi você quem lhe ensinou as primeiras coisas. Você quis que a minha reputação fosse manchada para que o advogado dele pudesse usar isso contra nós no tribunal. Você quis que a Divisão de Denúncias falhasse. Sua própria equipe, Bob..."

McEwan levantou os olhos pela primeira vez. "E, segundo a sua maneira de pensar, essa é única versão possível?", perguntou ele.

"Você lembra quando me contou que Breck e Heaton não eram amigos? Você disse que tinha falado com alguém em Torphichen... mas foi com o seu velho colega Heaton que você falou, não foi? Nós *não* ajudamos os nossos velhos colegas", continuou Fox, inclinando-se para a frente. "Nós somos a Divisão de Denúncias."

McEwan pigarreou. "Glen Heaton faz o que tem que ser feito, Malcolm."

"É isso que eu continuo a ouvir, mas essa é a desculpa que sempre nos dão!" Fox esperou que McEwan dissesse mais alguma coisa, mas ele apenas jogou o livro que estava segurando na mesa de café e recostou-se um pouco no sofá.

"Eu pensei que era Wauchope quem estava ajudando Heaton", Fox admitiu com um sorriso triste.

"Bull Wauchope e Terry Vass são bandidos, Malcolm."

"E você não é?" Fox encarou seu chefe. Depois de alguns instantes de silêncio, ele deu um suspiro. "Pela manhã", disse ele, "você vai levar tudo sobre Wauchope, Brogan e Vince Faulkner para o chefe..."

"Tudo?", repetiu McEwan.

"Você vai ter que contar a ele sobre Traynor e vai garantir que Jamie Breck seja reintegrado sem nenhuma anotação em sua ficha."

McEwan fez que sim com a cabeça lentamente. "E quanto a nós?"

"A última coisa que você vai fazer antes de sair da sala do chefe de Polícia é entregar a ele a sua demissão — o que lhe dá algumas horas para inventar qualquer desculpa que você quiser. Eu quero que a inspetora Stoddart volte para o lugar de onde saiu e quero ficar sabendo que fui reintegrado. Mas sem você no comando."

"E se eu me recusar?"

"Então vai ser a *minha* vez de conversar com o chefe."

"Seria a minha palavra contra a sua."

"Você quer mesmo se arriscar? Fique à vontade..." Fox fez menção de se levantar. "Acho que vou descobrir o que vai acontecer em poucas horas."

McEwan olhou para ele e enfiou a mão no bolso, de lá tirando um celular. "Estou encantado com a alta consideração que você tem por mim", disse ele em voz baixa, apertando os botões. Quando sua chamada foi atendida, ele disse apenas três palavras.

"É melhor entrar."

Fox ouviu outra porta de carro abrir e fechar. McEwan tinha saído da sala de estar por tempo suficiente para abrir a porta para o recém-chegado. Houve uma conversa rápida e murmurada no corredor. Fox estava em pé. Com certeza McEwan não tinha trazido Glen Heaton consigo... Mas, se o fizesse, Fox estava preparado. A porta abriu, e McEwan trouxe um homem de aparência distinta para dentro da sala.

"Malcolm", disse ele, como apresentação, "talvez você não conheça o chefe de Polícia..."

O nome do chefe era Jim Byars e ele estendeu a mão para Fox. Devia ter pouco menos de sessenta anos, o cabelo grisalho espesso penteado para trás.

"Senhor", disse Fox, cumprimentando-o.

"O Bob me disse que você entendeu mal as coisas", disse Byars. Os olhos dele eram profundos mas penetrantes. "Que tal se nos sentarmos, hein?"

O chefe de Polícia esperou até que os três estivessem acomodados, então se voltou para Fox. "Você olhou a ficha de Adam Traynor, não é?"

"Sim, senhor."

"Reparou em alguma coisa?"

Fox fez que sim com a cabeça lentamente. "Alguns dos seus comentários estavam lá... Lendo nas entrelinhas, me pareceu que o senhor nunca realmente considerou Traynor como seu possível sucessor."

Byars voltou sua atenção para McEwan. "Ele é inteligente, Bob."

"Sim, senhor", concordou McEwan. "De vez em quando."

Byars estava encarando Fox de novo. "De fato, você está certo — sempre houve rumores a respeito de Adam Traynor."

"Que remontam à época dele em Dundee?", sugeriu Fox.

"Suspeitas de que ele andou em más companhias no passado. Uma delas era Bruce Wauchope..."

"Ao que parece foi Wauchope quem apresentou Traynor para Glen Heaton", Bob McEwan interrompeu, fixando o olhar em Fox. "Você está certo quando diz que eu e Heaton nos conhecemos há muito tempo... mas eu nunca trairia um de meus homens, Malcolm."

Fox engoliu em seco. O rosto começou a ficar corado.

"O Bob", continuou o chefe de Polícia, "sabia que alguma coisa estava acontecendo — de maneira alguma Traynor poderia ter ordenado uma operação de vigilância sobre você sem que Bob estivesse inteirado. Bob já sabia que eu tinha algumas preocupações em relação ao meu sub, preocupações que agora *ele* também tinha. A inspetora Stoddart conversou com o subchefe de Polícia *dela* em Grampian, e ele reconheceu que foi Traynor quem ordenou sua vigilância."

"Ele reconheceu? Simples assim?"

O chefe de Polícia deu de ombros. "Com o acordo de que alguns detalhes não seriam divulgados."

"Em outras palavras, nós não saímos por aí anunciando aos quatro ventos que Traynor lhe ofereceu um acordo — se Grampian ficasse em cima de mim, a Divisão de Denúncias de Edimburgo não assumiria a investigação de Aberdeen?"

"Mais ou menos isso... Escute, eu compreendo que você esteja aborrecido..."

"Não tanto quanto eu estou", interrompeu McEwan, os olhos sobre Fox. "Você realmente pensou que eu estivesse por trás de tudo isso?"

"Não foi você quem eles usaram de bucha de canhão", murmurou Fox. Ele encostou de novo na poltrona e passou uma das mãos pelo cabelo. Estava se lembrando de algo que seu pai lhe dissera — *Você tem que ter cuidado... Máquinas... não se pode confiar nelas...* Talvez o velho não estivesse tão confuso, afinal. A corporação policial era composta de uma série de mecanismos conectados, cada um podendo ser manipulado, ou perder o alinhamento, ou precisar de conserto...

"Por que Traynor suspendeu a vigilância sobre Breck?", ele acabou perguntando. Foi McEwan quem respondeu.

"A melhor suposição é de que ele já tinha o suficiente para tirar vocês dois do jogo. Quanto mais o esquema sobre Breck avançasse, maior a probabilidade de levantar suspeitas."

"O pagamento ao SEIL com o cartão de crédito de Breck era de cinco semanas atrás", comentou Fox.

McEwan assentiu com a cabeça. "Tudo isso já estava sendo planejado fazia algum tempo. Provavelmente estavam vendo se ele iria reparar e questionar a administradora."

"Ou pode ser que tudo de que precisassem", acrescentou Fox, "fosse que Wishaw soubesse que Breck *seria* tirado do jogo em algum momento, e assim não continuaria pegando no pé dele..." Ele pensou por um momento. "Os detalhes do cartão de crédito de Breck..."

"Ele trabalhou com Glen Heaton", lembrou McEwan. "Heaton gosta de saber de tudo o que há para saber — nunca se sabe quando se vai precisar."

"Ele anotou as informações do cartão?"

McEwan deu de ombros. "É a melhor suposição", sugeriu ele. O chefe de Polícia olhou de um homem para o outro, então apoiou as mãos nos joelhos, preparando-se para se levantar.

"Foi Traynor?", Fox perguntou. McEwan fez que sim com a cabeça.

"Traynor", concordou ele. "Heaton pediu um favor, e Traynor viu naquilo uma maneira de matar dois coelhos."

"Mas quando eu acusei você agora há pouco... antes de você chamar o chefe para entrar... por que não disse alguma coisa?"

"Será que um sujeito não pode se divertir um pouco?", disse Bob McEwan. Mas então seu rosto ficou sombrio. "Mas você e eu *vamos* ter uma conversa sobre as conclusões às quais você chegou."

"Sim, senhor", Fox conseguiu responder, observando o chefe de Polícia dirigir-se para a porta. "Mais uma coisa, senhor", disse ele em voz alta. "Eu acho que mereço uma reparação..."

Jim Byars parou. "*Reparação?*"

"Reparação", repetiu Fox. "Eu quero que Dickinson e Hall sejam repreendidos."

Byars olhou para McEwan em busca de uma explicação. "Eles são homens de Billy Giles", esclareceu McEwan.

"Eles me atacaram", acrescentou Fox, mostrando o que restava do machucado no rosto.

"Entendo", disse o chefe de Polícia. E então, depois de pensar um momento: "Existem meios para isso, sabe?".

Fox não respondeu, e McEwan teve que interferir.

"Acho que Malcolm sabe, senhor", disse ele a Byars. "Afinal, ele é da Divisão de Denúncias..."

32

Fox parou para tomar um *espresso* duplo em uma Starbucks perto da rua de Annie Inglis. Ele não conseguira dormir de maneira alguma. O local parecia ser frequentado por estudantes correndo para cumprir prazos de entrega de tarefas e mães que tinham acabado de deixar os filhos na creche. A música de fundo era eletro-pop dos anos 1980. Fox sentou-se em um banco perto da porta e observou os carros fazendo fila no cruzamento da Holy Corner. A cafeína não parecia estar fazendo nenhum efeito imediato, mas ele decidiu não tomar uma segunda xícara. Além disso, estava na hora.

Ele dirigiu os cem metros que faltavam até o prédio de Inglis e ficou sentado lá, esperando. Como antes, Duncan foi o primeiro a sair. Fox o observou andando sonolentamente em direção à escola, então saiu do Volvo e foi para a entrada principal do prédio. Ele estava prestes a apertar o botão embaixo do nome Inglis quando ouviu passos descendo as escadas. Esperou um pouco e, quando a porta se abriu, a própria Annie Inglis estava lá. As sobrancelhas dela se levantaram quando o viu.

"Malcolm!", disse ela ofegante. "Mas que diabos...?"

"Você ficou sabendo?", perguntou ele.

"Ficou sabendo do quê?" Ela o olhou de cima a baixo. "Você começou a dormir na rua?"

Ele ignorou aquilo, mantendo os olhos fixos nos dela. "A carreira de Traynor está prestes a afundar na lama", ele afirmou. "Você tem que tomar cuidado para que ele não a leve junto."

Ela olhou fixamente para ele, sem dizer nada.

"Quando Gilchrist recebeu aquela ligação", Fox continuou, repetindo as palavras que tinha ensaiado mentalmente diversas vezes, "a ligação que ordenou que ele suspendesse a vigilância sobre Breck... era você do outro lado, não era?"

"Malcolm..."

"Você me deve isso, Annie." Ele dera um passo para a frente de forma que os rostos deles estavam separados por poucos centímetros. Ela mexeu na alça da bolsa. "De verdade", ele a cutucou.

"Eu não sabia que era uma armação, Malcolm — você tem que acreditar nisso. Se eu não tivesse confiado em você, você acha que teria lhe passado aquele contato na polícia em Melbourne?"

"Você estava apenas seguindo ordens, é isso? Mas você estava recebendo alguma coisa em troca, Annie — Gilchrist ia ser removido da cena. Não é isso o que geralmente acontece com as ordens." Fox estava balançando a cabeça. "Se você não sabia, no mínimo suspeitava... e ainda assim continuou com o jogo. No dia em que eu disse a Stoddart que estava doente, aposto que você se ofereceu para me ligar e ver se eu não estava mentindo. Foi por isso que você se ofereceu para ir até a minha casa — só para ter absoluta certeza." Foi a vez de Fox olhar para ela de cima a baixo. "Você é uma figura."

"Eu fiz o que me mandaram." O rosto de Inglis mostrou que, até mesmo para ela, o argumento era fraco.

"Traynor ordenou especificamente que você pedisse à Divisão de Denúncias para ajudá-la a prender Jamie Breck. Ele lhe deu meu nome..." Ele fez uma pausa. "Foi Traynor, ou Bob McEwan?"

"O inspetor-chefe McEwan?" As sobrancelhas de Inglis se ergueram um pouco. "Ele não teve nada a ver com isso."

Fox assentiu lentamente com a cabeça, e então a levantou na direção do céu. "Você ajudou a incriminar duas pessoas inocentes", ele lhe disse. Fox abaixou a cabeça para olhar para ela de novo.

"Eu não sabia, de verdade..."

"O convite para ir ao seu apartamento — aquilo não foi um pouco arriscado? Você só quis me enganar, me manter na linha?"

"Não poderia ser simplesmente porque gostei de você — porque talvez quisesse avisar você?"

"Mas não avisou."

"Quando percebi que você tinha visto a minha ficha..."

"Sim?"

"Como é que eu poderia saber que Adam não tinha escrito alguma coisa a lápis nela — ou que não iria escrever no futuro?"

"Adam?" Os olhos de Fox se estreitaram. "Você está falando do Traynor?"

"Tem uma história aí." Ela fechou os olhos por um segundo. O silêncio se estendeu.

"História?", ele acabou por repetir, mas ela apenas balançou a cabeça. "E você fez tudo isso sem questionar, sem que Traynor precisasse explicar nada?"

"Havia a evidência contra Breck..."

"Eu estou falando sobre *mim*, Annie. Traynor insistiu que tinha que ser *eu* — e quando eu lhe disse que poderia haver um conflito, ele fez você me puxar de volta." Os olhos dele se estreitaram. "Você nunca pensou em perguntar a ele? A minha carreira começa a rolar ladeira abaixo e você não fez absolutamente nada?"

"Ele me disse que você era um perigo — que os seus amigos na Divisão de Denúncias estavam acobertando você..."

"Você se deu ao trabalho de pedir uma prova disso?" Ele a viu fazer que não com a cabeça mais uma vez. "Então eis algo para se lembrar da próxima vez", continuou Fox, afastando-se dela. "Provar nunca faz mal..."

A menos que seja o conteúdo de uma garrafa de bebida alcoólica.

* * *

Ele voltou para casa e conseguiu ficar algumas horas no sofá com os olhos fechados. Ele havia comprado um pacote de sacos de lixo e ia enchê-los com as diversas pilhas de livros. O lote todo podia ir para um bazar de caridade. Depois de tomar banho e mudar de roupa, ele se sentiu mais desperto, mas ainda entorpecido. Jamie Breck mandara mensagens para o seu celular, mas ele não estava com vontade de responder. Em vez disso, foi de carro até Saughtonhall e pegou Jude.

"Reparou em alguma coisa?", ela perguntou assim que entrou no carro.

"Jeans novo?", sugeriu ele.

"Eu tirei o gesso", ela o corrigiu, balançando o braço na frente do rosto dele. "Nunca deveria ter sido colocado, segundo o médico que retirou." Ela olhou para ele. "Que belo detetive você é."

"Se você soubesse, mana..."

A caminho de Lauder Lodge, ele contou a ela parte da história. Ela escutou atentamente, as lágrimas escorrendo. Quando ele se desculpou por entristecê-la, Jude lhe disse que não havia problema. Ela precisava ouvir.

"Tudo."

Ele ficou sentado na recepção enquanto ela ia ao banheiro para jogar um pouco de água fria no rosto. Os funcionários estavam trabalhando — como em qualquer outro dia.

Mitch Fox esperava por eles no quarto da senhora Sanderson, os dois sentados frente a frente como se tivessem sido amigos a vida toda. Jude beijou o pai na testa.

"Tirou o gesso!", ele comentou, em tom de aprovação.

"Você é mais esperto que o seu filho."

Fox apertou o ombro do pai e deu um beijo no rosto empoado de Audrey Sanderson.

"O seu resfriado já passou", ela lhe disse.

"O seu também." Ele se virou pra o pai. "Faz tempo

que quero perguntar: você ainda tem dinheiro no Dunferm-line Building Society? Parece que eles não andam muito bem das pernas, foi o que me disseram."

"Esse rapaz se preocupa demais", disse a senhora Sanderson com uma risadinha.

"Você me disse que viria às três e quinze", Mitch o repreendeu, batendo no pulso, muito embora ele não estivesse de relógio.

"O trânsito", Fox explicou. "Eles precisam terminar aquelas obras em Portobello. E alguém achou que esta época seria boa para começar a substituir as tubulações centrais de gás, como se os bondes não estivessem causando caos suficiente. Tem um cruzamento de pedestres no Grassmarket, há meses eles estão mexendo naquilo. Logo os turistas vão estar na cidade, e sabe-se lá como é que vão se virar. Segundo o *Evening News*, pedaços de telhado estão caindo dos prédios. A cidade é uma armadilha, a Escócia inteira está caindo aos pedaços, e pelo que eu sei o resto do mundo não fica atrás..." Ele parou de falar quando percebeu que as outras três pessoas no pequeno quarto estavam olhando para ele.

"Pare de reclamar", disse o pai de Fox, quebrando o silêncio, falando por todos eles.

Série policial

Réquiem caribenho
Brigitte Aubert

Bellini e a esfinge
Bellini e o demônio
Bellini e os espíritos
Tony Bellotto

Os pecados dos pais
O ladrão que estudava Espinosa
Punhalada no escuro
O ladrão que pintava como Mondrian
Uma longa fila de homens mortos
Bilhete para o cemitério
O ladrão que achava que era Bogart
Quando nosso boteco fecha as portas
O ladrão no armário
Lawrence Block

O destino bate à sua porta
Indenização em dobro
James M. Cain

Post-mortem
Corpo de delito
Restos mortais
Desumano e degradante
Lavoura de corpos
Cemitério de indigentes
Causa mortis
Contágio criminoso
Foco inicial
Alerta negro
A última delegacia
Mosca-varejeira
Vestígio
Em risco
Patricia Cornwell

Edições perigosas
Impressões e provas
A promessa do livreiro
Assinaturas e assassinatos
John Dunning

Máscaras
Passado perfeito
Ventos de Quaresma
Leonardo Padura Fuentes

Tão pura, tão boa
Correntezas
Frances Fyfield

O silêncio da chuva
Achados e perdidos
Vento sudoeste
Uma janela em Copacabana
Perseguido
Berenice procura
Espinosa sem saída
Na multidão
Luiz Alfredo Garcia-Roza

Neutralidade suspeita
A noite do professor
Transferência mortal
Um lugar entre os vivos
O manipulador
Jean-Pierre Gattégno

Continental Op
Maldição em família
Dashiell Hammett

O talentoso Ripley
Ripley subterrâneo
O jogo de Ripley
Ripley debaixo d'água
O garoto que seguiu Ripley
A chave de vidro
Patricia Highsmith

Sala dos Homicídios
Morte no seminário
Uma certa justiça
Pecado original
A torre negra
Morte de um perito
O enigma de Sally
O farol
Mente assassina
P. D. James

Música fúnebre
Morag Joss

*Sexta-feira o rabino acordou
tarde
Sábado o rabino passou fome
Domingo o rabino ficou em casa
Segunda-feira o rabino viajou
O dia em que o rabino foi
embora*
Harry Kemelman

*Um drink antes da guerra
Apelo às trevas
Sagrado
Gone, baby, gone
Sobre meninos e lobos
Paciente 67
Dança da chuva
Coronado*
Dennis Lehane

*Morte em terra estrangeira
Morte no Teatro La Fenice
Vestido para morrer
Morte e julgamento
Enquanto eles dormiam*
Donna Leon

A tragédia Blackwell
Ross Macdonald

É sempre noite
Léo Malet

*Assassinos sem rosto
Os cães de Riga
A leoa branca
O homem que sorria*
Henning Mankell

*Os mares do Sul
O labirinto grego
O quinteto de Buenos Aires
O homem da minha vida
A Rosa de Alexandria
Milênio
O balneário*
Manuel Vázquez Montalbán

O diabo vestia azul
Walter Mosley

*Informações sobre a vítima
Vida pregressa*
Joaquim Nogueira

*Revolução difícil
Preto no branco
No inferno*
George Pelecanos

Morte nos búzios
Reginaldo Prandi

*Questão de sangue
Denúncias*
Ian Rankin

*A morte também frequenta o
Paraíso
Colóquio mortal*
Lev Raphael

O clube filosófico dominical
Alexander McCall Smith

*Serpente
A confraria do medo
A caixa vermelha
Cozinheiros demais
Milionários demais
Mulheres demais
Ser canalha
Aranhas de ouro
Clientes demais
A voz do morto
A segunda confissão*
Rex Stout

*Fuja logo e demore para voltar
O homem do avesso
O homem dos círculos azuis
Um lugar incerto*
Fred Vargas

*A noiva estava de preto
Casei-me com um morto
A dama fantasma
Janela indiscreta*
Cornell Woolrich

ESTA OBRA FOI COMPOSTA PELO GRUPO DE CRIAÇÃO EM GARAMOND E
IMPRESSA PELA GEOGRÁFICA EM OFSETE SOBRE PAPEL PAPERFECT
DA SUZANO PAPEL E CELULOSE PARA A EDITORA SCHWARCZ
EM AGOSTO DE 2011